ふるさとシリーズ

# 誇れる郷土 ガイド

―全国47都道府県の観光データ編―
## 2010改訂版

誇れる郷土ガイド－全国47都道府県の観光データ編－

目次

## 【 目　次 】

■はじめに　世界遺産を活かした地域再生と観光立国への道　3

■全国47都道府県の主要観光資源

| | | | | |
|---|---|---|---|---|
| 北海道　6 | 青森県　8 | 岩手県　10 | 宮城県　12 | 秋田県　14 |
| 山形県　16 | 福島県　18 | 茨城県　20 | 栃木県　22 | 群馬県　24 |
| 埼玉県　26 | 千葉県　28 | 東京都　30 | 神奈川県　32 | 新潟県　34 |
| 富山県　36 | 石川県　38 | 福井県　40 | 山梨県　42 | 長野県　44 |
| 岐阜県　46 | 静岡県　48 | 愛知県　50 | 三重県　52 | 滋賀県　54 |
| 京都府　56 | 大阪府　58 | 兵庫県　60 | 奈良県　62 | 和歌山県　64 |
| 鳥取県　66 | 島根県　68 | 岡山県　70 | 広島県　72 | 山口県　74 |
| 徳島県　76 | 香川県　78 | 愛媛県　80 | 高知県　82 | |
| 福岡県　84 | 佐賀県　86 | 長崎県　88 | 熊本県　90 | |
| 大分県　92 | 宮崎県　94 | 鹿児島県　96 | 沖縄県　98 | |

■全国47都道府県の観光関連データ

| | |
|---|---|
| 2008年 都道府県別　観光入込客数・観光消費額 ………………………………………… | 102 |
| 都道府県別　主要観光地 ……………………………………………………………………… | 103 |
| 都道府県別　主要観光資源 …………………………………………………………………… | 104 |
| 訪日外国人旅行者数並びに日本人海外旅行者数の推移 ………………………………… | 105 |
| 2008年 訪日外国人数 ………………………………………………………………………… | 106 |
| 2007年 日本人海外旅行者・各国別訪問者数 ……………………………………………… | 107 |
| 日本の主要旅行業者の旅行取扱状況 ………………………………………………………… | 108 |
| 2008年 空港・海港別　外国人入国者数・出国日本人数 ………………………………… | 109 |
| 観光関連情報源 ………………………………………………………………………………… | 110 |
| 世界遺産と観光キーワード …………………………………………………………………… | 120 |

【表紙写真】
（表）　　（裏）

❶ 毛越寺（岩手県平泉町）＜写真提供＞（財）岩手県観光協会
❷ 知床沖の流氷（北海道斜里町）＜写真提供＞知床斜里町観光協会
❸ 京都祇園まつり（京都府京都市）＜写真提供＞京都写真ギャラリー
❹ 御所野遺跡（岩手県一戸町）＜写真提供＞世界遺産総合研究所
❺ 端島＜軍艦島＞（長崎県長崎市）＜写真提供＞長崎写真館
　　　　　　　　　　　　　　　　　　　　　　（社）長崎県観光連盟
❻ 御坂峠からの富士山（山梨県）＜写真提供＞世界遺産総合研究所
❼ 秋保の田植踊り（宮城県仙台市）＜写真提供＞宮城県観光課

【中表紙写真】　7ページ　龍安寺（京都府京都市）＜写真提供＞世界遺産総合研究所
　　　　　　　101ページ　石見銀山遺跡とその文化的景観（島根県大田市）＜写真提供＞（社）島根観光連盟

シンクタンクせとうち総合研究機構　発行

# はじめに

## 世界遺産を活かした地域再生と観光立国への道

　経済活動が長期にわたって低迷しているものの、観光への関心は根強い。それは、ある程度の支出を余儀なくされても、それを超える「旅の魅力」があるからに違いない。

　なかでも、日本人海外旅行者の訪問国、訪問の目的を調べてみると、ユネスコの世界遺産リストに登録されている「世界遺産」を見て廻るツアーに関わるものが多くなっている。

　ユネスコの世界遺産は、本来、地球と人類のかけがえのない自然遺産や文化遺産をあらゆる脅威や危険から守ることを目的とした世界遺産条約に基づくもので、人類学上、民族学上、歴史上、芸術上、学術上、保存上、景観上、或は、鑑賞上の、世界的な「顕著な普遍的価値」を有するものである。その全てが鑑賞的な価値が高いものばかりとは限らないが、国際競争力の高い、魅力ある観光資源になっている。

　すなわち、ユネスコの世界遺産になったことで、その知名度が上がり、物見遊山の観光客も増加している。多くの人々を惹き付けるその魅力、或は、魅了するものとは、一体何なのだろうか。世界遺産を活かした地域再生と観光立国への道を切り拓いていく視点が大切である。

　一方、わが国の旅行・観光産業は、あらゆる業種、産業分野において、激しい競争が繰り広げられ自然淘汰を余儀なくされているものが多いなかで、人の心や気持ちをとらえる癒しの産業の為か、未知の可能性を秘めており、国内生産額、雇用効果など経済、雇用、地域の活性化に大きな影響を及ぼすものであり、21世紀のリーディング産業に成長する可能性がある産業分野である。

　例えば、2008年の日本人海外旅行者数が、1,599万人であったのに対して、わが国を訪れる訪日外国人旅行者数は、その約半分の835万人に達した。今後、その格差の更なる是正と、「世界に開かれた観光大国への道」は果てしないが、わが国の観光行政を担う観光庁への期待は高い。

　国際的な空港や海港などの施設の整備、ホスピタリティの向上を図っていくことも重要であるが、航空機の着陸料など日本の高コスト構造を改革していかなければ、抜本的な問題解決にはつながらない。

　特に、中国や韓国などアジア近隣諸国からの誘客を図る場合、内外価格差を是正していく知恵が必要である。日本を訪問する費用は、一部の富裕層を除いては、何年分かの収入にも相当する格差がある。

　しかし、そんな高いコストを払ってでも、日本を訪問したい、日本の世界遺産を見てみたいと思っている潜在的な需要が多いのも事実である。

　本書では、日本の47都道府県の観光データを、私たちの切り口で特集してみた。ユネスコの世界遺産などのヘリティッジ・ツーリズム（遺産観光）の振興をわが国の観光施策の柱に位置づけることを検討する基礎資料としたい。都道府県によって、統計のとり方、分類などに偏りがあり、横の比較ではなく、あくまでも参考データとして戴きたい。

　また、各都道府県のより広範な地域資源データについては、「誇れる郷土シリーズ」の全国47都道府県の概要編、地域別の北海道・東北編、関東編、中部編、近畿編、中国・四国編、九州・沖縄編、テーマ別の誇れる景観編、国際交流・協力編などをご参照下さい。

2009年12月25日

シンクタンクせとうち総合研究機構
代表者　古田陽久

## 全国47都道府県の主要観光資源

龍安寺
(京都市右京区)

北海道

# 北海道〈蝦夷地〉 Hokkaido Prefecture

**面積**　83,456.38km²
**人口**　554.4万人（2009年9月現在）
**道庁所在地**　札幌市（人口　189.1万人）
（2009年9月現在）

**構成市町村数**　179（1政令指定都市34市129町15村）
（2009年12月1日現在）
**観光条例**　北海道観光のくにづくり条例（2001年10月19日施行）
**観光入込客数**　4,707万人（2008年度）
道内客　4,079万人　道外客　628万人
日帰客　3,300万人　宿泊客　1,407万人

**道名の由来：**
明治2年松浦武四郎の建議で、東海道、南海道などにならい命名。

**道の花**：ハマナス
**道の木**：エゾマツ
**道の鳥**：タンチョウ
**道の歌**：北海道民の歌
**その他**：どさんこ体操

**道章**
開拓時代の旗章のイメージを七光星として現代的に表現。開拓者精神と雄々しく伸びる北海道の未来を表す。

**シンボル**
- アイヌ
- 赤レンガ庁舎（旧北海道庁舎）
- 摩周湖
- 大雪山
- 羊蹄山

**世界遺産**
- 知床

**暫定リスト記載物件**
- 北海道・北東北を中心とした縄文遺跡群

**ポテンシャル・サイト**
- 北海道東部の窪みで残る大規模竪穴住居跡群
- 利尻・礼文・サロベツ原野
- 大雪山と日高山脈を統合した地域
- 阿寒・屈斜路・摩周

**世界無形文化遺産**
- アイヌ古式舞踊

**ポテンシャル・サイト**
—

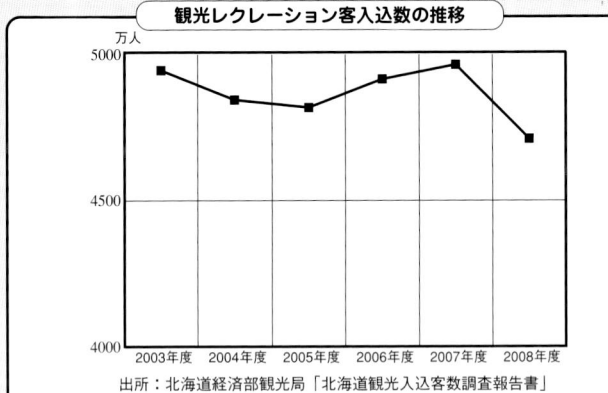

**観光レクリエーション客入込数の推移**

出所：北海道経済部観光局「北海道観光入込客数調査報告書」

ハマナス

エゾマツ

タンチョウ


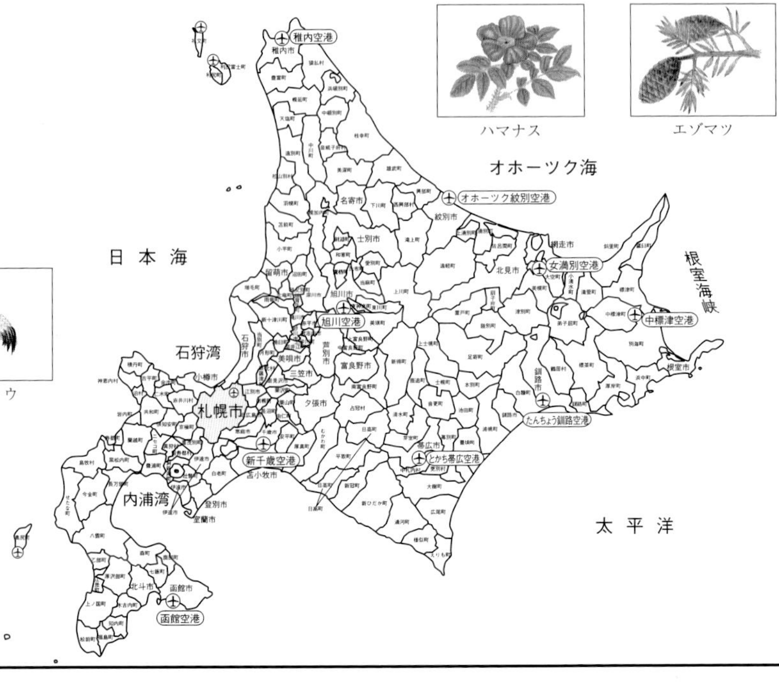

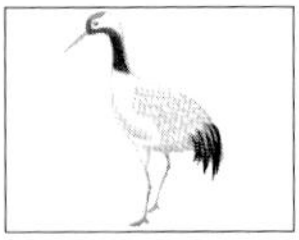

シンクタンクせとうち総合研究機構　発行

01北海道　誇れる郷土ガイド－全国47都道府県の観光データ編－

## 自然環境

**山岳高原**　大雪山（旭岳）、昭和新山、羊蹄山、トムラウシ、十勝岳、幌尻岳、夕張岳、羅臼岳、阿寒岳、斜里岳、利尻山、ルスツ高原、霧ヶ峰高原　**洞穴・鍾乳洞**　当麻鍾乳洞　**峠**　塩狩峠、石北峠、狩勝峠、美幌峠、樹海峠、知床峠、日勝峠、北見峠、咲来峠、オロフレ峠　**湿地湿原**　釧路湿原、クッチャロ湖、ウトナイ湖、霧多布湿原、厚岸湖・別寒辺牛湿原、サロベツ原野、風蓮湖、雨竜沼湿原　**河川**　石狩川、天塩川、十勝川、阿寒川、釧路川、鵡川、沙流川、常呂川、網走川、湧別川　**湖沼池**　摩周湖、屈斜路湖、阿寒湖、風蓮湖、厚岸湖、支笏湖、洞爺湖、サロマ湖、能取湖　**峡渓谷**　層雲峡　**滝**　羽衣の滝、インクラの滝、飛竜賀老の滝、アシリベツの滝、オシンコシンの滝　**海湾岬**　宗谷岬、野寒布岬、知床岬、納沙布岬、襟裳岬、神威岬、赤岩・オタモイ海岸、積丹海岸、石狩湾、内浦湾、太平洋、日本海、オホーツク海　**半島**　渡島半島、亀田半島、松前半島、積丹半島、知床半島、根室半島　**島**　択捉島、国後島、色丹島、歯舞諸島、利尻島、礼文島、天売島、奥尻島　**温泉**　川湯温泉、定山渓温泉、ニセコ温泉郷、登別温泉、湯ノ川温泉、朝里川温泉郷など　**動物**　キタキツネ、オオハクチョウ、タンチョウ、エゾシカ、エゾリス、ヒグマ　**植物**　マリモ、福寿草、ラベンダー、ミズバショウ、こぶし、ライラック

## 文化財

**国の特別史跡**　五稜郭跡　**国の重要文化財（建造物）**　八窓庵（旧舎那院忘筌）、北海道庁旧本庁舎、北海道大学農学部植物園・博物館、豊平館、旧札幌農学校演武場（時計台）、北海道大学農学部（旧東北帝国大学農科大学）第二農場、大主川家住宅店舗、旧函館区公会堂、函館ハリストス正教会復活聖堂、旧日本郵船株式会社小樽支店、旧旭川偕行社、旧三戸部家住宅、福山城（松前城）本丸御門、龍雲院、法源寺山門、旧中村家住宅、旧笹浪家住宅、上國寺本堂、旧下ヨイチ運上家、旧花田家番屋、正行寺本堂、遺愛学院（旧遺愛女学校）、旧手宮鉄道施設、旧日本間家住宅、大谷派本願寺函館別院　**国の重要伝統的建造物群保存地区**　函館市元町末広町　**国の重要文化的景観**　アイヌの伝統と開拓による沙流川流域の文化的景観（平取町）

## 国立公園・国定公園

支笏洞爺国立公園、大雪山国立公園、阿寒国立公園、知床国立公園、利尻礼文サロベツ国立公園、釧路湿原国立公園、大沼国定公園、日高山脈襟裳国定公園、網走国定公園、ニセコ積丹小樽海岸国定公園、暑寒別天売焼尻国定公園

## 観光フィールド

●道北エリア　●道東エリア　●大雪・十勝エリア　●道央エリア　●道南エリア

## 観光モデルルート

●札幌・小樽・函館コース　●道南コース　●札幌・旭川・富良野コース　●大雪・十勝コース　●釧路・阿寒・摩周・網走コース　●網走・知床コース　●オホーツクコース　●稚内・利尻・礼文コース

## ふるさと検定（主催者）

ほっかいどう学検定（ほっかいどう学検定推進機構事務局）、札幌シティガイド検定（札幌商工会議所）、道産子検定（北海道雑学百科ぶっちがいど）、北海道観光マスター検定（札幌商工会議所）、北海道フードマイスター認定（札幌商工会議所）、十勝ワインバイザー検定（池田町ブドウ・ブドウ酒研究所）、函館歴史文化観光検定（函館商工会議所）、はこだてイカマイスター認定試験（函館商工会議所）、とかち検定（帯広商工会議所）、おたる案内人検定（小樽商工会議所）、旭川大雪観光文化検定試験（旭川商工会議所）、くしろ検定（釧路商工会議所）、留萌検定（NPO法人留萌観光協会）

## トピックス

- 「アイヌ古式舞踊」（2009年世界無形文化遺産）
- 「洞爺湖有珠山」（世界地質遺産「ジオ・パーク」）
- 2010年「知床」世界遺産登録5周年
- アイヌ語、ユネスコの「消滅の危機にさらされている言語調査」で、「最も危険な状態にある言語」に分類される。

## 北海道行政データ

**道庁所在地**　〒060-8588　札幌市中央区北三条西6丁目　☎011-231-4111
**経済部観光局**　☎011-204-5302
**14支庁**　石狩、渡島、檜山、後志、空知、上川、留萌、宗谷、網走、胆振、日高、十勝、釧路、根室
**長期総合計画**　計画名『新北海道総合計画－北の未来を拓くビジョンと戦略－』
（通称：ほっかいどう未来創造プラン）　**目標年次**　2008年度からおおむね10年
めざす姿　人と地域が輝き環境と経済が調和する世界にはばたく北海道
**北海道ホームページアドレス**　http://www.pref.hokkaido.lg.jp/
**北海道観光戦略**　11のプロジェクト
①北海道オンリーワン観光推進プロジェクト　②地域ブランド形成促進プロジェクト
③ふゆ観光新展開プロジェクト　④観光情報案内高度化プロジェクト　⑤海外からのお客様100万人プロジェクト
⑥プロモーション新展開プロジェクト　⑦食の連携・クオリティアッププロジェクト
⑧あったか北海道ふれあいの旅づくりプロジェクト　⑨自由旅交通ネットワークプロジェクト
⑩観光プロフェッショナル育成活用プロジェクト　⑪参加型「北海道観光戦略」推進プロジェクト
**北海道くるり旅**　http://www.visit-hokkaido.jp/
**フォトギャラリー**　フォトライブラリー（有料）
**観光統計**　北海道観光入込客数調査報告書
**社団法人北海道観光振興機構**　〒060-0004　札幌市中央区北四条西4丁目1　☎011-231-0941
**北海道どさんこプラザ**　〒100-0006　東京都千代田区有楽町2-10-1東京交通会館1F　☎03-5224-3800

シンクタンクせとうち総合研究機構　発行

# 青森県 〈陸　奥〉　Aomori Prefecture

| 面積 | 9,607.05km² |
|---|---|
| 人口 | 141.4万人（2009年11月現在） |
| 県庁所在地 | 青森市（人口　30.6万人）<br>（2009年11月現在） |
| 構成市町村数 | 40（10市22町8村）<br>（2009年12月1日現在） |

観光レクリエーション客入込数　4,639万人（2008年）
　県内客　3,363万人　　県外客　1,277万人
　日帰客　4,238万人　　宿泊客　402万人
観光消費額　1,603億円

**県名の由来：**
青々と繁る松の森があったことに由来する。

- 県の花：リンゴの花
- 県の木：ヒバ
- 県の鳥：ハクチョウ
- 県の魚：ヒラメ
- 県の歌：青い森のメッセージ

**県章**

青森県の地形を図案化。色は深緑で、躍進発展してやまない希望と未来を表している。

**シンボル**
- 岩木山
- 三内丸山遺跡
- 寒立馬

**世界遺産**
- 白神山地

**暫定リスト記載物件**
- 北海道・北東北を中心とした縄文遺跡群

**ポテンシャル・サイト**
—

**世界無形文化遺産**
—

**ポテンシャル・サイト**

## 観光レクリエーション客数の推移

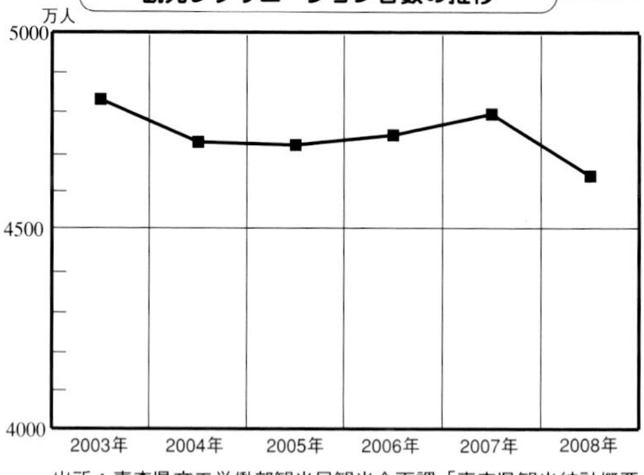

出所：青森県商工労働部観光局観光企画課「青森県観光統計概要」

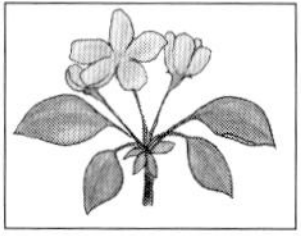

リンゴの花

ヒバ

ハクチョウ

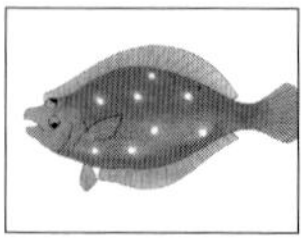

ヒラメ

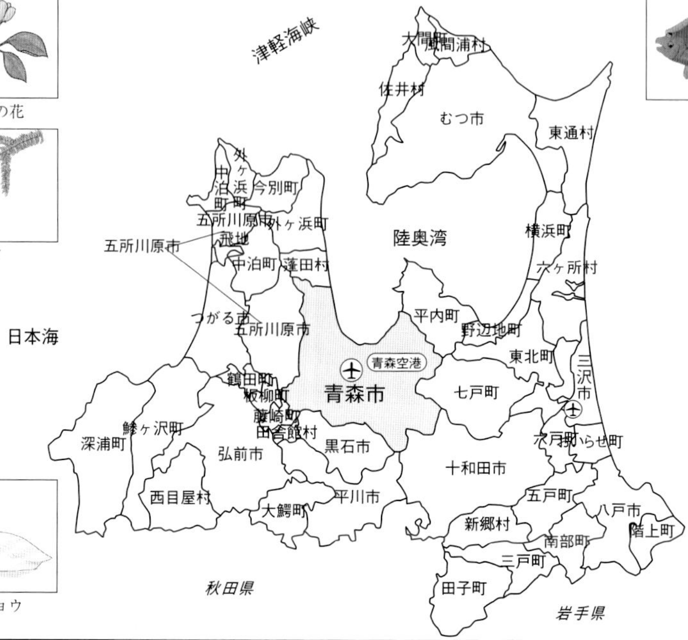

今が旬 すぐ、そこ、青森　02青森県　誇れる郷土ガイド―全国47都道府県の観光データ編―

## 自然環境

**山岳高原**　白神山地、岩木山（津軽富士）、八甲田山、十和田山、恐山、黒森山、釜臥山、縫道石山、吹越烏帽子、名久井岳、田代高原、萱野高原　**峠**　矢立峠　**河川**　馬淵川、岩木川、高瀬川、奥入瀬川、宿野部川、横内川、赤石川　**三角州**　岩木川河口　**湖沼池**　小川原湖、十和田湖（二重式カルデラ湖）、十三湖、十二湖、鷹架沼、屏風山湿原、さい沼　**湿地湿原**　陸奥小川原湖沼群、田代湿原　**峡渓谷滝**　奥入瀬渓流、城ヶ倉渓流、薬研渓流、赤石渓流、暗門の滝、弥勒の滝、寺下の滝、くろくまの滝　**海湾岬**　龍飛崎、小泊岬、大間崎、尻屋崎、仏ヶ浦、岡崎海岸、大須賀海岸、種差海岸、陸奥湾、津軽海峡、太平洋、日本海　**半島**　津軽半島、下北半島　**温泉**　浅虫温泉、酸ヶ湯温泉、青荷温泉、大鰐温泉、十和田湖温泉、城ヶ倉温泉、鰺ヶ沢温泉、小泊温泉、古牧温泉、猿倉温泉、百沢温泉、不老不死温泉など。　**動物**　ハクチョウ、ウミネコ、ニホンザル、ニホンカモシカ、クマゲラ、イヌワシ、寒立馬、ヤマアカガエル、ハギマシコ　**植物**　桜、リンゴ、シャクナゲ、ヤブツバキ、ツバキ、ブナ、ヒバ、イチョウ、コスモスシラガミクワガタ、カタクリ、ミチノクコザクラ、オキナグサ

## 文化財

**国の特別史跡**　三内丸山遺跡　**国の重要文化財（建造物）**　最勝院五重塔、弘前学院外人宣教師館、弘前城、弘前城三の丸東門、弘前八幡宮、誓願寺山門、東照宮本殿、津軽為信霊屋、津軽霊屋、熊野奥照神社本殿、旧第五十九銀行本店本館、石場家住宅、革秀寺本堂、長勝寺、長勝寺御影堂、長勝寺三門、清水寺観音堂、櫛引八幡宮、高橋家住宅、旧平山家住宅、円覚寺薬師堂内厨子、岩木山神社、岩木山神社拝殿、岩木山神社楼門、旧笠石家住宅、江渡家住宅、南部利康霊屋、旧弘前偕行社、旧津島家住宅、高照神社
**国の重要伝統的建造物群保存地区**　弘前市仲町、黒石市中町

## 国立公園・国定公園

十和田八幡平国立公園、津軽国定公園、下北半島国定公園

## 県内観光圏域

● 青森市・東津軽郡　● 十和田市・三沢市・上北郡　● 弘前市・黒石市・中・南津軽郡　● むつ市・下北郡　● 五所川原市・つがる市・西・北津軽郡　● 八戸市・三戸郡

## 県内広域観光

● 白神パノラマ、ブナの森探訪　● 津軽、花づくし　● 下北・津軽の岬めぐり　● 南部周遊古代ロマンを探る旅　● 八甲田の自然と高山植物に触れる旅　● 下北周遊コース　● 太宰と旅する津軽　● 青森・十和田湖ルート　● 弘前・西海岸ルート　● 奥津軽・津軽半島ルート　● 下北半島ルート　● 八戸・三沢ルート

## 県内主要観光地

● 津軽藩ねぷた村（弘前市）　● 青森県観光物産館アスパム（青森市）　● こどもの国（八戸市）　● 古牧温泉渋沢公園（三沢市）　● とわだぴあ（十和田市）　● 奥入瀬ろまんパーク（十和田市）　● 三内丸山遺跡（青森市）　● 七戸町文化村（七戸町）　● 青森県立美術館（青森市）　● 青森県営浅虫水族館（青森市）　● 津軽「関の庄」（平川市）　● 十二湖公園（深浦町）　● 道の駅アップルヒル（青森市）

## ふるさと検定（主催者）

あおもり検定（青森商工会議所）
津軽ひろさき検定（弘前観光コンベンション協会）、下北検定（下北検定実行委員会）

## トピックス

● 2010年12月　東北新幹線全線開業

## 青森県行政データ

**県庁所在地**　〒030-8570　青森市長島1-1-1　☎017-722-1111
**商工労働部観光局**　☎017-734-9385
**県東京事務所**　〒100-0093　千代田区平河町2-6-3　都道府県会館7F　☎03-5212-9113
**長期総合計画**　計画名『青森県基本計画未来への挑戦』　～情熱あふれるふるさと青森づくり～
　　目標年次　2009年度～2013年度
**観光政策**　「観光力」の強化による国内外との交流の拡大
　　①新たな魅力の創出　②誘客宣伝活動の強化　③観光産業の競争力強化
　　④国際観光の推進　⑤交流を支える基盤整備
**青森県ホームページアドレス**　http://www.pref.aomori.lg.jp/
**青森県観光情報サイト**　http://www.apti.net.jp/
**フォトギャラリー**　画像ダウンロード
**観光統計**　青森県観光統計概要
**青森県立図書館**　〒030-0111　青森市荒川字藤戸119-7　☎017-773-7081
**青森県郷土館**　〒030-0802　青森市本町2-8-14　☎017-777-1585
**あおもり北彩館**　〒102-0071　東京都千代田区富士見2-3-11　青森県会館1F　☎03-3237-8371
**縄文の丘三内まほろばパーク「縄文時遊館」**　〒038-0031　青森市三内丸山305　☎017-766-8282
**白神山地世界遺産センター**　〒036-1411　中津軽郡西目屋村田代字神田61-1　☎0172-85-2622

青森県

シンクタンクせとうち総合研究機構　発行

9

誇れる郷土ガイド−全国47都道府県の観光データ編− 03岩手県　　　黄金の國、いわて。

# 岩手県 〈陸中 陸奥 陸前〉 Iwate Prefecture

**面積** 15,278.86km² （日本で第2位）
**人口** 134.0万人 （2009年11月現在）
**県庁所在地** 盛岡市（人口 29.8万人）
　　　　　　　（2009年11月現在）
**構成市町村数** 35（13市16町6村）（2009年12月1日現在）
**観光条例** みちのく岩手観光立県基本条例（2009年7月1日施行）
**観光入込客数** 3,717万人（2008年）
　県内客 2,167万人　県外客 1,549万人
　日帰客 3,280万人　宿泊客 436万人
**観光消費額** 4,234億円

**県名の由来：**
鬼が岩に押した手形の伝説に由来する。

県の花：キリ
県の木：ナンブアカマツ
県の鳥：キジ
県の魚：南部サケ
県の歌：岩手県民の歌

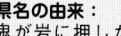
**県章**
岩手県の「岩」の文字を図案化。県の輝かしい発展と向上を表している。

**シンボル**
● 岩手山
● 北上川

**世界遺産**
−

**暫定リスト記載物件**
● 平泉の文化遺産
● 北海道・北東北を中心とした縄文遺跡群（御所野遺跡）

**ポテンシャル・サイト**
● 早池峰山
● 三陸海岸

**世界無形文化遺産**
● 早池峰神楽

**ポテンシャル・サイト**
−

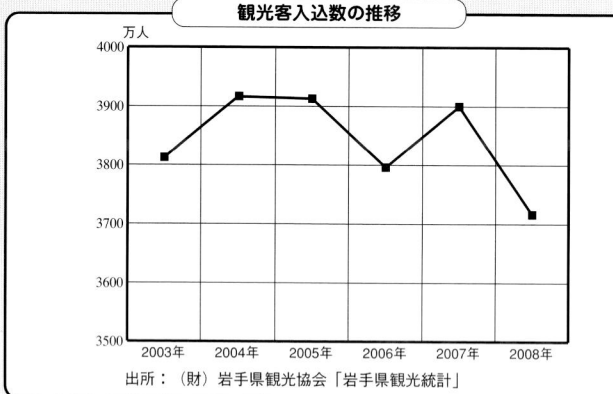

観光客入込数の推移
出所：（財）岩手県観光協会「岩手県観光統計」

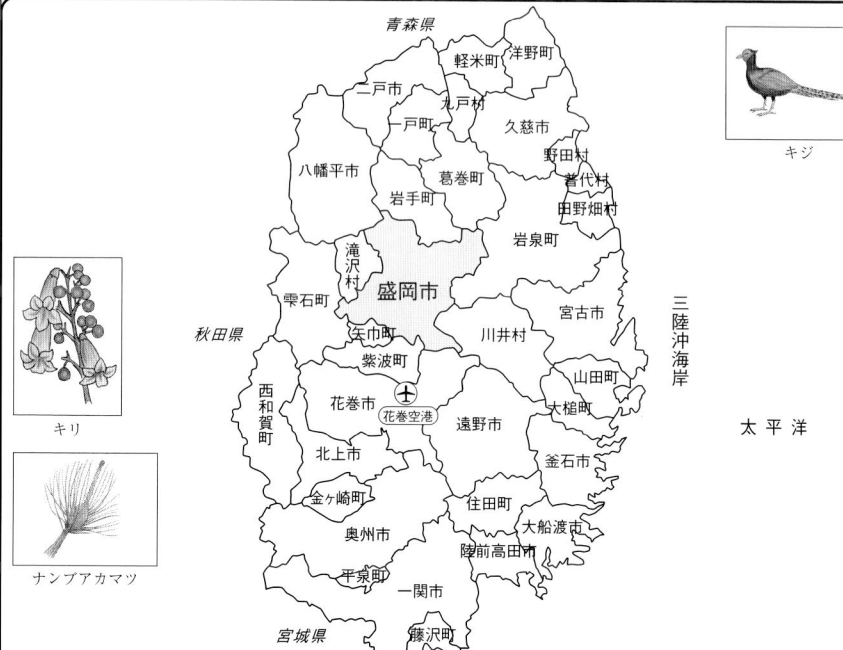

キジ
キリ
ナンブアカマツ

こちら、岩手ナチュラル百貨店。　03岩手県　誇れる郷土ガイド－全国47都道府県の観光データ編－

## 自然環境

**山岳高原**　北上山地、八幡平、岩手山、焼走り溶岩流、早池峰山
**峠**　五輪峠、仙人峠、笛吹峠、白木峠、仙岩峠、浪打峠
**河川**　北上川、閉伊川、葛根田川　**湖沼池**　岩洞湖、櫃取湿原　**峡渓谷滝**　天狗の岩、猊鼻渓、厳美渓、龍泉洞、幽玄洞、安家洞、滝観洞　**海湾岬**　浄土ヶ浜、北山崎、トドヶ崎、綾里崎、久慈湾、広田湾、碁石海岸、穴通磯、高田松原、珊瑚島、太平洋　**島**　三貫島、椿島
**温泉**　花巻温泉郷、鶯宿温泉、夏油温泉、つなぎ温泉、八幡平温泉、湯本温泉、湯川温泉、奥中山高原温泉など
**動物**　コウモリ、イヌワシ、ウミネコ、モリアオガエル、オオミズナギドリ、ウミツバメ
**植物**　サクラ、ハナショウブ、バラ、フジ、カズグリ、シダレカツラ、アカエゾマツ

## 文化財

**国の特別史跡**　中尊寺境内、無量光院跡、毛越寺境内附鎮守社跡、観自在王院跡
**国の史跡**　骨寺村荘園遺跡、金鶏山、達谷窟、柳之御所・平泉遺跡群、御所野遺跡、奥州街道など。
**国宝（建造物）**　中尊寺金色堂
**国の重要文化財（建造物）**　中尊寺経蔵、金色堂覆堂、旧中村家住宅、旧藤野家住宅、岩手大学農学部（旧盛岡高等農林学校）、岩手銀行（旧盛岡銀行）旧本店本館、旧佐々木家住宅、正法寺、天台寺、日高神社本殿、旧菅野家住宅、多聞院伊澤家住宅、旧菊池家住宅、旧後藤家住宅、旧小原家住宅　など。
**国の重要伝統的建造物群保存地区**　金ケ崎城内諏訪小路
**国の重要文化的景観**　一関本寺の農村景観（一関市）、遠野 荒川高原牧場（遠野市）

## 国立公園・国定公園

陸中海岸国立公園、十和田八幡平国立公園、栗駒国定公園、早池峰国定公園

## 県内観光圏域

- 盛岡・八幡平地域　●北上川流域地域　●陸中海岸南部・遠野地域　●陸中海岸中部地域
- 県北・陸中海岸北部地域

## 県内広域観光

- 県央部（盛岡市、八幡平市、雫石町、葛巻町、岩手町、滝沢村、紫波町、矢巾町）
- 県南部（花巻市、北上市、遠野市、一関市、奥州市、西和賀町、金ヶ崎町、平泉町、藤沢町）
- 沿岸部（宮古市、大船渡市、陸前高田市、釜石市、住田町、大槌町、山田町、岩泉町、田野畑村、川井村）
- 県北部（久慈市、二戸市、普代村、軽米町、野田村、九戸町、洋野町、一戸町）

## 県内主要観光地

- 陸中海岸　●八幡平　●平泉　●花巻温泉郷　●安比高原　●小岩井農場　●厳美渓　●猊鼻渓　●栗駒山
- 遠野盆地　●久慈平庭　●浄土ヶ浜　●龍泉洞　●早池峰山　●碁石海岸　●石割桜　●岩手山
- 高松の池　●北山崎　●カッパ淵　●北上川　●種山ヶ原・高原

## ふるさと検定（主催者）

盛岡もの識り検定試験（盛岡商工会議所）、奥州おもしろ学検定（奥州寺子屋）

## トピックス

- 2011年第35回世界遺産委員会で、「平泉－仏国土（浄土）を表す建築・庭園および関連の考古学的遺跡群－」、世界遺産に再チャレンジ。
- 「早池峰神楽」（2009年世界無形文化遺産）
- 伊達な広域観光圏整備計画（岩手県一関市・奥州市・平泉町、宮城県仙台市・気仙沼市・登米市・大崎市・松島町・利府町・南三陸町）

## 岩手県行政データ

県庁所在地　〒020-8570　盛岡市内丸10-1　　☎019-651-3111
商工労働観光部観光課　☎019-629-5574
地方振興局　盛岡、花巻、北上、水沢、一関、千厩、大船渡、遠野、釜石、宮古、久慈、二戸
長期ビジョン　計画名『いわて県民計画』　計画期間　2009年度～2018年度
　　　　　　　基本目標　いっしょに育む「希望郷いわて」
観光振興基本方針　①地域の自然、農業、林業、漁業、地域固有の習わしなどを体験する観光の促進
　　　　　　　　　②地域の歴史、伝統、芸能、文学などに対する関心を満たすことを目的とする観光の促進
　　　　　　　　　③産業遺産、匠の技、先端技術などを通してものづくりの魅力を伝える産業観光の促進
　　　　　　　　　④地域に受け継がれた郷土料理、地場の食材の活用など食文化の魅力を生かす観光の促進。
　　　　　　　　　⑤豊かな自然に育まれた素材を生かした地場産品、卓越した技法を用いて作られた工芸品
　　　　　　　　　　などを活用する観光の促進。
岩手県ホームページアドレス　http://www.pref.iwate.jp/
岩手県観光ポータルサイト　いわての旅　http://www.iwatetabi.jp/
フォトギャラリー　観光写真ダウンロード
観光統計　岩手県観光統計概要－統計で見る岩手の観光－
㈶岩手県観光協会　〒020-0045　盛岡市盛岡駅西通2-9-1　　☎019-651-0626
いわて銀河プラザ　〒104-0061　東京都中央区銀座5-15-1南海東京ビル　　☎03-3524-8282

シンクタンクせとうち総合研究機構　発行

# 宮城県 〈陸前 磐城〉 Miyagi Prefecture

| 面積 | 7,285.74km² |
|---|---|
| 人口 | 233.6万人（2009年11月現在） |
| 県庁所在地 | 仙台市（人口 101.2万人）<br>（2009年11月現在） |
| 構成市町村数 | 35（1政令指定都市12市21町1村）<br>（2009年12月1日現在） |
| 観光入込客数 | 5,679万人（2008年） |
| 宿泊客 | 804万人 |
| 観光消費額 | 5,751億円 |

## 県名の由来
宮なる城、すなわち、古代の国府多賀城を指すという。

- 県の花：ミヤギノハギ
- 県の木：ケヤキ
- 県の鳥：ガン
- 県の獣：シカ
- 県の歌：輝く郷土

### 県章

宮城県の「み」の文字と県花ミヤギノハギを図案化。左の葉から、融和と協力、悠久と発展、郷土愛を表す。

### シンボル
- 松島
- 蔵王山

### 世界遺産
—

### 暫定リスト記載物件
—

### ポテンシャル・サイト
- 松島—貝塚群に見る縄文の原風景—
- 三陸海岸

### 世界無形文化遺産
- 秋保の田植踊

### ポテンシャル・サイト
—

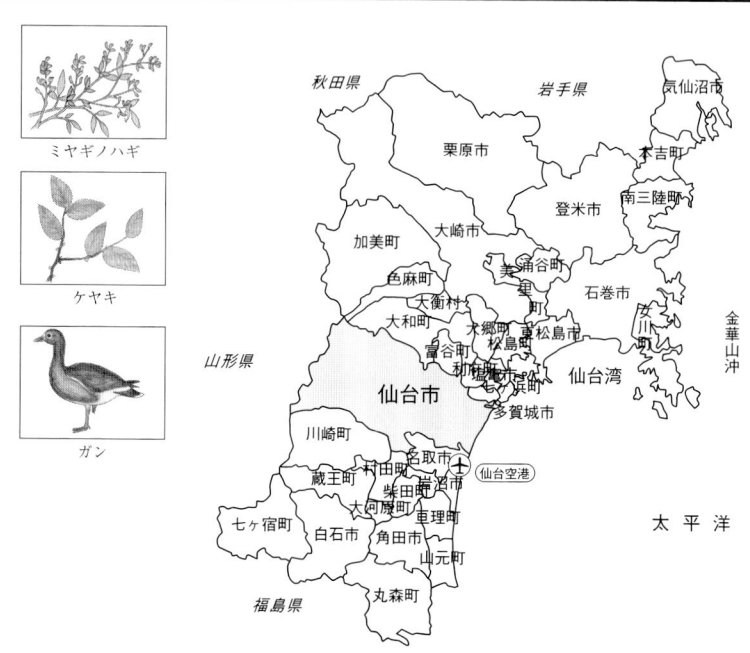

観光レクレーション客入込数の推移
出所：宮城県経済商工観光部観光課「観光統計概要」

ミヤギノハギ
ケヤキ
ガン

04宮城県　誇れる郷土ガイドー全国47都道府県の観光データ編ー

### 自然環境
| | |
|---|---|
| 山岳高原 | 蔵王山、栗駒山、神室岳、北泉ケ岳、みやぎ蔵王高原 |
| 峠 | 石橋峠、二井宿峠、金山峠、笹谷峠、関山峠、鍋越峠　**河川** 阿武隈川、鳴瀬川、名取川、北上川、二迫川、広瀬川、白石川　**湖沼池** 七ツ森湖、万石浦、伊豆沼、内沼、潟沼、長沼 |
| 湿地湿原 | 伊豆沼、内沼、世界ово地原生林　**峡渓谷滝** 嵯峨渓、浅布渓谷、秋保大滝、鳴子峡 |
| 海湾岬 | 十八鳴浜、岩井崎、仙台湾、松島湾、石巻湾、女川湾、太平洋 |
| 半島 | 牡鹿半島、唐桑半島　**島** 松島、宮古島、金華山、網地島 |
| 温泉 | 鳴子温泉、駒の湯温泉、青根温泉、作並温泉、秋保温泉、遠刈田温泉など |
| 名水 | 桂葉清水、広瀬川 |
| 動物 | ゲンジボタル、がん、白鳥、ホンシュウジカ、ニホンザル、ウミネコ |
| 植物 | サクラ、ツバキ、ツツジ、ウメ、バラ、コウヤマキ、イチョウ、あやめ、ハス、水芭蕉 |
| 自然現象 | 岩井崎の潮吹岩、十八鳴浜の鳴り砂、樹氷、鬼首間歇泉、東風穴、半造潮吹岩 |

### 文化財
| | |
|---|---|
| 国の特別史跡 | 多賀城跡附寺跡　**国の史跡** 遠見塚古墳、岩切城跡、黄金山産金遺跡、山前遺跡、西の浜貝塚、仙台城跡、大木囲貝塚、飯野坂古墳群、陸奥国分寺跡、陸奥上街道、日の出山瓦窯跡、里浜貝塚など |
| 国宝（建造物） | 瑞巌寺本堂（方丈）、瑞巌寺庫裏及び廊下、大崎八幡宮 |
| 国の重要文化財（建造物） | 東照宮、大崎八幡宮본殿、陸奥国分寺薬師堂、洞口家住宅、旧中澤家住宅（旧所在名取市愛島塩手）、高蔵寺阿弥陀堂、旧佐藤家住宅、我妻家住宅、圓通院霊屋、瑞巌寺御成門、瑞巌寺中門、瑞巌寺五大堂、松本家住宅、旧登米高等尋常小学校校舎、石井閘門、鹽竈神社 |

### 国立公園・国定公園
陸中海岸国立公園、蔵王国定公園、栗駒国定公園、南三陸金華山国定公園

### 県内観光圏域
● 仙南　● 仙台　● 大崎　● 栗原　● 登米　● 石巻　● 気仙沼・本吉

### 県内広域観光ルート
● 宮城おとぎ街道（県南部、みやぎ蔵王山麓エリア）　● みやぎ黄金海道（県北沿岸部、南三陸エリア）
● 宮城ろまん街道（県北内陸部、鳴子栗駒、登米、大崎エリア）

### 県内主要観光地点
● 仙台市　● 松島海岸　● 秋穂温泉　● 定義如来　● 塩竈神社　● 鳴子温泉　● 遠刈田温泉
● 泉ヶ岳・七北田周辺　● 蔵王（刈田山頂）　● 岩井崎　● みちのくの杜の湖畔公園　● いわかがみ平（栗駒山）
● 唐桑半島　● 日和山　● 作並温泉　● 野蒜　● 白石城周辺　● 気仙沼大島　● えぼしスキー場　● 奥松島

### ふるさと検定（主催者）
宮城マスター検定（宮城県）、港まち気仙沼おもてなし検定（気仙沼おもてなしのまちづくり推進協議会）、
ふるさと石巻観光検定（石巻商工会議所）、だてな仙台検定（だてな仙台検定運営委員会）
白石ものしり博士（白石市）

### トピックス
● 「秋保の田植踊」（2009年世界無形文化遺産）
● 伊達な広域観光圏整備計画（岩手県一関市・奥州市・平泉町、宮城県仙台市・気仙沼市・登米市・大崎市・松島町・利府町・南三陸町）

### 宮城県行政データ
県庁所在地　〒980-8570　仙台市青葉区本町3-8-1　☎022-211-2111
経済商工観光部観光課　☎022-211-2822
広域行政　仙南圏、仙台都市圏、大崎圏、栗原圏、登米圏、石巻圏、気仙沼・本吉圏
長期総合計画　計画名『富県共創！　活力とやすらぎの邦づくり』　計画期間　2007年度～2016年度
　　　　　　　基本方向　1. 富県宮城の実現～県内総生産10兆円への挑戦～
　　　　　　　　　　　　2. 安心と活力に満ちた地域社会づくり
　　　　　　　　　　　　3. 人と自然が調和した美しく安全な郷土づくり
みやぎ観光戦略プラン　ー「地域が潤う、訪れてよしの観光王国みやぎの実現」を目指してー
宮城県ホームページアドレス　http://www.pref.miyagi.jp/
宮城まるごと探訪　http://www.miyagi-kankou.or.jp
フォトギャラリー　みやぎデジタルフォトライブラリー
観光統計　観光統計概要

| 東北歴史博物館 | 〒985-0862 | 多賀城市高崎1-22-1 | ☎022-368-0101 |
|---|---|---|---|
| 宮城県美術館 | 〒980-0861 | 仙台市青葉区川内元支倉34-1 | ☎022-221-2111 |
| 宮城県公文書館 | 〒983-0851 | 仙台市宮城野区榴ヶ岡5 | ☎022-791-9333 |
| 宮城県立図書館 | 〒981-3205 | 仙台市泉区紫山1-1 | ☎022-377-8441 |
| 東北歴史資料館 | 〒985-0861 | 多賀城市浮島 | ☎022-368-0101 |
| 宮城ふるさとプラザ | 〒985-0861 | 東京都豊島区東池袋1-2-2東池ビル | ☎03-5956-3511 |

宮城県

シンクタンクせとうち総合研究機構　発行

誇れる郷土ガイド−全国47都道府県の観光データ編− 05秋田県　　美の国あきた

# 秋田県 〈陸中　羽後〉　Akita Prefecture

| 面積 | 11,612.22km² |
|---|---|
| 人口 | 109.7万人（2009年11月現在） |
| 県庁所在地 | 秋田市（人口　32.6万人）（2009年11月現在） |

- 県民の日　8月29日
- 構成市町村数　25（13市9町3村）
　　　　　（2009年12月1日現在）
- 観光入込客数　4,299万人（2008年）
　　県内客　2,720万人　県外客　1,579万人
　　日帰客　3,948万人　宿泊客　352万人
- 観光消費額　－　億円

**県名の由来：**
アイヌ語で葦、篠笹の生えた所に由来。

- 県の花：フキノトウ
- 県の木：秋田杉
- 県の鳥：ヤマドリ
- 県の魚：ハタハタ
- 県の歌：秋田県民歌
- 県のマスコット：スギッチ

**県　章**
秋田県の「ア」の文字を図案化。県の発展する姿を表している。

**シンボル**
- なまはげ
- 秋田杉
- 白神山地
- 鳥海山

**世界遺産**
- 白神山地

**暫定リスト記載物件**
- 北海道・北東北を中心とした縄文遺跡群

**ポテンシャル・サイト**
- −

**世界無形文化遺産**
- 大日堂舞楽

**ポテンシャル・サイト**
- 男鹿のナマハゲ

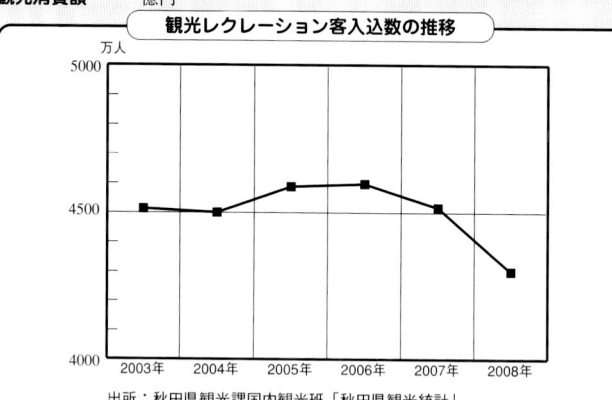

観光レクレーション客入込数の推移
出所：秋田県観光課国内観光班「秋田県観光統計」

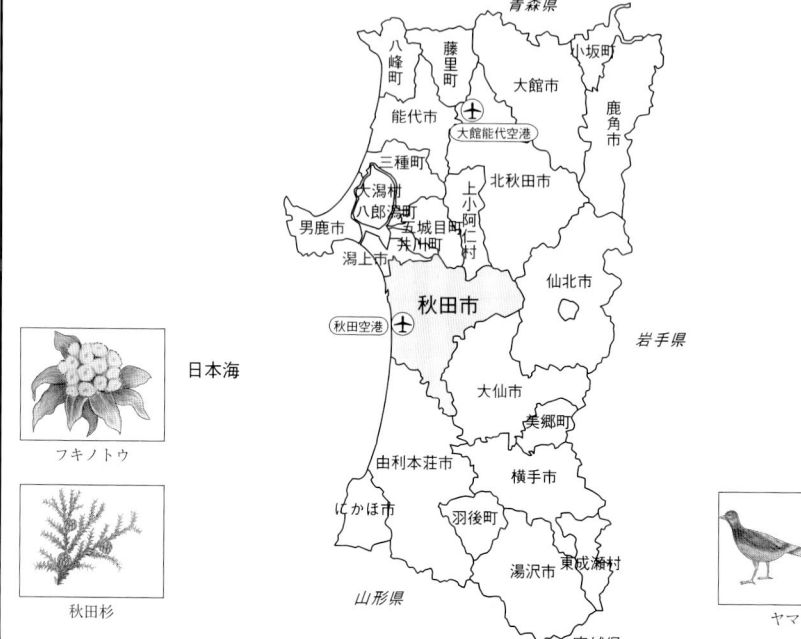

フキノトウ　　秋田杉　　ヤマドリ

14　　シンクタンクせとうち総合研究機構　発行

05秋田県　誇れる郷土ガイド－全国47都道府県の観光データ編－

## 自然環境

| | |
|---|---|
| 山岳高原 | 白神山地、八幡平、駒ヶ岳、栗駒山、寒風山、鳥海山、十和田湖高原、田沢湖高原、由利高原 |
| 湿地湿原 | 獅子ヶ鼻湿原　**峠**　発荷峠、矢立峠、毛せん峠、雄勝峠、白木峠、仙岩峠　**盆地**　花輪盆地、大館盆地、鷹巣盆地、横手盆地　**平野**　能代平野、秋田平野、本荘平野　**河川**　雄物川、米代川、子吉川 |
| 湖沼池 | 十和田湖、八郎潟調整池、田沢湖、三の目潟湖　**峡渓谷滝**　奥入瀬渓流、奈曽の白瀑谷、法体の滝、安の滝、二の滝、大湯滝、抱返り渓谷、小安峡　**海湾岬**　鵜ノ崎海岸、象潟海岸、入道崎、日本海 |
| 半島 | 男鹿半島 |
| 温泉 | 田沢湖高原温泉、玉川温泉、八幡平温泉、男鹿温泉、湯瀬温泉、大滝温泉、森岳温泉、小安温泉、八森温泉、大湯温泉、孫六温泉、乳頭温泉、鶴の湯温泉など |
| 動物 | ザリガニ、ニホンカモシカ、ミソサザイ、ニホンリス、トウホクサンショウウオ、イヌワシ、カジカ、イワナ、ウミネコ、ウミウ |
| 植物 | シダレザクラ、ソメイヨシノ、コマクサ、ワタスゲ、ダリア、ツバキ、スギ、ブナ |

## 文化財

**国の特別史跡**　大湯環状列石　**国の史跡**　伊勢堂岱遺跡、岩井堂洞窟、秋田城跡、杉沢台遺跡、地蔵田遺跡、払田柵跡、平田篤胤墓、由利海岸波除石垣、脇本城跡、檜山安東氏城館跡、檜山城跡、大館跡、茶臼山跡
**国の重要文化財(建造物)**　旧奈良家住宅、嵯峨家住宅、旧黒澤家住宅、天徳寺、佐竹家霊屋、藤倉水源地水道施設、旧秋田銀行本店本館、八幡神社、赤神神社五社堂、赤神神社五社堂(中央堂)内厨子、古四王神社本殿、旧阿仁鉱山外国人官舎、大山家住宅、神明社観音堂、土田家住宅、草薙家住宅、波宇志別神社神楽殿、三輪神社、鈴木家住宅、旧小坂鉱山事務所、康楽館、三浦家住宅
**国の重要伝統的建造物群保存地区**　仙北市角館

## 国立公園・国定公園

十和田八幡平国立公園、男鹿国定公園、鳥海国定公園、栗駒国定公園

## 県内観光エリア

●白神・能代山本　●大館・阿仁森吉　●十和田・八幡平　●男鹿・八郎湖　●秋田中央
●大仙・田沢湖・角館　●鳥海・由利本荘　●横手湯沢・栗駒

## 県内広域観光ルート

●男鹿・八郎湖エリア　●秋田市周辺エリア　●田沢湖・角館エリア　●十和田湖・八幡平エリア
●森吉山麓エリア　●西栗駒エリア　●白神山地・米代川エリア　●象潟・鳥海山麓エリア

## 県内主要観光スポット

●世界自然遺産白神山地　●きみまち阪藤里峡　●玉川・乳頭温泉と日本一の深さ田沢湖
●なまはげの郷男鹿半島　●芭蕉も愛した象潟　●みちのくの小京都角館　●乙女の像の十和田湖
●八幡平　●九十九島　●鳥海山　●小安峡　●秋田セリオンタワー　●千秋公園　●日本海に沈む夕陽
●栗駒山　●太平山

## ふるさと検定(主催者)

秋田ふるさと検定(秋田商工会議所)、ナマハゲ伝導士認定試験(秋田県男鹿市観光協会)

## トピックス

● 2013年白神山地・世界遺産登録20周年
●「大日堂舞楽」(2009年世界無形文化遺産)
● ふるさと納税(ふるさとの宝を次世代に継承したい(白神山地・田沢湖・八郎潟などの保全、伝統・文化の継承など)、明日の秋田を担う人材を育てたい、活力ある秋田づくりを応援したいなど)

## 秋田県行政データ

県庁所在地　〒010-8570　秋田市山王4-1-1　☎0188-60-1111
産業経済労働部観光課　☎018-860-2265
長期総合計画　計画名「あきた21総合計画」～「時と豊かに暮らす秋田」をめざして～　目標年次 2010年
　　基本目標　●安全・安心に楽しく暮らす秋田　●チャレンジ精神豊かな人材が活躍する秋田
　　　　　　　●環境と共に生きる秋田　●産業が力強く前進する秋田
　　　　　　　●地域が活発に交流・連携する秋田
秋田花まるっ観光振興プラン　「観光客の心をつかんで離さない本物志向の地域づくり」
　　　　　　　　　　　　　　①地域イメージの創出と観光地としての自立
　　　　　　　　　　　　　　②自立した観光地間のネットワーク拡充と滞在型観光の推進
秋田県ホームページアドレス　http://www.pref.akita.lg.jp/
秋田県観光総合ガイド　あきたファンドッとコム　http://www.akitafan.com/
フォトギャラリー　写真素材
観光統計　秋田県観光統計(秋田県観光客入込・動態調査)
秋田県立図書館　〒010-0952　秋田市山王新町14-31　☎0188-66-8400
ねぶり流し館(秋田市民俗芸能伝承館)　〒010-0921　秋田市大町1-3-30　☎0188-66-7091
白神山地世界遺産センター　〒018-3201　山本郡藤里町藤琴字里栗63　☎0185-79-3001
大湯ストーンサークル館　〒018-5421　鹿角市十和田大湯字万座45　☎0186-37-3822

シンクタンクせとうち総合研究機構　発行

# 山形県 〈羽前 羽後〉 Yamagata Prefecture

- **面積** 9,323.46km²
- **人口** 118.0万人（2009年11月現在）
- **県庁所在地** 山形市（人口 25.5万人）
（2009年11月現在）
- **構成市町村数** 35（13市19町3村）
（2009年12月1日現在）
- **観光入込客数** 3,932万人（2008年度）
県内客 2,081万人　県外客 1,851万人

**県名の由来**：最上川の上流地方を山方と呼んだところから。

- 県の花：ベニバナ
- 県の木：サクランボ
- 県の鳥：オシドリ
- 県の魚：サクラマス
- 県の獣：カモシカ
- 県の歌：最上川

**県章**

山形県の山々を3つの三角形で表し、最上川の流れも表している。三角形の山は、県の発展を期するもの。

**シンボル**
- 最上川
- 出羽三山（月山、湯殿山、羽黒山）
- 蔵王

**世界遺産**

**暫定リスト記載物件**

**ポテンシャル・サイト**
- 最上川の文化的景観
- 飯豊・朝日連峰

**世界無形文化遺産**

**ポテンシャル・サイト**

### 観光レクレーション客入込数の推移

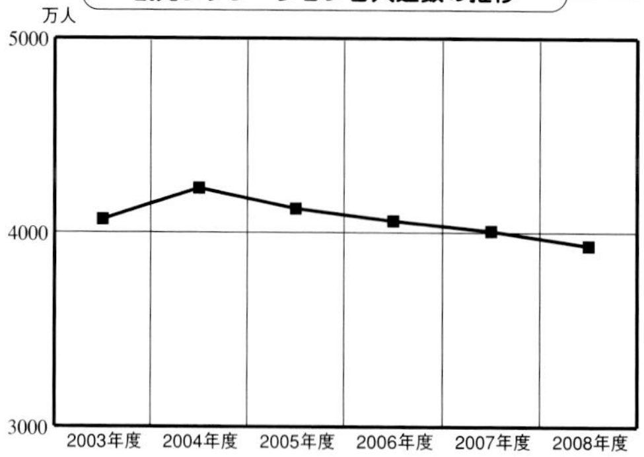

出所：山形県商工労働観光部観光振興課「山形県観光者数調査」

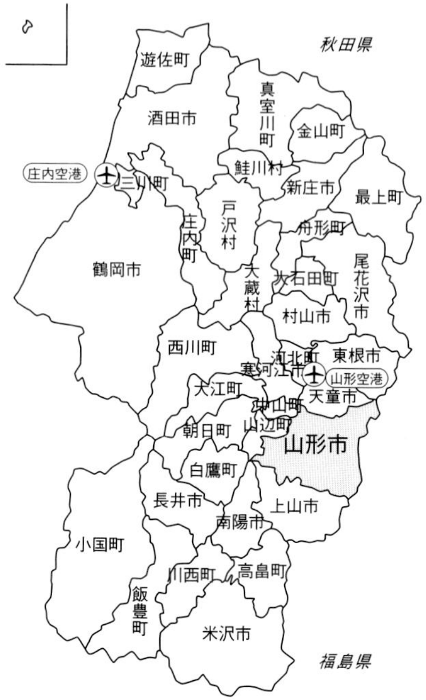

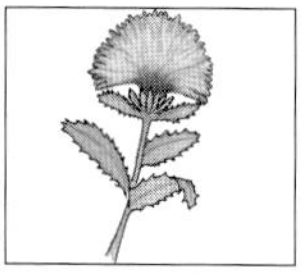

ベニバナ

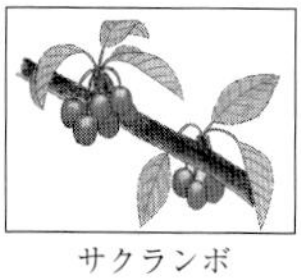

サクランボ

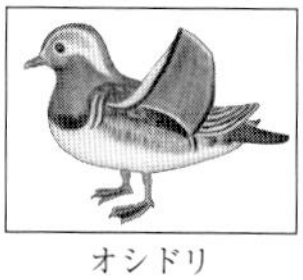

オシドリ

06山形県　誇れる郷土ガイドー全国47都道府県の観光データ編一

## 自然環境

| | |
|---|---|
| 山岳高原 | 出羽三山（月山、湯殿山、羽黒山）、朝日岳、飯豊山、鳥海山、蔵王山、吾妻山 |
| 峠 | 山刀伐峠、笹谷峠、雄勝峠、板谷峠、宇津峠、二井宿峠、金山峠、関山峠、鍋越峠 |
| 河川 | 最上川、赤川新川、寒河江川　　盆地　山形盆地、米沢盆地、新庄盆地　　平野　庄内平野 |
| 湖沼池 | 月山湖、大鳥池、大沼の浮鳥　　峡渓谷滝　赤芝峡　　海湾岬　日本海 |
| 島 | 飛島　　温泉　蔵王温泉、上山温泉、天童温泉、湯野浜温泉、赤湯温泉、温海温泉、銀山温泉、飯豊温泉、肘折温泉、姥湯温泉、今神温泉、野口温泉、赤倉温泉など |
| 名水 | 月山山麓湧水群、小見川 |
| 動物 | ニホンカモシカ |
| 植物 | エドヒガンザクラ、アヤメ、ハナショウブ、ツツジ、バラ、ダリア、ベニバナ |

## 文化財

| | |
|---|---|
| 国の史跡 | 一ノ坂遺跡、一の沢洞窟、稲荷森古墳、羽州街道楢下宿、金山越、延沢銀山遺跡、下小松古墳群、火箱岩洞窟、旧致道館、旧鎧屋、古志田東遺跡、山形城跡、左沢楯山城跡、大立洞窟、城輪柵跡など |
| 国宝（建造物） | 羽黒山五重塔　　国の重要文化財（建造物）　羽黒山三神合祭殿及び鐘楼、羽黒山正善院黄金堂、立石寺三重小塔、立石寺中堂、旧済生館本館、旧山形師範学校本館、旧松應寺観音堂、山形県旧県庁舎及び県会議事堂、旧米沢高等工業学校本館、水上八幡神社本殿、鳥居、旧西田川郡役所、鶴岡カトリック教会天主堂、旧渋谷家住宅（旧所在東田川郡朝日村）、旧矢作家住宅（旧所在新庄市萩野）、八幡神社、八幡神社鳥居、本山慈恩寺本堂、旧尾形家住宅、若松寺観音堂、佐竹家住宅、旧有路家住宅、観音寺観音堂、旧青山家住宅、旧風間家住宅、金峯神社本殿、月山神社出羽神社湯殿神社摂社月山出羽湯殿山三神社社殿（旧日月堂本堂） |

## 国立公園・国定公園

磐梯朝日国立公園、鳥海国定公園、蔵王国定公園、栗駒国定公園

## 県内観光圏域

- 村上地域　●庄内地域　●置賜地域　●最上地域

## 県内広域観光ルート

- 鶴ヶ岡城址周辺観光コース　●出羽路庄内 風の散歩道コース　●置賜風土記上杉とまほろばの里
- 最上川風土記コース　●藤原の郷と芭蕉の旅　●山形路芭蕉の句碑を巡るコース
- 奥の細道・名句と史跡を訪ねて　●山寺立石寺と羽黒山・庄内コース

## 県内主要観光地

- 松押公園と上杉家御廟　●蔵王温泉　●羽黒山　●蔵王エコーライン　●上山温泉　●天童温泉
- 湯野浜温泉　●蔵王（スキー場）　●亀岡文殊　●西蔵王高原ライン　●山寺（立石寺）

## ふるさと検定（主催者）

米沢観光文化検定（よねけん）（米沢商工会議所）、最上川検定（国土交通省東北地方整備局）、庄内ふるさと検定（観光物産総合研究所）

## トピックス

- 会津・米沢地域観光圏整備計画（福島県会津若松市・喜多方市・下郷町・南会津町、山形県米沢市）
- 2009年2月14日、東北地方では初めての女性知事吉村美栄子氏が選ばれる。

## 山形県行政データ

| | |
|---|---|
| 県庁所在地 | 〒990-8570　山形市松波2-8-1　　☎023-630-2211 |
| 商工労働観光部観光振興課 | ☎023-630-2104 |
| 総合支庁 | 村山、最上、置賜、庄内 |
| 長期総合計画 | 計画名《やまがた集中改革プラン》　推進期間　2005年度～2009年度<br>～「やまがた改革」の着実な推進に向けて～<br>基本理念　子ども夢未来指向<br>基本目標　「地域力」の向上、「基盤力」の強化、「経済力」の拡大を図り、これら3つの力の相乗効果により「未来に広がる"やまがた"」を創る |
| やまがた観光振興プラン | ①リピーターづくりの推進<br>②「観光」を活かした地域経済の活性化<br>③観光まちづくりの推進<br>④広域観光交流圏の形成 |
| 山形県ホームページアドレス | http://www.pref.yamagata.jp/ |
| 山形観光情報総合サイト　やまがたへの旅 | http://www.yamagatakanko.com/ |
| フォトギャラリー | 観光写真ダウンロード |
| 観光統計 | 山形県観光者数調査 |
| 山形観光アカデミー | 〒990-8580　山形市城南町1-1-1　　☎023-646-0353 |
| 山形県立図書館 | 〒990-0041　山形市緑町1-2-36　　☎023-631-2523 |
| 山形県立博物館 | 〒990-0826　山形市霞城町1-8　　☎023-645-1111 |
| 山形県新アンテナショップ | 〒104-0061　東京都中央区銀座1-5-10 ギンザファーストファイブビル　☎03-5250-1750 |

シンクタンクせとうち総合研究機構　発行

# 福島県 〈磐城　岩代〉 Fukushima Prefecture

| 面積 | 13,782.75km² |
| --- | --- |
| 人口 | 204.3万人（2009年11月現在） |
| 県庁所在地 | 福島市（人口　29.4万人）（2009年11月現在） |

県民の日　8月21日
構成市町村数　59（13市31町15村）（2009年12月1日現在）
観光入込客数　5,533万人（2008年）

## 県名の由来
泥海から信夫山が噴き出し噴く島になったという伝説が伝わる。

県の花：ネモトシャクナゲ
県の木：ケヤキ
県の鳥：キビタキ
県の歌：福島県県民の歌

### 県章
福島県の「ふ」を図案化。県民の融和と団結を表し、県勢の着実な前進を象徴したもの。

### シンボル
- 磐梯山
- 猪苗代湖
- 鶴ヶ城
- あぶくま洞
- 野口英世

### 世界遺産
—

### 暫定リスト記載物件
—

### ポテンシャル・サイト
- 飯豊・朝日連峰
- 奥利根・奥只見・奥日光

### 世界無形文化遺産
—

### ポテンシャル・サイト

観光レクレーション客入込数の推移

2005年より集計方法変更

出所：福島県商工労働部観光交流局観光交流課「福島県観光入込状況」

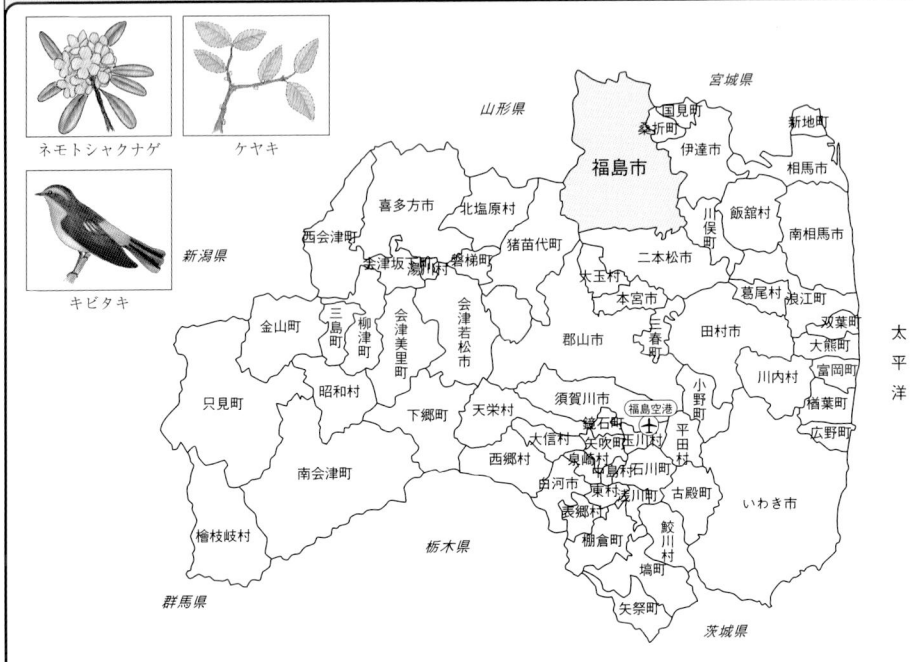

出典：シンクタンクせとうち総合研究機構　発行

# 07福島県 誇れる郷土ガイド―全国47都道府県の観光データ編―

## 自然環境

| | |
|---|---|
| 山岳高原 | 磐梯山、吾妻山、安達太良山、会津駒ケ岳、燧ケ岳、那須五岳、磐梯高原　**鍾乳洞**　あぶくま洞 |
| 峠 | 土湯峠、沼山峠、山王峠、八十里越、六十里越、鳥井峠、板谷峠 |
| 河川 | 那珂川、久慈川、阿武隈川、夏井川、鮫川　**湖沼池**　猪苗代湖、桧原湖、小野川湖、秋元湖、五色沼、松川浦、沼沢湖、大平沼、田子倉貯水池 |
| 湿地湿原 | 尾瀬　**峡渓谷滝**　夏井川渓谷　**海湾岬**　塩屋崎、鵜の尾崎、太平洋 |
| 温泉 | 芦ノ牧温泉、東山温泉、飯坂温泉、磐梯熱海温泉、いわき湯本温泉、高湯温泉、柳津温泉など |
| 動物 | ホオジロ、ウグイス、ツバメ、カモ、カルガモ、サンコウチョウ |
| 植物 | ミズバショウ、モモ、ボタン、ツツジ、ベニシダレザクラ |

## 文化財

**国宝（建造物）**　阿弥陀堂（白水阿弥陀堂）

**国の重要文化財（建造物）**　旧広瀬座、旧滝沢本陣横山家住宅、旧正宗寺三匝堂、旧福島県尋常中学校本館、飯野八幡宮、旧武山家住宅、熊野神社長床、勝寺観音堂、相馬中村神社本殿・幣殿・拝殿、旧伊達郡役所、観音堂、旧五十嵐家住宅、円満寺観音堂、旧馬場家住宅、天鏡閣、旧高松宮翁島別邸（迎賓館）、恵隆寺観音堂、旧五十嵐家住宅、勝常寺薬師堂、奥之院弁天堂、延命寺地蔵堂、八葉寺阿弥陀堂、法用寺本堂内厨子及び仏壇、福生寺観音堂、常福院薬師堂、弘安寺旧観音堂厨子、五輪塔、中山家住宅、堂山王子神社本殿、専称寺

**国の史跡**　阿津賀志山防塁、鮎滝渡船場跡、宇津峰、下野街道、浦尻貝塚、会津藩主松平家墓所、亀ヶ森・鎮守森古墳、旧滝沢本陣、古屋敷遺跡、桜井古墳、若松城跡、真野古墳群、新地貝塚附手長明神社跡、須賀川一里塚、大塚山古墳、中田横穴、大安場古墳、南湖公園、白河関跡、二本松城跡、霊山、和台遺跡など

**国の重要伝統的建造物群保存地区**　下郷町大内宿

## 国立公園・国定公園

磐梯朝日国立公園、日光国立公園、尾瀬国立公園、越後三山只見国定公園

## 県内観光圏域

●県北　●県央　●県南　●会津（磐梯・猪苗代、会津西北部、会津中央）　●南会津　●相双　●いわき

## 県内広域観光ルート

●鶴ヶ城など会津若松市内　●磐梯山と猪苗代湖　●喜多方の蔵めぐり　●尾瀬湿原
●磐梯吾妻スカイライン　●塩屋埼灯台めぐり　●飯坂温泉など温泉めぐり

## 県内主要観光地

●ら・らミュウ，アクアマリン　●磐梯高原　●若松市街　●スパリゾートハワイアンズ
●夏まつり（いわき市）　●カルチャーパーク　●飯坂　●磐梯熱海　●喜多方市街　●松川浦

## ふるさと検定（主催者）

ふくしま通検定（福島商工会議所）、会津ものしり検定（福島県会津若松市）

## トピックス

● 会津・米沢地域観光圏整備計画（福島県会津若松市・喜多方市・下郷町・南会津町、山形県米沢市）
● ふくしま観光圏整備計画（福島市・相馬市・二本松市・伊達市）
● ふるさと納税（自然環境の保全（猪苗代湖、尾瀬など）、地域の次世代育成支援など）
● "尾瀬国立公園" 2007年8月30日にわが国で29番目の国立公園に指定。（群馬県片品村、栃木県日光市、福島県南会津町および檜枝岐村、新潟県魚沼市）

## 福島県行政データ

| | |
|---|---|
| 県庁所在地 | 〒960-8670　福島市杉妻町2-16　☎024-521-1111 |
| 商工労働部観光交流局観光交流課 | ☎024-521-7286 |
| 広域行政 | 福島地方、安達地方、白河地方、喜多方地方、会津若松地方、南会津地方 |
| 地域 | 県北、県中、県南、会津、南会津、相双、いわき |
| 長期総合計画 | 計画名　いきいきふくしま創造プラン　目標年次　2014年度 |
| | 基本目標　人がほほえみ、地域が輝く"ほっとする、ふくしま" |
| 福島県ホームページアドレス | http://www.pref.fukushima.jp/ |
| 福島県観光ホームページ | http://www.pref.fukushima.jp/kanko |
| フォトギャラリー | うつくしま観光フォトアルバム |
| 観光統計 | 福島県観光客入込状況 |
| 福島県立図書館 | 〒960-8003　福島市森合字西養山1　☎024-535-3218 |
| 福島県立博物館 | 〒965-0807　会津若松市城東町1-25　☎0242-28-6000 |
| 会津民俗館 | 〒969-3284　耶麻郡猪苗代町三ツ和前田33-1　☎0242-65-2600 |
| 尾瀬沼ビジターセンター | 〒967-0532　南会津郡檜枝岐村字燧ヶ岳1　☎090-5306-4004（問合わせ） |
| 福島県観光物産センター | 〒110-0005　東京都台東区上野2-12-14ふくしま会館　☎03-3834-5416 |
| 福島県八重洲観光交流館 | 〒104-0028　東京都中央区八重洲2-6-21　☎03-3275-0855 |

シンクタンクせとうち総合研究機構　発行

# 茨城県 〈常陸　下総〉 Ibaraki Prefecture

| | |
|---|---|
| 面積 | 6,095.69km² |
| 人口 | 296.7万人（2009年11月現在） |
| 県庁所在地 | 水戸市（人口　26.5万人）（2009年11月現在） |
| 県民の日 | 11月13日 |
| 構成市町村数 | 44（32市10町2村）（2009年12月1日現在） |
| 観光入込客総数 | 4,789万人（2008年度） |
| | 県内客　2,370万人　県外客　1,862万人（延数） |
| | 日帰客　3,312万人　宿泊客　585万人（実数） |
| 観光レクリエーション消費額 | 3,270億円 |

**県名の由来：** 茨（いばら）で城を築いたという伝承から。

- 県の花：バラ
- 県の木：ウメ
- 県の鳥：ヒバリ
- 県の魚：ヒラメ
- 県の歌：茨城県民の歌
- その他：茨城県民体操

**県章**

茨城県の県花であるバラのつぼみをデザイン化。新しい時代を先導する県の先進性・創造性・躍動・発展を表す。

**シンボル**
- 霞ヶ浦
- 筑波山

**世界遺産**

**暫定リスト記載物件**

**ポテンシャル・サイト**
- 水戸藩の学問・教育遺産群

**世界無形文化遺産**
- 日立風流物

**ポテンシャル・サイト**
- 結城紬

### 観光レクリエーション客入込数の推移

出所：茨城県商工労働部観光物産課「観光客動態調査」

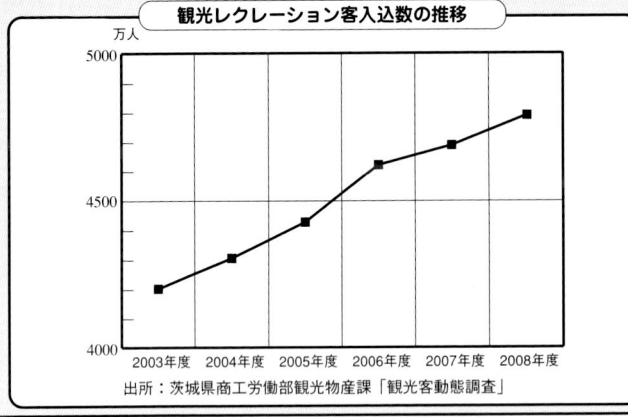

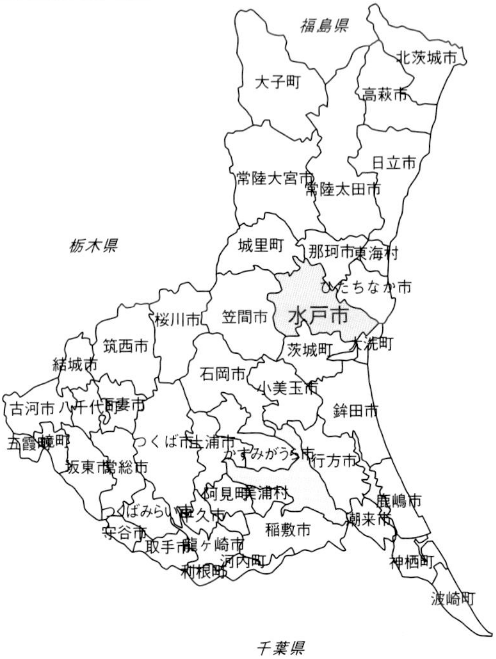

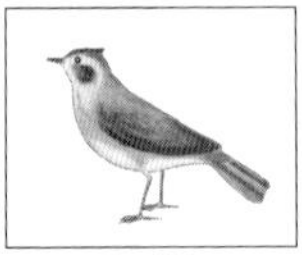

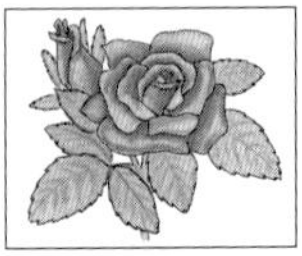

バラ

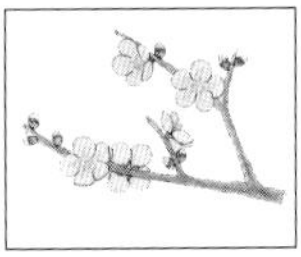

ウメ

ヒバリ

いばらき、ここにしかない感動を訪ねて　　08茨城県　誇れる郷土ガイド－全国47都道府県の観光データ編－

## 自然環境

| | |
|---|---|
| 山岳高原 | 筑波山、八溝山、妙見山、花園山　峠　境明神峠、仏ノ山峠 |
| 河川 | 那珂川、久慈川、利根川、鬼怒川、涸沼川、下川 |
| 湖沼池 | 霞ヶ浦、北浦、涸沼、外浪逆浦、牛久沼、古徳沼、菅生沼、千波湖 |
| 湿地湿原 | 霞ヶ浦・浮島湿原 |
| 峡渓谷滝 | 奥久慈渓谷、花貫渓谷、花園渓谷、竜神峡、袋田の滝、玉簾の滝 |
| 海湾岬 | 磯崎岬、阿字ヶ浦海岸、伊師浜海岸、五浦海岸、鹿島灘、太平洋　砂丘　波崎砂丘 |
| 温泉 | 袋田温泉、湯の網鉱泉、里美温泉、たいよう温泉、川中子温泉、森林の温泉、大子温泉、浅川温泉など |
| 動物 | ヒメハルゼミ、ウミネコ、ユリカモメ |
| 植物 | 梅、桜、桃、カタクリ、つつじ、菖蒲、スイセン、はまひるがお、コスモス、ブナ |

## 文化財

**国の特別史跡**　旧弘道館、常陸国分寺跡、常陸国分尼寺跡
**国の重要文化財**　旧弘道館、八幡宮本殿、薬王院本堂、佛性寺本堂、旧茨城県立土浦中学校本館、旧飛田家住宅、大宝八幡神社本殿、坂野家住宅、佐竹寺本堂、旧茨城県立太田中学校講堂、楞厳寺山門、笠間稲荷神社本殿、竜禅寺三仏堂、大塚家住宅、鹿島神宮、鹿島神宮摂社奥宮本殿、鹿島神宮楼門、鹿島神宮仮殿、中崎家住宅、塙家住宅、小山寺三重塔、山本家住宅、西蓮寺仁王門、西蓮寺相輪橖、平井家住宅、椎名家住宅、善光寺楼門、シャトーカミヤ旧醸造施設、横利根閘門、来迎院多宝塔

## 国立公園・国定公園

水郷筑波国定公園

## 県内観光圏域

- 水戸周辺地域北茨城　●日立周辺地域　●奥久慈周辺地域　●大洗・那珂湊海岸周辺地域
- 笠間・御前山周辺地域　●筑波山周辺地域　●霞ヶ浦周辺地域　●県南・県西地域

## 県内広域観光ルート

- 水戸の観梅といちご狩り　●春の花めぐりと笠間焼手ひねり　●紅葉の花貫渓谷と奥久慈りんご狩り
- 潮来あやめ祭りとメロンの試食　●鮎・ゆば・巨峰いばらき夏の味覚
- 冬の味覚あんこう鍋と暮れのお買物　●新春来福常陸七福神めぐり
- 冬の風物詩・古徳沼の白鳥と袋田の氷瀑

## 県内主要観光地

- 大洗・那珂湊海岸周辺地域　●霞ヶ浦周辺地域　●笠間・御前山周辺地域　●水戸周辺地域
- 県南・県西地域　●筑波山周辺地域　●北茨城・日立周辺地域　●奥久慈周辺地域

## ふるさと検定（主催者）

水戸検定（水戸青年会議所）
ふるさと日立検定（日立商工会議所）

## トピックス

- 茨城空港（2010年3月開港予定）
- 「日立風流物」（2009年世界無形文化遺産）
- 茨城ひたち観光圏整備計画（水戸市・日立市・常陸太田市・高萩市・北茨城市・笠間市・ひたちなか市・常陸大宮市・那珂市・大洗町・城里町・東海村・太子町）

## 茨城県行政データ

| | |
|---|---|
| 県庁所在地 | 〒310-8555　水戸市笠原町978-6　　☎029-301-1111 |
| 商工労働部観光物産課 | ☎029-301-3612 |
| 地方総合事務所 | 県北、鹿行、県南、県西 |
| 長期総合計画 | 計画名『茨城県長期総合計画』　目標年次　概ね2020年頃<br>基本目標　新しいゆたかさ、かがやく未来、愛されるいばらぎをめざして |
| 観光振興基本計画 | ①茨城の観光ブランドイメージの構築とPR<br>②新たな茨城の観光客を創出<br>③茨城ならではの魅力を活かした観光地づくり<br>④茨城ファンを獲得する縁づくりサービスの充実<br>⑤茨城県全体で取り組む観光振興の展開（推進体制） |
| 茨城県ホームページアドレス | http://www.pref.ibaraki.jp/ |
| 観光いばらき | http://www.ibaraki.guide.jp/ |
| フォトギャラリー | フォトギャラリー |
| 観光統計 | 観光動態調査 |
| 茨城県立図書館 | 〒310-0011　水戸市三の丸1-5-56　　☎029-221-5568 |
| 茨城県近代美術館 | 〒310-0851　水戸市千波町東久保666-1　　☎029-243-5111 |
| 茨城県立歴史館 | 〒310-0034　水戸市緑町2-1-15　　☎029-225-4425 |
| いばらき観光物産センター | 〒102-0093　東京都千代田区平河町2-6-3 茨城県東京事務所内　☎03-5212-9191 |

シンクタンクせとうち総合研究機構　発行

# 栃木県 〈下野〉 Tochigi Prefecture

| | |
|---|---|
| 面積 | 6,408.28km² |
| 人口 | 201.1万人（2009年11月現在） |
| 県庁所在地 | 宇都宮市（人口 51.0万人）（2009年11月現在） |
| 県民の日 | 6月15日 |
| 構成市町村数 | 30（14市16町）（2009年12月1日現在） |
| 観光入込客数 | 8,041万人（2008年） |
| 宿泊客 | 820万人 |

**県名の由来：**
「栃」はトチの木のことで明治期の造語。

- 県の花：ヤシオツツジ
- 県の木：トチノキ
- 県の鳥：オオルリ
- 県の獣：ニホンカモシカ
- 県の歌：県民の歌

**県章**

栃木県の「栃」の文字をデザイン化。3本の矢印は「木」の古代文字。エネルギッシュな向上性と躍動感を表す。

**シンボル**
- 男体山
- 日光

**世界遺産**
- 日光の社寺

**暫定リスト記載物件**
—

**ポテンシャル・サイト**
- 足尾銅山
- 足利学校と足利氏の遺産
- 奥利根・奥只見・奥日光

**世界無形文化遺産**
—

**ポテンシャル・サイト**

## 観光レクレーション客入込数の推移

出所：栃木県産業労働観光部観光交流課「栃木県観光客入込数・宿泊数推計調査結果」

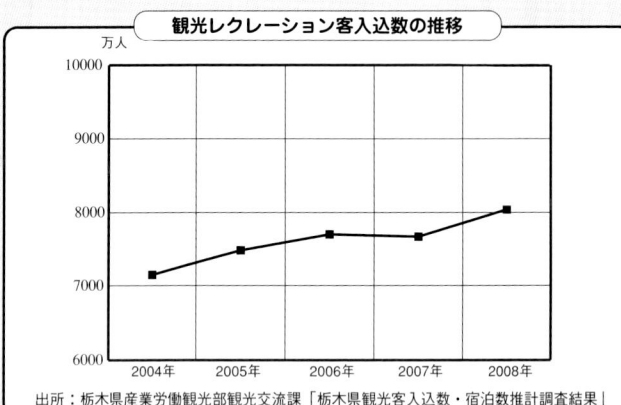

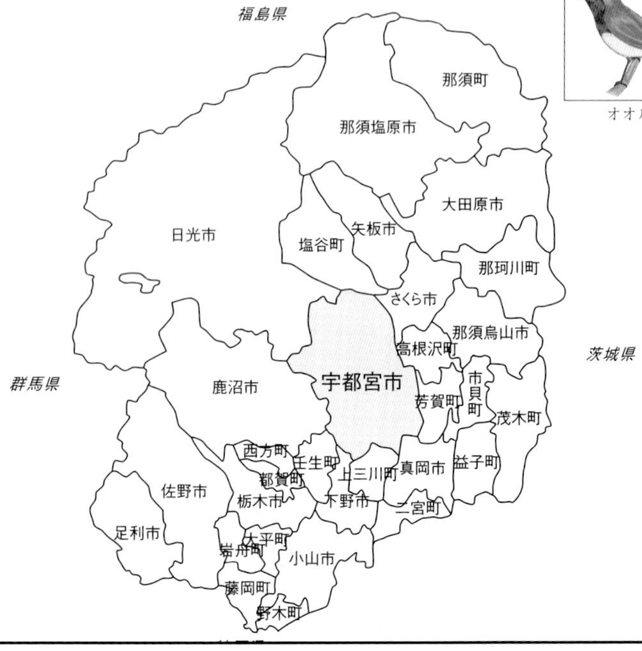

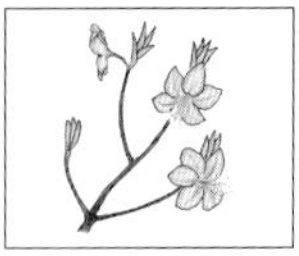

ヤシオツツジ

トチノキ

オオルリ

22

シンクタンクせとうち総合研究機構　発行

## 自然環境

| | |
|---|---|
| 山岳 | 八溝山地、那須五岳、帝釈山地、足尾山地、白根山、男体山、女峰山、皇海山、鷲子山 |
| 峠 | 山王峠、金精峠、境明神峠、仏ノ山峠 |
| 高原 | 那須高原、霧降高原 河川 利根川、那珂川、渡良瀬川、鬼怒川、小貝川 |
| 湖沼池 | 中禅寺湖、川俣湖、五十里湖、出流原弁天池、西ノ湖 |
| 湿地湿原 | 渡良瀬遊水池、戦場ヶ原 峡渓谷滝 塩原渓谷、華厳滝、霧降滝、竜王峡 |
| 温泉 | 鬼怒川温泉、川治温泉、湯西川温泉、奥鬼怒温泉、那須温泉、塩原温泉、中禅寺温泉、湯元温泉、馬頭温泉、赤見温泉、喜連川温泉、大金温泉、板室温泉、女夫淵温泉など |
| 動物 | ホンシュウジカ、アオジ、モリアオガエル、ニホンザル、アカゲラ、アオゲラ |
| 植物 | ニッコウキスゲ、ワタスゲ、カタクリ、ヒマワリ、ザゼンソウ、サクラ、ツツジ |

## 文化財

| | |
|---|---|
| 国の特別史跡 | 大谷磨崖仏、日光杉並木街道附並木寄進碑 |
| 国の史跡 | 日光山内、足利学校跡、足利氏宅跡（鑁阿寺）、足尾銅山跡、愛宕塚古墳、乙女不動原瓦窯跡、下野国府跡、下野国分寺跡、下野国分尼寺跡、牛塚古墳、桜町陣屋跡、那須温泉、小金井一里塚、下野薬師寺跡、茶臼山古墳、唐御所横穴、飛山城跡、琵琶塚古墳、壬生一里塚、佐貫石仏、車塚古墳、樺崎寺跡、吾妻古墳など |
| 国宝（建造物） | 日光東照宮（本殿・拝殿ほか、正面・背面唐門、東西透塀、陽明門、東西回廊）、輪王寺（大猷院霊廟） |
| 国の重要文化財（建造物） | 二荒山神社、輪王寺、鑁阿寺本堂、鑁阿寺鐘楼、鑁阿寺経堂、東照宮旧奥社、木幡神社本殿、木幡神社楼門、荒井家住宅、旧青木家那須別邸、岡本家住宅、専修寺、西明寺三重塔、西明寺本堂内厨子、西明寺楼門、円通寺表門、地蔵院本堂、綱神社本殿、綱神社摂社大倉神社本殿、旧羽石家住宅、入野家住宅、旧下野煉化製造会社煉瓦窯、村檜神社本殿、三森家住宅、旧篠原家住宅、旧日光田母澤御用邸、那須疎水日取水施設 |

## 国立公園・国定公園

日光国立公園、尾瀬国立公園

## 県内観光圏域

- 日光 ●鬼怒川・川治温泉 ●栗山（湯西川・川俣・奥鬼怒温泉） ●塩原温泉 ●那須・板室温泉
- 県央・塩那圏域 ●那珂川・芳賀圏域 ●前日光圏域 ●小山・栃木・両毛圏域

## 県内広域観光ルート

- 日光・中禅寺・湯元温泉 ●鬼怒川・川治温泉 ●那須・板室温泉 ●八溝・那珂川・益子
- 湯西川・川俣・奥鬼怒温泉 ●塩原温泉・八方ヶ原 ●前日光・今市・宇都宮 ●栃木・佐野・足利

## 県内主要観光市町村

- 日光市 ●那須町 ●藤原町 ●塩原町 ●佐野市 ●宇都宮市 ●足利市 ●栃木市 ●今市市
- 鹿沼市

## ふるさと検定（主催者）

宮のもの知り達人検定（宇都宮商工会議所）、足利ふるさと検定（足利商工会議所）
日光検定（日光商工会議所）、那須検定（那須観光協会）、
宮っ子検定（宇都宮まちづくり推進機構「宮あるき探偵団」）

## トピックス

- 2009年「日光の社寺」世界遺産登録10周年
- 「尾瀬国立公園」2007年8月30日にわが国で29番目の国立公園に指定。（群馬県片品村、栃木県日光市、福島県南会津町および檜枝岐村、新潟県魚沼市）
- ふるさと納税（とちぎの元気な森づくり基金、地域福祉基金、日光杉並木街道保護基金など）

## 栃木県行政データ

| | | | |
|---|---|---|---|
| 県庁所在地 | 〒320-0027 | 宇都宮市塙田1-1-20 | ☎028-623-2323 |
| 産業労働観光部観光交流課 | ☎028-623-3210 | | |
| 長期総合計画 | 計画名 とちぎ元気プラン 計画期間 2006年度～2010年度 | | |
| | 将来像 活力と美しさに満ちた郷土"とちぎ" | | |
| 栃木県ホームページアドレス | http://www.pref.tochigi.jp/ | | |
| やすらぎの栃木路 | http://www.tochigi.or.jp/ | | |
| 栃木県観光データベース | http://www.kankoudb-tochigi.jp/ | | |
| フォトギャラリー | フォトライブラリー | | |
| 観光統計 | 栃木県観光客入込数・宿泊数推定調査結果 | | |
| 栃木県立図書館 | 〒320-0027 | 宇都宮市塙田1-3-23 | ☎028-622-5111 |
| 〃 足利図書館 | 〒326-0801 | 足利市有楽町832 | ☎0284-41-8881 |
| 栃木県立博物館 | 〒320-0865 | 宇都宮市睦町2-2 | ☎028-634-1311 |
| 栃木県立美術館 | 〒320-0043 | 宇都宮市桜4-2-7 | ☎028-621-3566 |
| とちぎ観光センター | 〒104-0031 | 東京都中央区京橋1-1-5 セントルビル3F | ☎03-5201-3891 |

シンクタンクせとうち総合研究機構　発行

# 群馬県 〈上野〉 Gunma Prefecture

| 面積 | 6,363.16km² |
|---|---|
| 人口 | 200.9万人（2009年11月現在） |
| 県庁所在地 | 前橋市（人口 34.1万人）（2009年11月現在） |
| 県民の日 | 10月28日 |
| 構成市町村数 | 36（12市15町9村）（2009年12月1日現在） |
| 観光入込客数 | 6,298万人（2008年度） |
|  | 県内客 3,576万人　県外客 2,722万人 |
|  | 日帰客 5,540万人　宿泊客 758万人 |
| 観光消費額 | 2,010億円 |

**県名の由来**：黒馬、或は、車馬などの諸説がある。

- 県の花：レンゲツツジ
- 県の木：クロマツ
- 県の鳥：ヤマドリ
- 県の魚：アユ
- 県の歌：群馬県の歌
- 県のマスコット：ぐんまちゃん

**県章**
群馬県の「群」の古字を配し、周囲を上毛三山（赤城山・榛名山・妙義山）で囲んだ形になっている。

**シンボル**
- 上毛三山 （赤城山、榛名山、妙義山）
- 尾瀬

**世界遺産**
—

**暫定リスト記載物件**
- 富岡製糸場と絹産業遺産群

**ポテンシャル・サイト**
- 奥利根・奥只見・奥日光

**世界無形文化遺産**
—

**ポテンシャル・サイト**

### 観光レクレーション客入込数の推移

出所：群馬県産業経済部観光局観光物産課「観光客数・消費額調査結果」

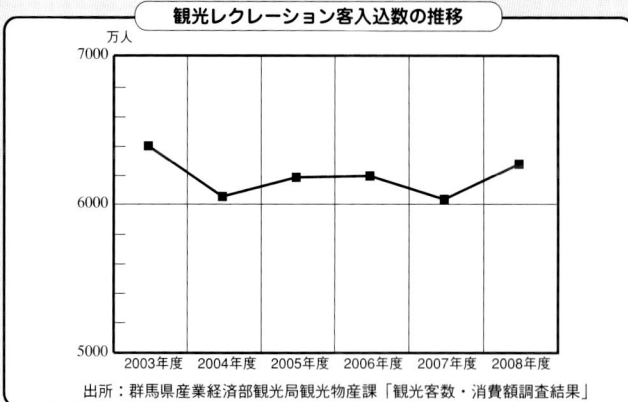

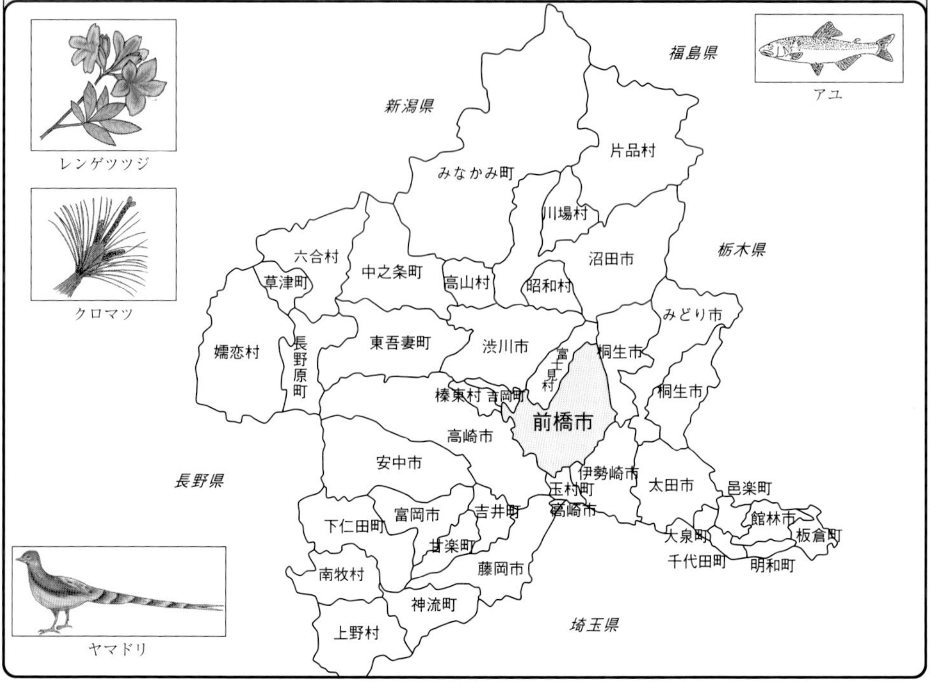

## 10 群馬県 誇れる郷土ガイド－全国47都道府県の観光データ編－

### 自然環境

**山岳高原** 白根山、浅間山、谷川岳、赤城山、榛名山、妙義山、武尊山、至仏山、燧ヶ岳、玉原高原、榛名高原、浅間高原、草津高原、赤城高原、天神平　**溶岩流**　鬼押し出し　**峠**　金精峠、鳩待峠、三国峠、車坂峠、碓氷峠、鳥居峠、草津峠、十石峠、暮坂峠　**河川**　利根川、渡良瀬川、神流川、吾妻川、烏川、片品川
**湖沼池** 尾瀬沼、榛名湖、妙義湖、野反湖、赤谷湖、四万湖、奥利根湖、赤城大沼、多々良沼、菅沼、丸沼、湯釜、大峰沼、茂林寺沼　**湿地湿原**　尾瀬、蛇沼湿原
**峡谷滝** 吾妻峡谷、吹割渓谷、赤倉渓谷、照葉峡、吹割の滝、棚下不動雄滝、船尾滝、浅間大滝、常布の滝、白サギの滝
**温泉** 草津温泉、伊香保温泉、水上温泉、四万温泉、沢渡温泉、万座温泉、老神温泉、猿ヶ京温泉、やぶ塚温泉、磯部温泉、片品温泉、いのせ温泉、榛名湖温泉、妙義温泉、下仁田温泉など
**動物** コハクチョウ、キジ、コイ、ヤマメ、アユ、ヒグラシ、オニヤンマ、ノコギリクワガタ、オオムラサキ
**植物** ヤブカンゾウ、アズマシャクナゲ、オミナエシ、ユウスゲ、ホタルブクロ、ニッコウキスゲ

### 文化財

**国の特別史跡** 金井沢碑、山上碑および古墳、多胡碑
**国の重要文化財（建造物）** 旧富岡製糸場、碓氷峠鉄道施設、旧群馬県衛生所、彦部家住宅、旧生方家住宅、笠卒塔婆、貫前神社、旧茂木家住宅、阿久沢家住宅、旧黒澤家住宅、妙義神社、薬師堂、富沢家住宅、旧戸部家住宅、玉村八幡宮本殿、東照宮、長楽寺宝塔、塔婆、雷電神社末社八幡宮稲荷神社社殿、丸沼堰堤、榛名神社
**国の重要伝統的建造物群保存地区** 六合村赤岩

### 国立公園・国定公園

日光国立公園、尾瀬国立公園、上信越高原国立公園、妙義荒船佐久高原国定公園

### 県内観光圏域

● 利根・沼田広域　● 高崎市等広域　● 東毛広域　● 伊勢崎佐波広域　● 渋川地区広域　● 富岡甘楽広域
● 前橋広域　● 吾妻広域　● 桐生市外六か町村広域　● 多野藤岡広域

### 県内広域観光ルート

● 草津・白根　● 四万・沢渡　● 猿ヶ京・三国　● 水上・谷川　● 老神・尾瀬　● 浅間・北軽井沢
● 伊香保・榛名　● 赤城　● 磯部・妙義　● 八塩・奥多野　● やぶ塚・東上州

### 県内主要観光市町村

● 前橋市　● 高崎市　● 太田市　● 桐生市　● 草津町　● 伊勢崎市　● 嬬恋村　● 勢多郡東村　● 片品村
● 水上町

### トピックス

● ふるさと納税制度（尾瀬国立公園の保護・育成、「富岡製糸場と絹産業遺産群」の世界遺産登録推進、「観光立県ぐんま」推進、豊かな水源・森林づくりなど）
● 上毛新聞社「21世紀のシルクカントリー群馬」キャンペーン
● 「尾瀬国立公園」2007年8月30日にわが国で29番目の国立公園に指定。（群馬県片品村、栃木県日光市、福島県南会津町および檜枝岐村、新潟県魚沼市）

### 群馬県行政データ

県庁所在地　〒371-8570　前橋市大手町1-1-1　☎027-223-1111
産業経済部観光局観光物産課　☎027-226-3386
長期総合計画　計画名 21世紀のプラン　21世紀・群馬の提案－子や孫の世代を見据えて－
　　　　　　　基本計画「ぐんま新時代の県政方針」　計画期間　2006年度～2010年度
群馬県国際観光振興戦略　①群馬の観光を海外へ発信する。
　　　　　　　　　　　　②海外から群馬へのアクセスを向上する。
　　　　　　　　　　　　③群馬に外国人観光客の「憩いの場」を創造する。
　　　　　　　　　　　　④群馬に外国人観光客の「学びの場」を創造する。
　　　　　　　　　　　　⑤外国人観光客に群馬県で買って頂く。
　　　　　　　　　　　　⑥外国人観光客が安心できる「安全な群馬の旅」を創る。
　　　　　　　　　　　　⑦外国人観光客が楽しめる群馬の観光を地域で創造する。
群馬県ホームページアドレス　http://www.pref.gunma.jp/
群馬の観光情報サイト　　　　http://www.gtia.jp/　　フォトギャラリー　写真館
観光統計　観光客数・消費額調査（推計）結果
㈶群馬県観光国際協会　〒371-8570　前橋市大手町2-1-1　☎027-243-7273
群馬県立図書館　〒371-0017　前橋市日吉町1-9-1　☎027-231-3008
群馬県立歴史博物館　〒370-1293　高崎市岩鼻町239　☎027-346-5522
群馬県立日本の里　〒370-3511　高崎市金古町888-1　☎027-360-6300
㈶尾瀬保護財団　〒371-8570　前橋市大手町1-1-1群馬県庁7F　☎027-220-4431
富岡製糸場　〒370-2316　富岡市富岡1番地　☎0274-64-0005
ぐんま総合情報センター「ぐんまちゃん家」　〒104-0061　東京都中央区銀座5-13-19　☎03-3546-8511

シンクタンクせとうち総合研究機構　発行

# 埼玉県〈武　蔵〉 Saitama Prefecture

**面積**　3,797.25km²
**人口**　714.1万人（2008年11月現在）
**県庁所在地**　さいたま市（人口　120.1万人）
（2008年11月現在）

**県民の日**　11月14日
**構成市町村数**　70（1政令指定都市39市29町1村）
（2009年12月1日現在）
**観光入込客数**　11,148万人（2007年）
県内客 6,655万人　県外客 1,881万人　不明 2,612万人
日帰客 8,341万人　宿泊客　195万人　不明 2,612万人
**観光消費額**　1,115億円

**県名の由来：**
前玉（さきたま）神社の社号に由来する。

**県の花**：サクラソウ
**県の木**：ケヤキ
**県の鳥**：シラコバト
**県の魚**：ムサシトミヨ
**県の蝶**：ミドリシジミ
**県のマスコット**：コバトン
**県の歌**：埼玉県歌

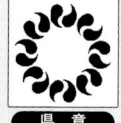

**県　章**

県名の由来である「さきみたま」の玉（まがたま）を16個円形に並べ、太陽・発展・情熱・力強さを表す。

**シンボル**
- さいたま新都心

**世界遺産**
—

**暫定リスト記載物件**
—

**ポテンシャル・サイト**
- 埼玉古墳群

**世界無形文化遺産**
—

**ポテンシャル・サイト**
- 秩父祭の屋台行事と神楽

## 観光レクリエーション客入込数の推移

出所：埼玉県産業労働局観光課「入込観光客「推計」調査」

サクラソウ

ケヤキ

シラコバト

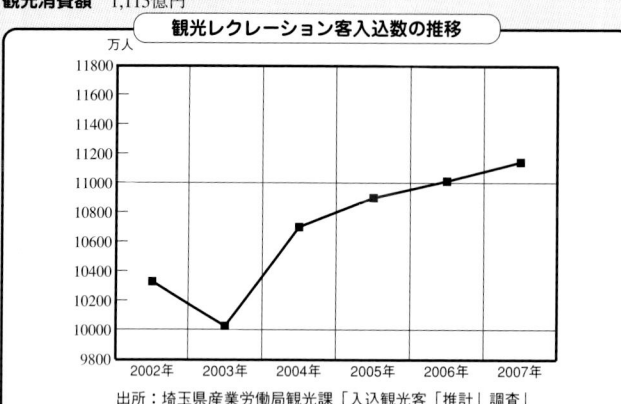

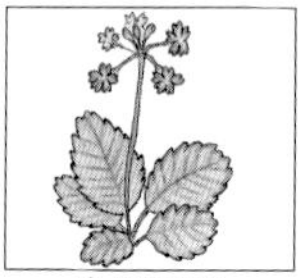

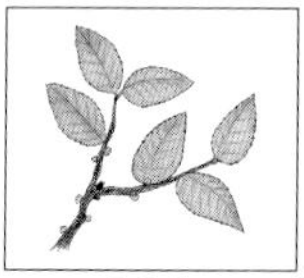

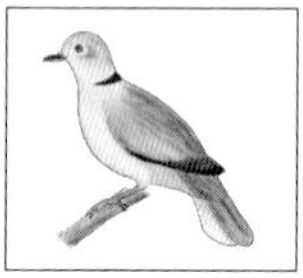

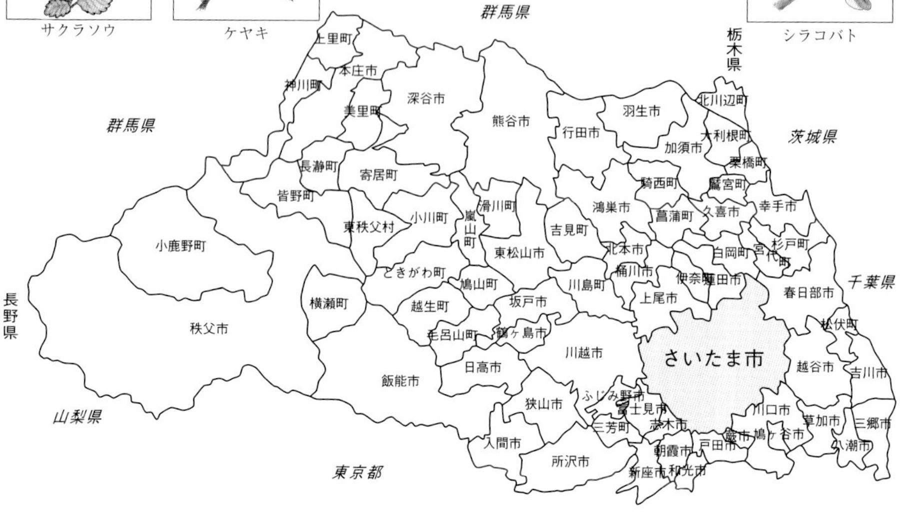

## 自然環境

| | |
|---|---|
| 山岳高原 | 両神山、雲取山、甲武信ケ岳、三峰山、狭山丘陵 |
| 峠 | 定峰峠、正丸峠、十文字峠、雁坂峠、志賀坂峠 |
| 河川 | 荒川、利根川、綾瀬川　**湖沼池**　狭山湖、神流湖、間瀬湖、玉淀湖　**湿地湿原**　山田池、西田池 |
| 峡渓谷海 | 長瀞、中津峡、三波石峡、名栗川渓谷、滝川渓谷、丸神の滝、黒山三滝 |
| 温泉 | 千鹿谷温泉、大滝温泉、武甲温泉、名栗温泉、両神温泉、秩父温泉、白岡天然温泉、白久温泉など |
| 動物 | カルガモ、マガモ、カッブリ、シジュウカラ、オナガガモ |
| 植物 | 梅、桜、ほたん、花菖蒲、藤、ツツジ、コスモス、曼珠沙華、紅葉 |

## 文化財

| | |
|---|---|
| 国宝（建造物） | — |
| 国の重要文化財（建造物） | 日本煉瓦製造旧煉瓦製造施設、喜多院、東照宮、日枝神社本殿、大沢家住宅、内田家住宅、旧台徳院霊廟勅額門、丁子門及び御成門、小野家住宅、黄林閣（旧村野家住宅 旧所在 東京都東久留米市柳窪）、福徳寺阿弥陀堂、光福寺宝篋印塔、高倉寺観音堂、高麗家住宅、出雲伊波比神社本殿、吉田家住宅、慈光寺開山塔、広徳寺大御堂、旧新井家住宅、金鑽神社多宝塔、平山家住宅、歓喜院、旧高橋家住宅、誠之堂、和井田家住宅 |
| 国の史跡 | 埼玉古墳群、河越館跡、吉見百穴、宮塚古墳、見沼通船堀、高麗村石器時代住居跡、黒浜貝塚、小見真観寺古墳、真福寺貝塚、水子貝塚、水殿瓦窯跡、大谷瓦窯跡、栃本関跡、南河原石塔婆、鉢形城跡、埴輪己一旧宅、比企城館跡群（菅谷館跡、松山城跡、杉山城跡、小倉城跡）、野上下郷石塔婆 |
| 国の重要伝統的建造物群保存地区 | 川越市川越 |

## 国立公園・国定公園

秩父多摩甲斐国立公園

## 県内観光圏域

- 秩父広域圏　● 児玉都市広域圏　● 大里広域圏　● 比企広域圏　● 中央広域圏　● 西部第一広域圏
- 西部第二広域圏　● 東部広域圏　● 利根広域圏

## 県内主要観光地域

- 中央広域圏　● 西部第一広域圏　● 大里広域圏　● 利根広域圏　● 秩父広域圏　● 東部広域圏
- 比企広域圏　● 西部第二広域圏　● 児玉都市広域圏

## ふるさと検定（主催者）

小江戸川越検定（川越商工会議所）、ちちぶ検定（秩父商工会議所）、和光市検定（和光市検定研究会）

## トピックス

- ふるさと納税（彩の国みどりの基金、さいたま緑のトラスト基金、埼玉県特定非営利活動促進基金（埼玉県NPO基金）、埼玉県シラコバト長寿社会福祉基金）

## 埼玉県行政データ

| | | |
|---|---|---|
| 県庁所在地 | 〒336-8501　さいたま市浦和区高砂3-15-1 | ☎048-824-2111 |
| 県東京事務所 | 〒102-0093　千代田区平河町2-6-3　都道府県会館8F | ☎03-5212-9104 |
| 長期総合計画 | 計画名　『埼玉県長期ビジョン』　　目標年次　2010度<br>基本理念　「環境優先」、「生活重視」、「埼玉の新しいくにづくり」<br>基本目標　豊かな彩の国づくり | |
| 埼玉県ホームページアドレス | http://www.pref.saitama.lg.jp/ | |
| ちょこたび埼玉 | http://www.sainokuni-kanko.jp | |
| (社)埼玉県観光連盟 | 〒336-8501　さいたま市浦和区高砂3-15-1　埼玉県観光振興室内 | ☎048-830-3957 |
| フォトギャラリー | 埼玉観光フォトギャラリー | |
| 観光統計 | 埼玉県入込観光客「推計」調査 | |
| 埼玉県立浦和図書館 | 〒336-0011　さいたま市浦和区高砂3-1-22 | ☎048-829-2821 |
| 〃　熊谷図書館 | 〒360-0014　熊谷市箱田5-6-1 | ☎0485-23-6291 |
| 〃　久喜図書館 | 〒346-0022　久喜市下早見85-5 | ☎0480-21-2659 |
| 埼玉県立歴史と民俗の博物館 | 〒330-0803　さいたま市大宮区高鼻町4-219 | ☎048-645-8171 |
| 埼玉県立さきたま史跡の博物館 | 〒361-0025　行田市埼玉4834 | ☎048-559-1111 |
| さいたま文学館 | 〒363-0022　桶川市若宮1-5-9 | ☎048-789-1515 |
| さいたま水族館 | 〒348-0011　羽生市三田ヶ谷751-1 | ☎048-565-1010 |
| こども動物自然公園 | 〒355-0065　東松山市岩殿554 | ☎0493-35-1234 |
| ジョン・レノン・ミュージアム | 〒330-9109　さいたま市中央区新都心8さいたまスーパーアリーナ内 | ☎048-601-0009 |
| 川越市蔵造り資料館 | 〒350-0063　川越市幸町7-9 | ☎049-222-5399 |
| 見沼通船堀公園 | さいたま市緑区大字大間木ほか | |
| 埼玉県物産観光館そぴあ | 〒330-8669　さいたま市大宮区桜木町1-7-5-B1 | ☎048-647-4108 |
| 埼玉県物産観光館川越店 | 〒350-0043　川越市新富町1-10-1鏡山酒造跡地明治蔵 | ☎080-3480-9486 |
| 埼玉アンテナショップ ナチュラルローソン新宿駅西店 | 〒350-0043　東京都新宿区西新宿1-13-12 | ☎03-5909-2298 |

シンクタンクせとうち総合研究機構　発行

誇れる郷土ガイド—全国47都道府県の観光データ編— 12千葉県　　　花と海　心やすらぐ千葉の旅

# 千葉県 〈下総 上総 安房〉 Chiba Prefecture

- **面積** 5,156.60km²
- **人口** 618.6万人（2009年11月現在）
- **県庁所在地** 千葉市（人口 95.6万人）（2009年11月現在）
- **県民の日** 6月15日
- **構成市町村数** 56（1政令指定都市35市17町3村）（2009年12月1日現在）
- **観光条例** 千葉県観光立県の推進に関する条例（2008年3月28日施行）
- **観光入込客数** 14,793万人（2008年）
  - 日帰客 13,164万人　宿泊客 1,630万人
- **旅行総消費額** 4,964億円

**県名の由来：** 端（つば）、茅場（ちがや）などの諸説がある。

- **県の花：** 菜の花
- **県の木：** マキ
- **県の鳥：** ホオジロ
- **県の魚：** タイ
- **県の歌：** 千葉県民歌

**県章**

千葉県の「チバ」を図案化したもの。

**シンボル**
- 成田国際空港
- 幕張新都心
- 東京ディズニーランド

**世界遺産**
—

**暫定リスト記載物件**
—

**ポテンシャル・サイト**
—

**世界無形文化遺産**
—

**ポテンシャル・サイト**
—

## 観光レクレーション客入込数の推移

（2004年より調査方法変更）

出所：千葉県商工労働部観光課「観光入込調査概要」

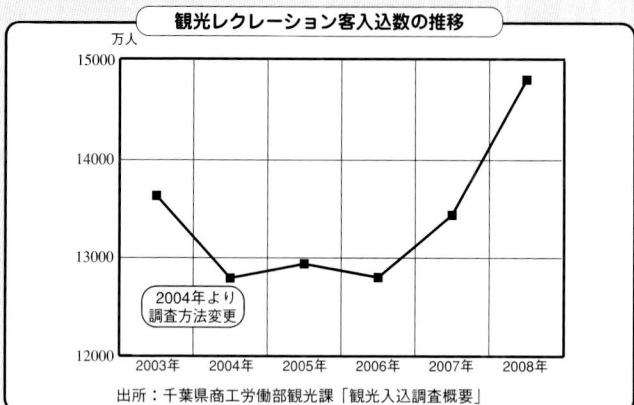

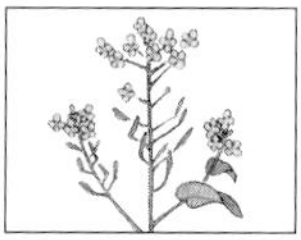

- 菜の花
- マキ 
- ホオジロ 

28　　シンクタンクせとうち総合研究機構　発行

# 12千葉県 誇れる郷土ガイド―全国47都道府県の観光データ編―

## 自然環境

**山岳高原** 麻綿原高原、清澄山 **河川** 利根川、小櫃川、新川 **湖沼池** 印旛沼、外浪逆浦、手賀沼、亀山湖、八鶴湖 **湿地湿原** 東京湾内湾、谷津干潟 **峡渓谷滝** 養老渓谷、七里川渓谷、栗又の滝、小沢又の滝、黒滝、坊滝 **海湾岬** 犬吠埼、太東崎、野島崎、八幡岬、大房岬、刑部岬、屏風ヶ浦、和田浦、鏡ヶ浦（館山湾）、鯛の浦、九十九里浜、太平洋 **半島** 房総半島 **島** 仁右衛門島、鴨川松島、海ホタル（人工島）
**温泉** 曽呂温泉、白子温泉、養老温泉、勝浦温泉、御宿温泉、南館山温泉、銚子温泉、飯岡温泉、千倉温泉など
**動物** タイ、ニホンリス、シジュウカラ、コゲラ、メジロ、シラコバト、ハト
**植物** サクラ、アヤメ、ショウブ、バラ、ツツジ、キンセンカ、カキツバタ

## 文化財

**国宝（建造物）** ―
**国の重要文化財（建造物）** 新勝寺、法華経寺五重塔、法華経寺法華堂、法華経寺四足門、法華経寺祖師堂、旧花野井家住宅、香取神宮、旧御子神家住宅、旧学問所初等科正堂、飯高寺、西願寺阿弥陀堂、鳳来寺観音堂、飯香岡八幡宮本殿、神野寺表門、宝珠院観音堂、泉福寺薬師堂、滝田家住宅、栄福寺本堂、竜正院仁王門、武家屋敷門、笠森寺観音堂、渡辺家住宅、大聖寺不動堂、石堂寺、石堂寺薬師堂、旧尾形家住宅、旧徳川家住宅松戸戸定邸、旧堀田家住宅
**国の史跡** 阿玉台貝塚、伊能忠敬旧宅、井野長割遺跡、姥山貝塚、下総国分寺跡、下総国分尼寺跡、下総小金中野牧跡、加曽利貝塚、花輪貝塚、八ノ木貝塚、荒屋敷貝塚、山崎貝塚、芝山古墳群、上総国分寺跡、上総国分尼寺跡、曽谷貝塚、大原幽学遺跡旧宅、墓および宅地耕地地割、長柄横穴群、内裏塚古墳、弁天山古墳、堀之内貝塚、木佐倉城跡、竜角寺境内ノ塔阯、龍角寺古墳群・岩屋古墳、良文貝塚、犢橋貝塚
**国の重要伝統的建造物群保存地区** 香取市佐原

## 国立公園・国定公園

南房総国定公園、水郷筑波国定公園

## 県内観光エリア

●東葛エリア ●ベイエリア ●下総エリア ●九十九里エリア ●丘陵エリア ●南房総エリア

## 県内広域観光ルート

●七廻道 ●水辺廻道 ●未来廻道 ●歴史廻道 ●渚廻道 ●緑廻道 ●花海廻道 ●磯味廻道

## ふるさと検定（主催者）

ちば観光文化検定（千葉商工会議所）
房総（千葉）学検定（房総（千葉）学検定事務局）

## トピックス

●第65回国民体育大会ゆめ半島千葉国体（2010年9月25日～10月5日）
●南房総地域観光圏整備計画（館山市・鴨川市・南房総市・鋸南町）

## 千葉県行政データ

**県庁所在地** 〒260-8267 千葉市中央区市場町1-1 ☎043-223-2110
**商工労働部観光課** ☎043-223-2417
**長期総合計画** 計画名『千葉県長期ビジョン』 ―新しい世紀の幸せづくり・地域づくり― **目標年次**2025年
「あすのちばを拓く10のちから」2006年策定
①生きる「ちから」 ②ともに育つ「ちから」 ③みどりの「ちから」
④発展する経済の「ちから」 ⑤大地と海の恵みの「ちから」
⑥観光客を魅了する「ちから」 ⑦くらしを守る「ちから」 ⑧つなぐ「ちから」
⑨世界にひらく「ちから」 ⑩自治の「ちから」
**国際交流（姉妹友好提携）** パラ州（ブラジル）、ウィスコンシン州（アメリカ）
**千葉県ホームページアドレス** http://www.pref.chiba.lg.jp/
**ちばの観光まるごと紹介** http://www.kanko.chuo.chiba.jp/
**観光統計** 観光入込調査概要
**観光立県ちば推進基本計画 基本方針** ①環境の保全による観光の持続的発展
②地域や分野を越えた産業としての観光の振興
③交流空間の形成による長期滞在や定住化の促進
④国際的観光地としての地位の確立
⑤観光地ちばの知名度向上
**おもしろ半島ちば** http://www.omoshiro-chiba.or.jp/
**フォトギャラリー** 観光写真ギャラリー

| 千葉県立中央博物館 | 〒260-0852 | 千葉市中央区青葉町955-2 | ☎043-265-3111 |
| 千葉県立中央博物館大利根分館 | 〒287-0816 | 香取市佐原ハ4500 | ☎0478-56-0101 |
| 千葉県立中央博物館大多喜分館 | 〒298-0216 | 千葉県夷隅郡大多喜町大多喜481 | ☎0470-82-3007 |
| 千葉県立中央博物館海の博物館 | 〒299-5242 | 勝浦市吉尾123 | ☎0470-76-1133 |
| (社)千葉県観光協会 | 〒260-0015 | 千葉市中央区富士見1-12-7-2F | ☎043-225-9210 |

シンクタンクせとうち総合研究機構 発行

# 東京都 〈武蔵　伊豆〉 Tokyo Prefecture

**都章**

| 面積 | 2,187.58km² |
|---|---|
| 人口 | 1,299.4万人（2009年11月現在） |
| 都庁所在地 | 新宿区西新宿（23区人口　880.6万人）（2009年11月現在） |

- **都民の日**　10月1日
- **構成市町村数**　62（26市23特別区5町 8村）（2009年12月1日現在）
- **観光入込客実人数**　43,054万人（2008年）
  - 都内客　22,152万人　　都外客　20,369万人
  - 日帰客　40,202万人　　宿泊客　2,852万人
- **観光消費額**　44,843億円

**都名の由来：** 東の京の意味。
- 都の花：ソメイヨシノ
- 都の木：イチョウ
- 都の鳥：ユリカモメ
- 都の歌：東京都歌

東京都の「T」をデザインし、3つの同じ円弧で構成。緑色は、東京都の躍動・繁栄・潤い・安らぎを表現する。

**シンボル**
- レインボーブリッジ
- 東京都庁舎
- 東京タワー
- 明治神宮
- 高尾山

**世界遺産**
―

**暫定リスト記載物件**
- 国立西洋美術館本館
- 小笠原諸島

**ポテンシャル・サイト**
- 伊豆七島

**世界無形文化遺産**

**ポテンシャル・サイト**

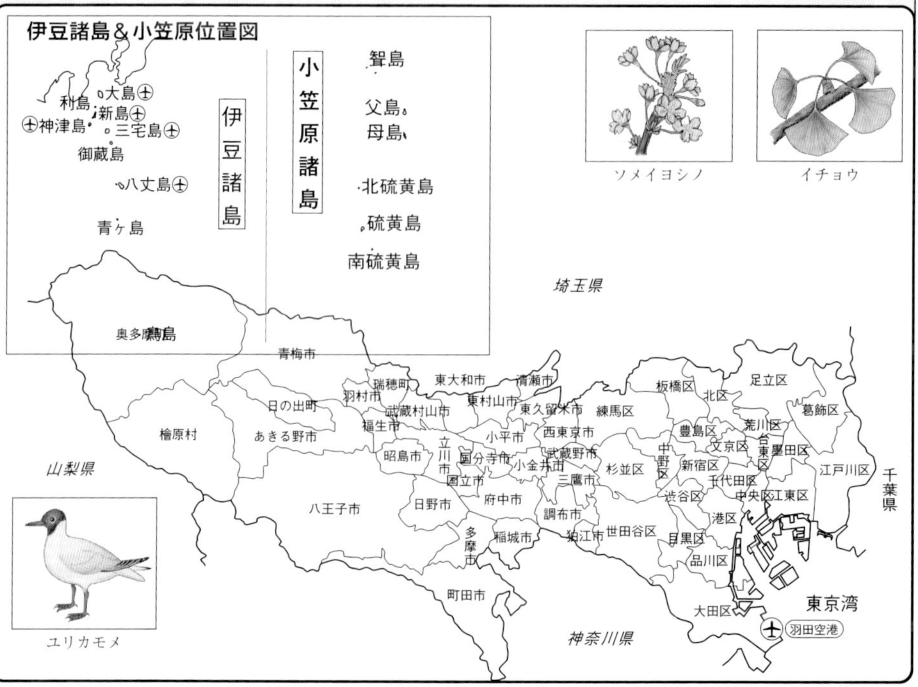

## 観光レクレーション客入込数の推移

（2004年より集計調査開始）

出所：東京都産業労働局観光部企画課「東京都観光客数等実態調査概要」

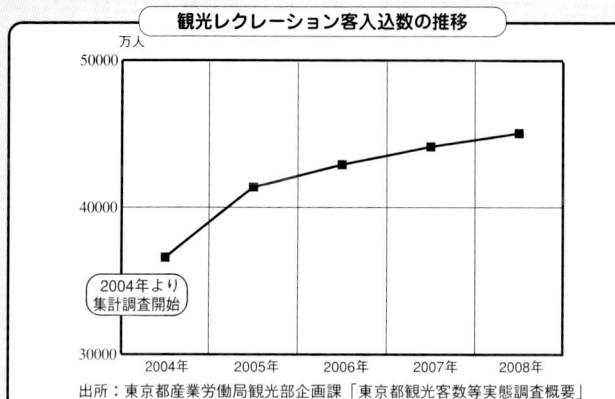

伊豆諸島＆小笠原位置図

ソメイヨシノ　　イチョウ　　ユリカモメ

## 自然環境

| | |
|---|---|
| 山岳高原 | 高尾山、御岳山、雲取山、三頭山 |
| 峠 | 小仏峠 |
| 河川 | 利根川、荒川、多摩川、江戸川、綾瀬川、隅田川、目黒川、石神井川、玉川上水 |
| 湖沼池 | 奥多摩湖、村山貯水池(多摩湖) |
| 湿地湿原 | 東京湾内湾、不忍池 |
| 峡渓谷滝 | 秋川渓谷、御岳渓谷 |
| 海湾岬 | 東京湾 |
| 島 | 伊豆七島、小笠原諸島、南鳥島 |
| 温泉 | 網代温泉、奥多摩温泉、鶴の湯温泉、檜原温泉、浅草観音温泉など |
| 動物 | パンダ、アホウドリ、メグロ、モリアオガエル、ニホンザル、ムササビ、シジュウカラ |
| 植物 | サクラ、ハナショウブ、ウメ、ボタン、バラ、ツツジ、フジ |

## 文化財

**国の特別史跡** 旧浜離宮庭園、江戸城跡、小石川後楽園　**国宝(建造物)** 正福寺(地蔵堂)
**国の重要文化財(建造物)** 旧江戸城外桜田門、旧江戸城田安門、旧江戸城清水門、慶応義塾図書館、慶応義塾三田演説館、日本ハリストス正教会教団復活大聖堂(ニコライ堂)、法務省旧本館、明治生命保険相互会社本社本館、旧近衛師団司令部庁舎、日本銀行本店本館、三井本館、日本橋、増上寺三解脱門、旧台徳院霊廟惣門、瑞聖寺大雄宝殿、明治学院インブリー館、有章院(徳川家継)霊廟二天門、学習院旧正門、護国寺本堂、護国寺月光殿(旧日光院客殿)、旧加賀屋敷御守殿門(赤門)、根津神社、旧東京医学校本館、東照宮社殿、厳有院霊廟奥院、厳有院霊廟勅額門及び水盤舎、浅草寺二天門、浅草神社、旧岡州池田屋敷表門、旧東京音楽学校奏楽堂、常憲院霊廟奥院、常憲院霊廟勅額門及び水盤舎、旧十輪院宝蔵、表慶館、寛永寺旧本坊表門(黒門)、寛永寺清水堂、旧寛永寺五重塔、旧弾正橋(八幡橋)、明治丸、円融寺本堂、本門寺五重塔、大場家住宅、妙法寺鉄門、自由学園明日館、旧宮崎家住宅、観音寺本堂、観音寺阿弥陀堂、観音寺仁王門、旧永井家住宅、金剛寺不動堂、金剛寺仁王門、小林家住宅、永代橋、旧磯野家住宅、旧岩崎家住宅、旧三河島汚水処分場ポンプ場施設、旧渋沢家飛鳥山邸、旧朝倉家住宅、国立西洋美術館本館、旧東京科学博物館本館、旧東京帝室博物館本館、勝鬨橋、清洲橋、新宿御苑旧洋館御休所、早稲田大学大隈記念講堂、東京駅丸ノ内本屋

## 国立公園・国定公園

秩父多摩甲斐国立公園、小笠原国立公園、富士箱根伊豆国立公園、明治の森高尾国定公園

## 都内観光圏域

● 23区　● 多摩地域　● 島しょ地域

## 都内広域観光ルート

● 遊覧船　東京港水上バス(隅田川ライン、葛西臨海公園ライン、ビッグサイト・パレットタウンライン、お台場・船の科学館ライン、カナールクルーズ、ハーバークルーズ、江戸川水上バス、小岩菖蒲園ライン)

## 都内主要観光地(域)

● 東京駅周辺・丸の内　● 銀座　● 臨海副都心　● 芝・竹芝・日の出　● 六本木　● 渋谷・原宿　● 新宿
● 池袋　● 浅草　● 上野　● 秋葉原・御茶ノ水　● 多摩地区　● 島しょ

## ふるさと検定(主催者)

東京シティガイド検定(東京商工会議所)、江戸文化歴史検定(江戸文化歴史検定協会)
多摩・武蔵野検定(「学術・文化・産業ネットワーク多摩」)、中央区観光検定(中央区観光協会)
丸の内検定(NPO法人大丸有エリアマネジメント協会)

## トピックス

● 八丈語、ユネスコの「消滅の危機にさらされている言語調査」で、「危険な状態にある言語」に分類される。

## 東京都行政データ

都庁所在地　〒163-8001　新宿区西新宿2-8-1　☎03-5321-1111
産業労働局観光部　☎03-5320-4800
長期総合計画　計画名　『東京構想2000』—千客万来の世界都市をめざして—　目標年次　おおむね15年後
　　　　　　　目標　魅力と活力のあふれる「千客万来の世界都市・東京」
東京都観光産業振興プラン　～活力と風格ある世界都市・東京をめざして～
①交通アクセスの整備　②温かく迎える仕組みづくり　③ひとりでまち歩きが楽しめる都市の実現
④観光ボランティアの活用の推進　⑤海外青少年の教育旅行受入の促進　⑥旅行者の安全確保
東京都ホームページアドレス　　　http://www.metro.tokyojp/
Tokyo Tourism Info　　　http://www.kanko.metro.tokyo.jp/
財団法人東京観光財団　　　http://www.tcvb.or.jp/index.html
フォトギャラリー　フォトライブラリー
観光統計　東京都観光客数等実態調査概要

| | | | |
|---|---|---|---|
| 国立西洋美術館 | 〒110-0007 | 台東区上野公園7-7 | ☎03-5777-8600 |
| 東京都中央図書館 | 〒106-0047 | 港区南麻布5-7-13 | ☎03-3442-8451 |
| 〃　日比谷図書館 | 〒100-0012 | 千代田区日比谷公園1-4 | ☎03-3502-0101 |
| 〃　多摩図書館 | 〒190-8543 | 立川市錦町6-3-1 | ☎042-524-7186 |
| 東京都江戸東京博物館 | 〒130-0015 | 東京都墨田区横網1-4-1 | ☎03-3626-9974 |

シンクタンクせとうち総合研究機構　発行

# 神奈川県〈相模 武蔵〉Kanagawa Prefecture

**面積**　2,415.84km²
**人口**　900.8万人（2009年11月現在）
**県庁所在地**　横浜市（人口　367.3万人）
（2009年11月現在）

**立庁記念日**　3月19日
**構成市町村数**　33（2政令指定都市17市13町1村）
（2009年12月1日現在）
**観光条例**　神奈川県観光振興条例（2009年10月16日施行）
**観光入込客数**　17,119万人（2008年）
日帰客　15,725万人　宿泊客　1,394万人

**県名の由来：**
神奈河、神名川、上無川の川の名前に基づく。

**県の花**：ヤマユリ
**県の木**：イチョウ
**県の鳥**：カモメ
**県の歌**：光あらたに

**県章**
神奈川県の「神」の文字を図案化したもの。

**シンボル**
- 横浜港
- 鎌倉
- 箱根

**世界遺産**
ー

**暫定リスト記載物件**
- 古都鎌倉の寺院・神社ほか

**ポテンシャル・サイト**
ー

**世界無形文化遺産**
- チャッキラコ

**ポテンシャル・サイト**
ー

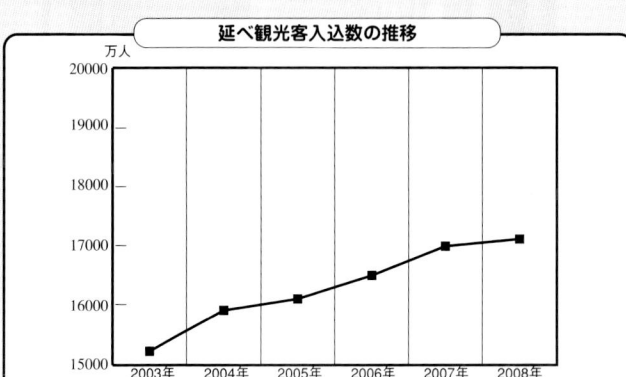

## 延べ観光客入込数の推移

出所：神奈川県商工労働部商業観光流通課「神奈川県入込観光客調査報告書」

ヤマユリ

イチョウ

カモメ

シンクタンクせとうち総合研究機構　発行

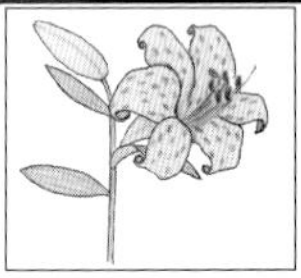

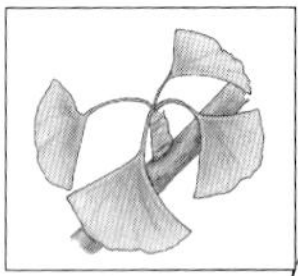

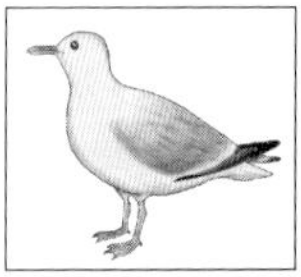

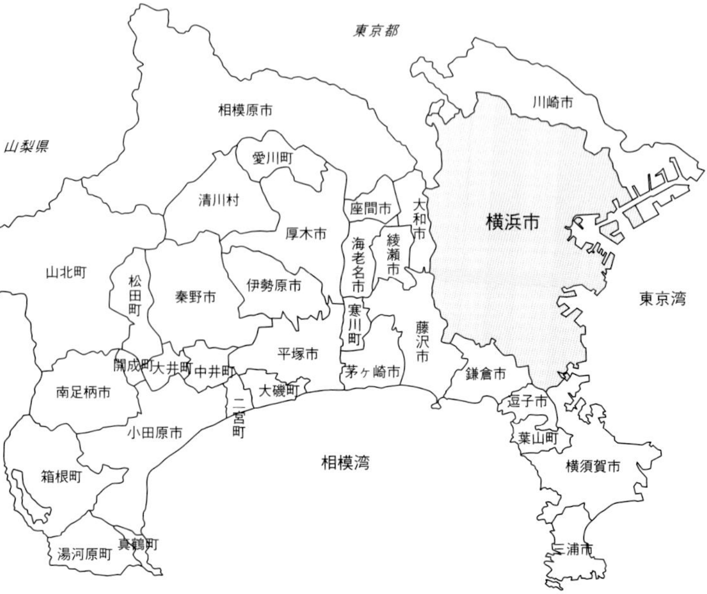

## 14 神奈川県　誇れる郷土ガイド―全国47都道府県の観光データ編―

### 自然環境

| | |
|---|---|
| 山岳高原 | 箱根山、仙石原高原、丹沢山、大山、蛭ヶ岳、金時山、陣馬山、高麗山　**峠**　小仏峠、三増峠、乙女峠、長尾峠、箱根峠、足柄峠　**河川**　相模川、多摩川、鶴見川、中津川、神之川、玄倉川　**湖沼池**　芦ノ湖、津久井湖、相模湖、奥相模湖、丹沢湖、震生湖　**湿地湿原**　東京湾内湾　**峡谷渓滝**　中津渓谷、洒水の滝　**海湾岬**　観音崎、剱崎、稲村ガ崎、長者ヶ崎、真鶴岬、剣崎海岸、油壷、荒崎海岸、湘南海岸、由比が浜　**半島**　三浦半島、真鶴半島　**島**　江の島、城ヶ島 |
| 温泉 | 箱根温泉、湯河原温泉、鶴巻温泉、飯山温泉、藤野やなまみ温泉、中川温泉など |
| 動物 | タイワンリス、ヒヨドリ、ホオジロ、アオゲラ、タイワンリス |
| 植物 | すいせん、うめ、さくら、つつじ、しょうぶ・あやめ、あじさい、はまゆう、ふじ |

### 文化財

**国宝（建造物）**　円覚寺（舎利殿）　**国の重要文化財（建造物）**　旧横浜船渠株式会社第一号第二号船渠（ドック）、旧燈明寺本堂、旧燈明寺三重塔、旧横浜正金銀行本店本館、横浜市開港記念会館、臨春閣、旧内田家住宅、月華殿、春草廬、旧天瑞寺寿塔覆堂、聴秋閣、旧東慶寺仏殿、旧矢箆原家住宅、天授院、関家住宅、旧伊藤家住宅、旧北村家住宅、旧佐々木家住宅、旧太田家住宅、旧江向家住宅、旧工藤家住宅、旧作田家住宅、覚園寺開山塔、覚園寺大燈塔、浄光明寺五輪塔、宝篋印塔、安養院宝篋印塔、旧一条恵観山荘、旧石井家住宅、光明寺本堂、光明寺本堂内厨子、極楽寺五輪塔、極楽寺忍性塔、建長寺山門、建長寺唐門、建長寺昭堂、建長寺大覚禅師塔、建長寺仏殿、建長寺法堂、鶴岡八幡宮上宮、鶴岡八幡宮摂社若宮、鶴岡八幡宮大鳥居（一の鳥居）、鶴岡八幡宮末社丸山稲荷社本殿、五輪塔（箱根）、宝城坊旧本堂内厨子、五輪塔（逗子）、宝篋印塔、石井家住宅、荏柄天神社本殿、旧住友家俣野別邸、福住旅館

**国の史跡**　一升桝遺跡、荏柄天神社境内、円覚寺境内、永福寺跡、仮粧坂、覚園寺境内、鎌倉大仏殿跡、亀ヶ谷坂、旧横浜正金銀行本店、円覚寺墓域、旧相模川橋脚、巨福呂坂、建長寺境内、元箱根石仏群、五領ヶ台貝塚、三浦安針墓、三殿台遺跡、若宮大路、寿福寺境内、秋葉山古墳群、勝坂遺跡、称名寺境内、浄智寺境内、浄光明寺境内・冷泉為相墓、浄妙寺境内、瑞泉寺境内、石垣山、川尻石器時代遺跡、相模国分寺跡、相模国分尼寺跡、大仏切通、朝比奈切通、名越切通、東勝寺跡、箱根関跡、仏法寺跡、鶴岡八幡宮境内、法華堂跡（源頼朝墓・北条義時墓）、田名向原遺跡、北条氏常盤亭跡、藤沢敵御方供養塔、和賀江嶋、小田原城跡など

### 国立公園・国定公園

富士箱根伊豆国立公園、丹沢大山国定公園

### 県内観光地域

- 横浜・川崎地域　● 三浦半島地域　● 湘南地域　● 箱根・湯河原地域　● 丹沢・大山地域
- 相模湖・相模川流域

### 県内広域観光ルート

遊覧船　● 横浜港内遊覧（マリーンシャトル、マリーンルージュ）　● 江の島遊覧船
● 三崎観光（油壷～城ヶ崎）　● 芦ノ湖遊覧船　● 相模湖遊覧船　● 津久井湖遊覧船　● 真鶴半島遊覧船

### 県内主要観光市町村

- 横浜市　● 箱根町　● 鎌倉市　● 川崎市　● 藤沢市　● 横須賀市　● 平塚市　● 三浦市　● 湯河原町
- 小田原市

### ふるさと検定（主催者）

かながわ検定（横浜商工会議所）、鎌倉検定（鎌倉商工会議所）、川崎産業観光検定（川崎商工会議所）、小田原まちあるき検定（小田原箱根商工会議所）

### トピックス

- 「チャッキラコ」（2009年世界無形文化遺産）
- 横浜開港150周年テーマイベント　2009年4月28日～9月27日

### 神奈川県行政データ

**県庁所在地**　〒231-8588　横浜市中区日本大通1　　045-210-1111
**商工労働部商業観光流通課**　045-210-8870
**長期総合計画**　計画名　神奈川力構想　目標年次　2007年度～2025年度
　　　基本目標　神奈川力を高め、新たな時代を創造する―生きがいと心豊かにくらす地域社会をめざして―
**観光かながわグランドデザイン**　10年後の将来像
　　①また、訪れたくなる神奈川の実現　②観光で元気になる神奈川の実現
　　③外国人を惹きつけるエキゾチック神奈川の実現
**神奈川県ホームページアドレス**　http://www.pref.kanagawa.jp/
**かながわNOW**　http://www.kanagawa-kankou.or.jp/
**フォトギャラリー**　観光地レンタルフォト
**観光統計**　神奈川県入込観光客調査
㈳**神奈川県観光協会**　〒231-0023　横浜市中区山下町1　　045-681-0007
**神奈川県立図書館**　〒220-0044　横浜市西区紅葉ヶ丘9-2　　045-263-5900
**神奈川県立歴史博物館**　〒231-0006　横浜市中区南仲通5-60　　045-201-0926

誇れる郷土ガイド−全国47都道府県の観光データ編− 15新潟県　　　住みたい新潟、行ってみたい新潟

# 新潟県 〈越後　佐渡〉 Niigata Prefecture

| 面積 | 12,583.47km² |
|---|---|
| 人口 | 238.3万人（2009年11月現在） |
| 県庁所在地 | 新潟市（人口　81.3万人）（2009年11月現在） |
| 構成市町村数 | 31（1政令指定都市19市7町4村）（2009年12月1日現在） |
| 観光条例 | 新潟県観光立県推進条例（2009年1月1日施行） |
| 観光レクリエーション入込客数 | 7,096万人（2008年度） |
|  | 県内客　4,681万人　県外客　2,415万人 |

県名の由来：
信濃川の河口に新しい潟が生まれたところから。

県の花：チューリップ
県の木：ユキツバキ
県の鳥：トキ
県の草花：雪割草
県の歌：県民歌

**県　章**

新潟県の「新」を中心に、「ガタ」を円形に図案化。融和と希望を象徴し、県勢の円滑な発展を表す。

**シンボル**
- 信濃川
- 妙高山

**世界遺産**
―

**暫定リスト記載物件**
―

**ポテンシャル・サイト**
- 金と銀の島、佐渡
  －鉱山とその文化－
- 飯豊・朝日連峰
- 奥利根・奥只見・奥日光
- 北アルプス

**世界無形文化遺産**
小千谷縮・越後上布-新潟県魚沼地方の麻織物の製造技術

**ポテンシャル・サイト**

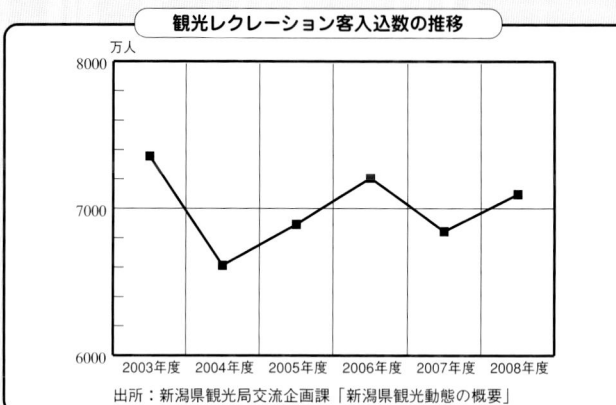

観光レクレーション客入込数の推移
出所：新潟県観光局交流企画課「新潟県観光動態の概要」

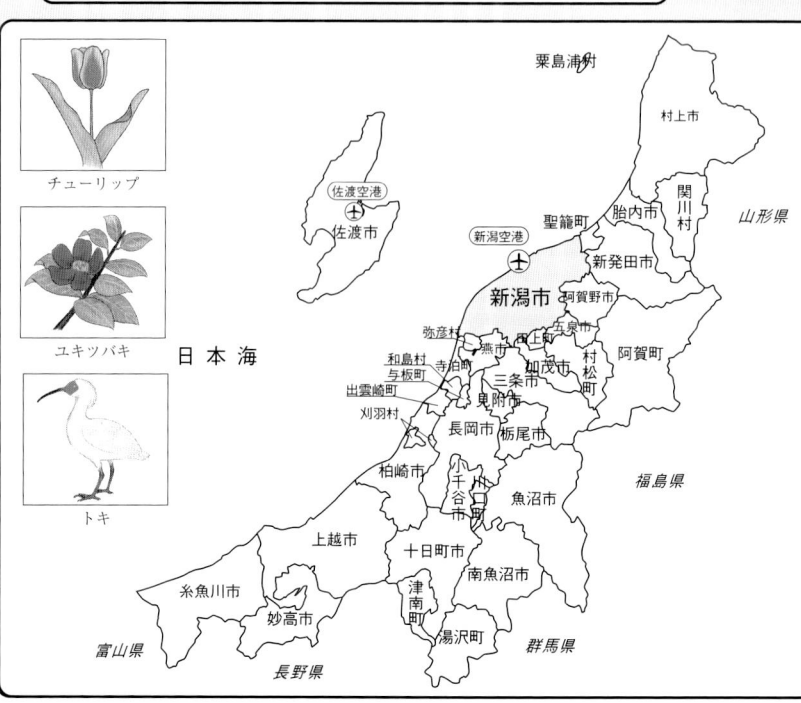

チューリップ
ユキツバキ
トキ

新潟県

34　　シンクタンクせとうち総合研究機構　発行

# 15 新潟県　誇れる郷土ガイド－全国47都道府県の観光データ編－

## 自然環境

| | |
|---|---|
| 山岳高原 | 妙高高原、妙高山、弥彦山、火打山、越後駒ヶ岳、谷川岳、雨飾山、苗場山、平ヶ岳 |
| 峠 | 三国峠、八十里越、三十里越、鳥井峠、富倉峠 |
| 河川 | 信濃川、阿賀野川　**湖沼池**　加茂湖、瓢湖、いもり池、月不見の池 |
| 湿地湿原 | 尾瀬、佐潟　**峡渓谷湾**　阿賀野川ライン、苗名滝、惣滝、鈴ヶ滝、清津峡、ヒスイ峡 |
| 海湾岬 | 親不知子不知、尖閣湾、日本海　**島**　佐渡ヶ島、粟島 |
| 温泉 | 瀬波温泉、栃尾又温泉、六日町温泉、越後湯沢温泉、赤倉温泉など |
| 動物 | トキ、ハクチョウ、マガモ、コガモ、ホシハジロ、タカ、ガン |
| 植物 | チューリップ、キンポウゲ、ミズバショウ、アヤメ、ユリ、アイリス、サツキ、寒梅 |

## 文化財

**国の史跡**　佐渡金山遺跡など　**国の重要文化財（建造物）**　新潟県議会旧議事堂、旧新潟税関庁舎、大泉寺観音堂、多多神社本殿、新発田城、旧新発田藩足軽長屋、魚沼神社阿弥陀堂、若林家住宅、浄念寺本堂、山口家住宅、浄興寺本堂、乙宝寺三重塔、種月寺本堂、弥彦神社境内末社十柱神社社殿、旧笹川家住宅、護徳寺観音堂、五十嵐家住宅、平等寺薬師堂、松苧神社本殿、白山神社本殿、渡辺家住宅、妙宣寺五重塔、小比叡神社、蓮華峰寺金堂、蓮華峰寺弘法堂、蓮華峰寺骨堂、萬代橋など。
**国の重要伝統的建造物群保存地区**　佐渡市宿根木

## 国立公園・国定公園

磐梯朝日国立公園、上信越高原国立公園、中部山岳国立公園、尾瀬国立公園
佐渡弥彦米山国定公園、越後三山只見国定公園

## 県内観光地区

- 岩船・胎内地区　●新潟・弥彦地区　●阿賀野川地区　●中越地区　●魚沼東頸城地区　●上越地区
- 佐渡地区

## 県内広域観光ルート

- 奥阿賀遊覧船　●阿賀野川ライン舟下り　●奥只見湖遊覧船　●尖閣湾遊覧船　●尖閣湾透視船
- 小木港遊覧船　●観光たらい舟　●笹川流れ遊覧船

## 県内主要観光地（域）

- 湯沢（スキー）　●新潟ふるさと村　●塩沢（スキー）　●弥彦神社　●妙高高原（スキー）　●高田公園
- 湯沢地区温泉　●柏崎（海水浴場）　●日本海フィッシャーマンズケープ　●長岡まつり

## ふるさと検定（主催者）

新潟市観光・文化検定（新潟商工会議所）、上越市「謙信・兼続」検定（上越市「謙信・兼続」検定実行委員会）、新潟清酒達人検定（新潟県酒造組合）、湯沢町観光・文化検定（NPO法人ゆ）

## トピックス

- 第64回国民体育大会トキめき新潟国体（2009年9月26日～10月6日）
- 「小千谷縮・越後上布」（2009年世界無形文化遺産）
- 「糸魚川」（世界地質遺産「ジオ・パーク」）
- 「尾瀬国立公園」2007年8月30日にわが国で29番目の国立公園に指定された。（群馬県片品村、栃木県日光市、福島県南会津町および檜枝岐村、新潟県魚沼市）

## 新潟県行政データ

| | |
|---|---|
| 県庁所在地 | 〒950-8570　新潟市中央区新光町4-1　　☎025-285-5511 |
| 産業労働観光部観光局観光振興課 | ☎025-280-5254 |
| 長期総合計画 | 計画名　新潟県『夢おこし』政策プラン　計画期間 2008年度～2016年度 |
| | 基本理念　「将来に希望の持てる魅力ある新潟の実現」－住みたい新潟、行ってみたい新潟－ |
| | 政策目標　①付加価値の高い産業の振興　②くらしやすさについての県民満足度 |
| 観光立県の推進 | ○是非訪れてみたいという新潟のイメージ戦略 |
| | ○外国人観光客をターゲットに捉えた国際観光の新展開 |
| | ○他県との連携による広域観光への取り組み |
| | ○健康サービス産業との連携による観光の新展開 |
| | ○コンベンション支援産業の創造 |
| 新潟県ホームページアドレス | http://www.pref.niigata.lg.jp/ |
| にいがた観光ナビ | http://www.niigata-kankou.or.jp/ |
| フォトギャラリー | にいがた観光フォトライブラリー |
| 観光統計 | 新潟県観光動態の概要 |
| ㈳新潟県観光協会 | 〒950-8570　新潟市中央区新光町4-1　　☎025-283-1188 |
| 新潟県立図書館 | 〒950-8602　新潟市中央区女池南3-1-2　☎025-284-6001 |

シンクタンクせとうち総合研究機構　発行

# 富山県 〈越中〉 Toyama Prefecture

- **面積** 4,247.55km²
- **人口** 109.5万人（2009年11月現在）
- **県庁所在地** 富山市（人口 42.0万人）（2009年10月現在）
- **構成市町村数** 15（10市4町1村）（2009年12月1日現在）
- **観光条例** 元気とやま観光振興条例（2008年12月22日施行）
- **観光客入込総数** 2,923万人（2008年）
  - 県内客 1,979万人　県外客 944万人
  - 日帰客 2,426万人　宿泊客 497万人

**県名の由来：** 外山（とやま）、神宿山（かみとめるやま）などの諸説がある。

- **県の花**：チューリップ
- **県の木**：立山杉
- **県の鳥**：ライチョウ
- **県の魚**：ブリ、ホタルイカ、シロエビ
- **県の獣**：ニホンカモシカ
- **県の歌**：富山県民の歌

### 県章
県のシンボルである立山をモチーフに、富山県の「と」を中央に配し、躍進する富山県のイメージを表す。

### シンボル
- 立山連峰
- 黒部峡谷
- 砺波平野
- 五箇山の合掌造り集落

### 世界遺産
- 白川郷・五箇山の合掌造り集落

### 暫定リスト記載物件

### ポテンシャル・サイト
- 立山・黒部
- 近世高岡の文化遺産群
- 北アルプス

### 世界無形文化遺産

### ポテンシャル・サイト

**観光レクレーション客入込数の推移**

| 年 | 万人 |
|---|---|
| 2003年 | 2775 |
| 2004年 | 2700 |
| 2005年 | 2600 |
| 2006年 | 2680 |
| 2007年 | 2800 |
| 2008年 | 2920 |

出所：富山県知事政策室観光・地域振興局観光課「富山県観光入込数（推計）」

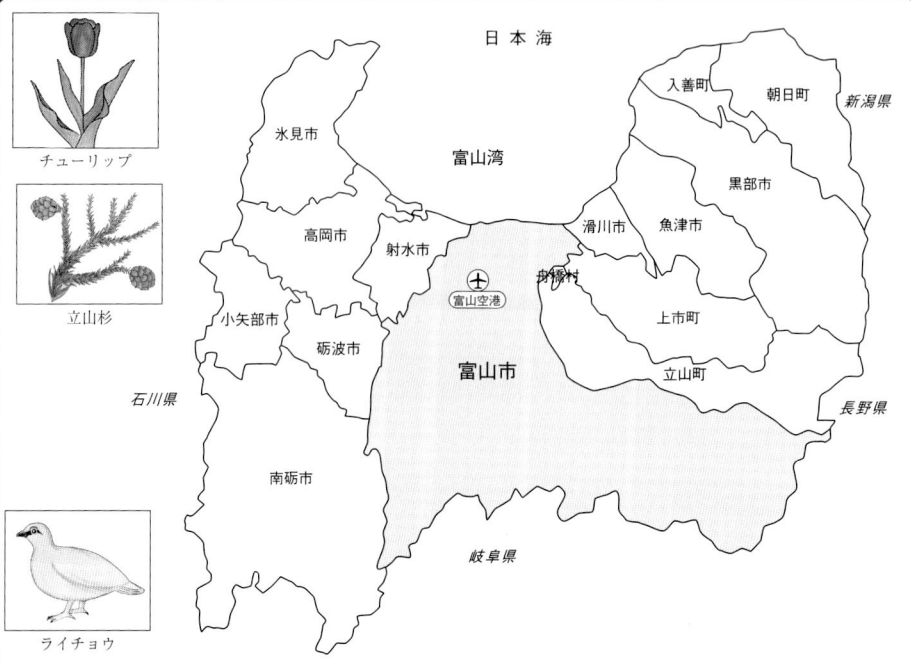

チューリップ　立山杉　ライチョウ

# 16富山県 誇れる郷土ガイド－全国47都道府県の観光データ編－

## 自然環境

- **山岳高原** 立山、剱岳、黒岳、薬師岳、黒部五郎岳、朝日岳、獅子岳、竜王岳、浄土山、弥陀ヶ原、美女平
- **峠** 俱利伽羅峠、針ノ木峠、大多和峠、桧峠、原山峠、越道峠
- **河川** 神通川、黒部川、常願寺川、小矢部川、庄川、早月川、熊野川、片貝川
- **湖沼池** 有峰湖、黒部湖、縄ヶ池、桜ヶ池、みくりが池　**砂丘** 吹上砂丘
- **峡渓谷滝** 黒部峡谷、称名滝、庄川峡、神通峡　**海湾岬** 雨晴海岸・松田江の長浜、宮崎・境海岸、富山湾、日本海　**温泉** 宇奈月温泉、鐘釣温泉、名剣温泉、小川温泉、金太郎温泉、天神山温泉、亀谷温泉など
- **動物** ツル、ルリカケス、ライチョウ、カケス、ミソサザイ
- **植物** チューリップ、ハナショウブ、ヤエザクラ、エドヒガンザクラ、大クス

## 文化財

- **国宝（建造物）** 瑞龍寺（仏殿、法堂、山門）
- **国の重要文化財（建造物）** 浮田家住宅、旧森家住宅、富岩運河水閘施設、気多神社本殿、武田家住宅、勝興寺、菅野家住宅、瑞龍寺（総門、禅堂、高廊下、回廊、大茶堂）、護国八幡宮、雄山神社前立社壇本殿、旧嶋家住宅、旧山室民家、村上家住宅、羽馬家住宅、岩瀬家住宅、旧富山県立農学校本館、佐伯家住宅
- **国の重要伝統的建造物群保存地区** 高岡市山町筋、南砺市菅沼、南砺市相倉

## 国立公園・国定公園

- 中部山岳国立公園、白山国立公園、能登半島国定公園

## 県内観光圏域

- ●北東エリア　●北西エリア　●南東エリア　●南西エリア

## 県内広域観光ルート

- ●雄大な立山を満喫する旅　●日本一の峡谷と温泉を満喫、特産品を味わおう　●世界遺産　五箇山をめぐる旅
- ●おわらの里、越中八尾を満喫する旅　●歴史の街、古都・高岡　●富山湾の神秘に触れる旅
- ●飛越ラインと神通峡を行く　●名水の里・黒部川流域を巡る旅　●広がる花の里・散居村をめぐる旅
- ●そばと瞑想の郷・利賀の文化に触れる旅　●山岳信仰をめぐる癒しの旅　●とやま名水散歩
- ●夢駆ける北前船ロード

## 県内主要観光地

- ●立山黒部アルペンルート　●高岡古城公園　●海王丸パーク　●平・上平村　●県民公園太閤山ランド
- ●飛越ふれあいの里　●氷見フィッシャーマンズワーフ海鮮館　●黒部峡谷鉄道　●宇奈月温泉
- ●富山市観光物産センター　●グリーンパーク吉峰　●雨晴海岸

## ふるさと検定（主催者）

- 越中富山ふるさとチャレンジ（富山県商工会議所連合会）
- 黒部マチヂカラ検定（黒部商工会議所）

## トピックス

- ●「富山湾・黒部峡谷・越中にいかわ観光圏整備計画」（富山県滑川市、魚津市、黒部市、入善町、朝日町）
- ●ふるさと納税制度　元気とやま応援寄付金（世界文化遺産への登録をめざした魅力創造など）
- ●2010年「白川郷・五箇山の合掌造り集落」世界遺産登録15周年

## 富山県行政データ

| | | | |
|---|---|---|---|
| 県庁所在地 | 〒930-8501　富山市新総曲輪1-7 | | ☎076-431-4111 |
| 観光・地域振興局観光課 | ☎076-444-3200 | | |
| 長期総合計画 | 計画名　「元気とやま創造計画」 | 目標年次　2015年度 | |
| | 基本目標　みんなで創ろう！人が輝く元気とやま | | |

**広域観光・国際観光の振興**
①旅行ニーズに応じた観光資源のネットワーク化による滞在型観光の推進
②富山らしい料理の継承・創作・ブランド化の推進
③中国、韓国、台湾を中心とした誘客宣伝活動と東南アジア、英語圏等の新たな市場開拓の推進
④産業観光資源の発掘、ブラッシュアップの推進
⑤宿泊施設における新たな取組みへの支援
⑥新たなキャッチフレーズ・シンボルマークによる富山の魅力の全国発信

| | | | |
|---|---|---|---|
| 富山県ホームページアドレス | http://www.pref.toyama.jp/ | | |
| とやま観光ナビ | http://www.info-toyama.com/ | | |
| フォトギャラリー | ライブラリー | | |
| 観光統計 | 富山県観光客入込数（推計） | | |
| 富山県立図書館 | 〒930-0115　富山市茶屋町206-3 | | ☎076-436-0178 |
| 富山県立近代美術館 | 〒939-8636　富山市西中野町1-16-12 | | ☎076-421-7111 |
| 五箇山民俗館 | 〒939-1973　南砺市菅沼436 | | ☎0763-67-3652 |
| 立山カルデラ砂防博物館 | 〒930-1405　中新川郡立山町芦峅寺ブナ坂68 | | ☎076-481-1160 |
| いきいき富山 | 〒100-0006　東京都千代田区有楽町2-10-1東京交通会館B1F | | ☎03-3213-1244 |

シンクタンクせとうち総合研究機構　発行

# 石川県 〈加賀　能登〉 Ishikawa Prefecture

- **面積** 4,185.48km²
- **人口** 116.7万人（2009年11月現在）
- **県庁所在地** 金沢市（人口　45.7万人）
　　　　　　（2009年11月現在）

**県名の由来**：犀川や手取川など石が多い川に由来する。

- **県の花**：クロユリ
- **県の木**：アテ
- **県の鳥**：イヌワシ
- **県の歌**：石川県民の歌

- **構成市町村数** 19（10市9町）（2009年12月1日現在）
- **観光入込客数** 2,077万人（2008年）
  - 県内　　948万人　県外　1,129万人
  - 日帰客　1,373万人　宿泊客　　704万人
- **観光消費額** 2,606億円

## 県章

「石川」の文字を石川県の地形にデザインしたもので、地色（青）は石川の恵まれた自然環境を表す。

### シンボル
- 白山
- 金沢城

### 世界遺産
—

### 暫定リスト記載物件
—

### ポテンシャル・サイト
- 城下町金沢の文化遺産群と文化的景観
- 霊峰白山と山麓の文化的景観

### 世界無形文化遺産
- 奥能登のあえのこと

### ポテンシャル・サイト
—

## 観光レクレーション客入込数の推移

| 年 | 2003 | 2004 | 2005 | 2006 | 2007 | 2008 |
|---|---|---|---|---|---|---|
| 万人 | ~2200 | ~2100 | ~2050 | ~2100 | ~1920 | ~2100 |

出所：石川県観光交流局交流政策課「統計からみた石川県の観光」

クロユリ

アテ

イヌワシ

日本海／富山湾／富山県／福井県／岐阜県

珠洲市／輪島市／能登町／穴水町／能登空港／志賀町／七尾市／中能登町／羽咋市／宝達志水町／かほく市／内灘町／津幡町／金沢市／野々市町／川北町／能美市／小松空港／小松市／加賀市／白山市

# 17 石川県　誇れる郷土ガイド－全国47都道府県の観光データ編－

## 自然環境

**山岳高原**　白山、鉢伏山　**峠**　倶利伽羅峠、谷峠、大日峠　**河川**　手取川、梯川、名取川、羽咋川、犀川、浅野川、大聖寺川　**湖沼池**　河北潟、柴山潟
**峡谷渓滝**　岩間の噴泉塔群　**湿地湿原**　河北潟、片野鴨池、柴山潟　**海湾岬**　千里浜、能登金剛、内灘、七尾湾、富山湾、日本海　**半島**　能登半島、能登外浦海岸　**砂丘**　内灘砂丘
**島**　能登島、見附島、舳倉島、七ツ島
**温泉**　和倉温泉、湯涌温泉、粟津温泉、加賀温泉、片山津温泉、山代温泉、山中温泉など
**動物**　白鳥、イヌワシ、ツキノワグマ、ニホンカモシカ、ニホンザル
**植物**　キクザクラ、ツバキ、ヤマフジ、ハナショウブ、ニッコウキスゲ、ミズバショウ

## 文化財

**国宝（建造物）**　―
**国の史跡**　辰巳用水、加賀藩主前田家墓所、金沢城跡、九谷磁器窯跡、珠洲陶器窯跡、チカモリ遺跡、雨の宮古墳群、吉崎・小塚場遺跡、狐山古墳、御経塚遺跡、七尾城跡、散田金谷古墳、秋常山古墳群、真脇遺跡、不動山、能登国分寺跡、鳥越城跡、須曽蝦夷穴古墳、上山田貝塚、法皇山横穴古墳、末寺庵寺跡、万行遺跡など
**国の重要文化財（建造物）**　尾崎神社、尾山神社神門、金沢城石川門、金沢城三十間長屋、金沢城土蔵（鶴丸倉庫）、成巽閣、旧松下家住宅、大乗寺仏殿、旧金澤陸軍兵器支廠、旧鯖波本陣石倉家住宅、旧第四高等中学校本館、吉崎・次場遺跡、小松天満宮、那谷寺本堂、白山神社本殿、江沼神社長流亭、薬王院五輪塔、気多神社、妙成寺本堂、妙成寺祖師堂、妙成寺五重塔、妙成寺二王門、妙成寺書院、妙成寺鐘楼、妙成寺三十番神堂、妙成寺三光堂、妙成寺経堂、妙成寺庫裏、喜多家住宅、旧小倉家住宅、松尾神社本殿、喜多家住宅、藤津比古神社本殿、座主家住宅、明泉寺五重塔、志摩、上時国家住宅
**国の重要伝統的建造物群保存地区**　加賀市加賀橋立、金沢市主計町、金沢市東山ひがし、輪島市黒島地区

## 国立公園・国定公園

白山国立公園、能登半島国定公園、越前加賀海岸国定公園

## 県内観光地域

● 能登地域　● 金沢地域　● 加賀地域　● 白山地域

## 県内広域観光ルート

● はじめての金沢散策　● 利家とまつゆかりのコース　● 金沢・城下町みて歩き1日コース
● 郷土色あふれるオリジナルバスの旅　● 定期観光バスでまわるはじめての石川の旅
● 祭りの国・能登半島の旅2泊3日コース　● ちょっと上級　テーマ別石川歴史の旅コース
● 金沢ゆかりの三文豪をしのぶ旅　● 七尾・和倉温泉タクシーの旅　● タクシーでまわる石川
● 能登ふれあいの旅

## 県内主要観光地域

● 能登地域　● 加賀地域　● 金沢地域　● 白山地域

## ふるさと検定（主催者）

金沢検定（石川県金沢市）、ジュニア金沢検定（金沢市教育委員会生涯学習課）、白山センター試験（白山青年会議所）、珠洲検定（珠洲青年会議所）、ふるさと小松検定（NPO法人ふるさと小松検定事務局）

## トピックス

● 「奥能登のあえのこと」（2009年世界無形文化遺産）

## 石川県行政データ

| | | |
|---|---|---|
| **県庁所在地** | 〒920-0577　金沢市広坂2-1-1 | ☎076-261-1111 |
| **観光交流局交流政策課** | ☎076-225-1126 | |
| **長期総合計画** | 計画名『石川県新長期構想～伝統と創造　みんなで築く　ふるさといしかわ～』 | |
| | 目標年次　2015年度 | |
| | 基本目標　個性、交流、安心のふるさとづくり | |
| **新ほっと石川観光プラン** | ①本物の出会いと豊かな体験　②海外からの誘客促進 | |
| | ③おもてなしの心とキャンペーンの実施　④アクセスの整備 | |
| **石川県ホームページアドレス** | http://www.pref.ishikawa.jp/ | |
| **ほっと石川旅ネット** | http://www.hot-ishikawa.jp/ | |
| **いしかわのグリーン・ツーリズム** | http://www.tobikkiri-ishikawa.jp/ | |
| **フォトギャラリー**　写真素材 | | |
| **観光統計**　統計からみた石川県の観光　石川県への観光に関する調査報告書　2005年12月 | | |
| **石川県立図書館** | 〒920-0964　金沢市本多町3-2-15 | ☎076-223-9578 |
| **石川県立歴史博物館** | 〒920-0963　金沢市出羽町3-1 | ☎076-262-3236 |
| **石川県輪島漆芸美術館** | 〒928-0063　輪島市水守町四十苅11 | ☎0768-22-9788 |
| **石川県観光物産PRセンター加賀・能登・金沢　江戸本店** | | |
| | 〒100-0006　東京都千代田区有楽町1-5-2東宝ツインタワービル1F | ☎03-3500-3883 |

シンクタンクせとうち総合研究機構　発行

# 福井県 〈若狭　越前〉 Fukui Prefecture

| | |
|---|---|
| 面積 | 4,189.28km² |
| 人口 | 80.9万人（2009年11月現在） |
| 県庁所在地 | 福井市（人口　26.7万人）（2009年11月現在） |
| ふるさとの日 | 2月7日 |
| 構成市町村数 | 17（9市8町）（2009年12月1日現在） |
| 観光入込客数 | 1,026万人（2008年） |
| 　県内客 | 554万人　県外客　472万人 |
| 　日帰客 | 771万人　宿泊客　255万人 |

**県名の由来**：名井・福ノ井の名前に由来する。

- 県の花：スイセン
- 県の木：マツ
- 県の鳥：ツグミ
- 県の魚：越前ガニ
- 県の歌：福井県民歌

### 県章
「フクイ」を円形にデザインし、県勢の発展と調和を表している。

### シンボル
- 東尋坊
- 永平寺

### 世界遺産
—

### 暫定リスト記載物件
—

### ポテンシャル・サイト
- 若狭の社寺建造物群の文化的景観

### 世界無形文化遺産
—

### ポテンシャル・サイト
—

## 観光レクレーション客入込数の推移

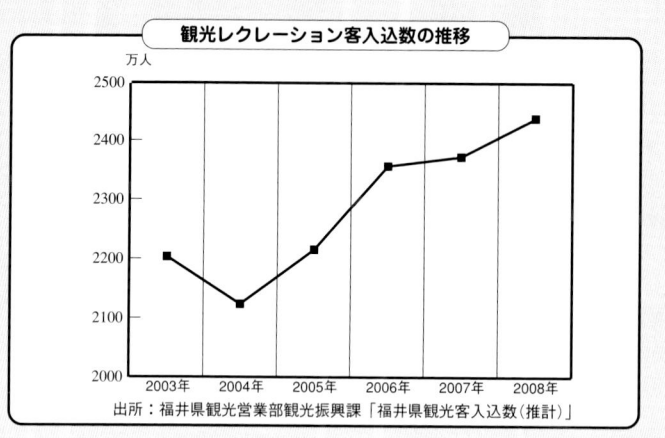

| 年 | 万人 |
|---|---|
| 2003年 | 約2200 |
| 2004年 | 約2120 |
| 2005年 | 約2210 |
| 2006年 | 約2350 |
| 2007年 | 約2370 |
| 2008年 | 約2430 |

出所：福井県観光営業部観光振興課「福井県観光客入込数（推計）」

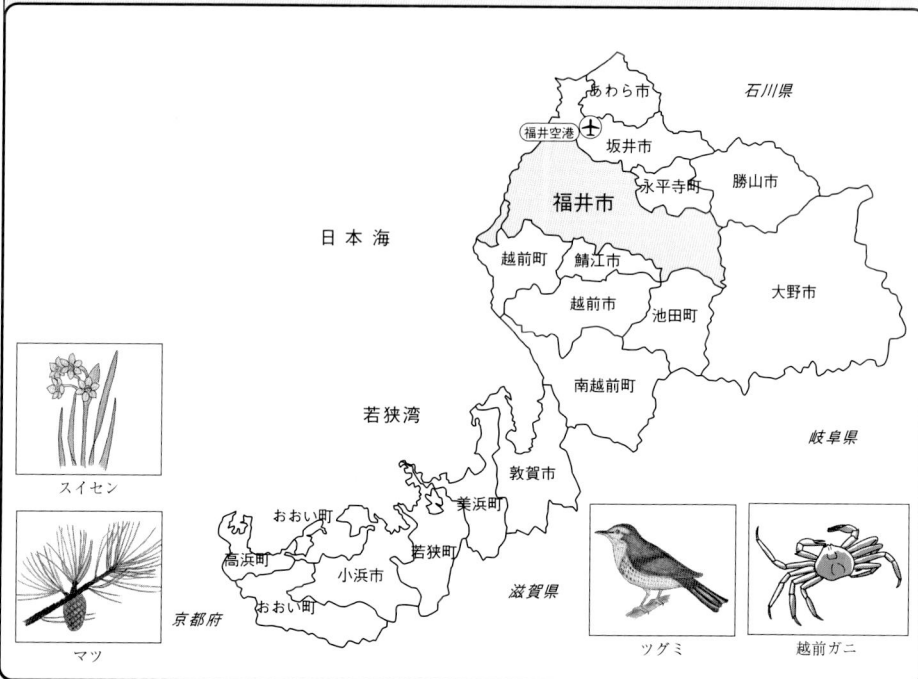

誇れる郷土ガイドー全国47都道府県の観光データ編ー　18福井県
ほんもののふるさと　越前・若狭

シンクタンクせとうち総合研究機構　発行

# 18 福井県　誇れる郷土ガイド－全国47都道府県の観光データ編－

## 自然環境

| | |
|---|---|
| 山岳高原 | 奥越高原、六呂師高原、荒島岳、白山、冠山 |
| 峠 | 栃ノ木峠、木ノ芽峠、高倉峠、温見峠、油坂峠、谷峠 |
| 河川 | 九頭竜川、北川、足羽川、黒河川、真名川、田倉川 |
| 湖沼池 | 三方五湖、九頭竜湖、麻那姫湖、水月湖、日向湖、北潟湖、夜叉ヶ池、刈込池 |
| 湿地湿原 | 北潟湖、三方五湖、池河内湿原 |
| 峡渓谷滝 | 九頭竜峡、龍双ヶ滝、真名峡、五太子の滝、一乗滝、瓜割の滝 |
| 海湾岬 | 越前岬、常神岬、鋸崎、立石岬、気比の松原、越前海岸、水晶浜、東尋坊（海食景観）、若狭湾、敦賀湾、小浜湾、内浦湾、日本海 |
| 半島 | 敦賀半島、常神半島、内外海半島、大島半島、内浦半島 |
| 島 | 鉾島、雄島、水島、御神島、千島 |
| 温泉 | 芦原温泉、鳩が湯温泉、越前温泉、九頭竜温泉、三国温泉など |
| 動物 | ウグイ、アラレガコ、イトヨ、ミサゴ、ウミウ、カモメ、ツル |
| 植物 | スイセン、花蓮、オハツキイチョウ、大ケヤキ、ヤマモミジ、ミズバショウ、ツツジ、ソバ |

## 文化財

**国の特別史跡**　一乗谷朝倉氏遺跡　**国の史跡**　玉山古墳群、岡津製塩遺跡、吉崎御坊跡、金ヶ崎城跡、兜山古墳、松岡古墳群、西塚古墳、中塚古墳、中郷古墳群、武田耕雲斎等墓、燈明寺畷新田義貞戦歿伝説地、白山平泉寺旧境内、免鳥長山古墳、柚山横穴群、六呂瀬山古墳群、後瀬山城跡、若狭国分寺跡、丸岡藩砲台跡など

**国宝（建造物）**　明通寺本堂、明通寺三重塔

**国の重要文化財（建造物）**　気比神宮大鳥居、旧谷口家住宅、大塩八幡宮拝殿、妙楽寺本堂、神宮寺本堂、神宮寺仁王門、羽賀寺本堂、飯盛寺本堂、旧橋本家住宅、旧瓜生家住宅、春日神社本殿、滝谷寺鎮守堂、丸岡城天守、坪川家住宅、大滝神社本殿及び拝殿、須波阿須疑神社本殿、堀口家住宅、大谷寺九重塔、相木家住宅、中山寺本堂、三国港（旧阪井港）突堤、西福寺、大安寺

**国の重要伝統的建造物群保存地区**　若狭町熊川宿、小浜市小浜西組

## 国立公園・国定公園

白山国立公園、越前加賀海岸国定公園、若狭湾国定公園

## 県内観光圏域

●敦賀・若狭周辺　●芦原・三国周辺　●福井市周辺　●武生・鯖江周辺　●奥越周辺

## 県内広域観光ルート

●足羽山周辺　●福井駅周辺　●一乗谷　●越前海岸　●大安寺　●三方五湖遊覧船　●蘇洞門めぐり遊覧船　●東尋坊めぐり遊覧船

## 県内主要観光地

●芝政ワールド　●東尋坊　●越前海岸　●あわら温泉　●氣比神宮　●西山公園

## ふるさと検定（主催者）

越前カニ検定（福井商工会議所）、考福学検定（福井青年会議所）、敦賀みなとの歴史検定（敦賀市産業経済部）、若狭おばま検定（若狭おばま観光協会）

## 福井県行政データ

**県庁所在地**　〒910-0005　福井市大手3-17-1　☎0776-21-1111
**産業労働部観光振興課**　☎0776-20-0380
**長期総合計画**　計画名　『ふくい21世紀ビジョン』　目標年次　2010年
　　　　基本理念　美しく　たくましい　福井を
　　　　基本目標　生活満足度日本一・地球時代に光り輝く福井県
　　　　最重点戦略　①科学技術・デザイン・情報立県の実現
　　　　　　　　　　②ふくい百年の大計・人づくり
　　　　　　　　　　③活き活きとした少子・高齢社会の構築
　　　　　　　　　　④安全で安心な、環境と調和した社会の創造
　　　　　　　　　　⑤日本海国土軸の形成

**新ビジットふくい推進計画（観光振興計画）重点施策**
①目玉となる観光地づくり　②"ふくい　花・木街道"の整備　③環境と共生した観光プロジェクトの推進　④広域観光ルートの開発（地域観光圏の整備）　⑤"恐竜王国ふくい"を活用した観光誘客　⑥誘客・誘致体制と営業力の強化　⑦観光マイスターや語り部の育成、活動機会の増大　⑧首都圏⇔福井直通観光列車"越前若狭号"の運行　⑨福井の暮らしやすさ、元気、学力・体力日本一を活用した誘客・PR　⑩世界の観光ガイドブックへの観光地の掲載

**福井県ホームページアドレス**　http://www.pref.fukui.jp/
**ふくいドットコム**　http://www.fukui-e.com/
**おでかけふくい（イベント情報）**　http://www2.pref.fukui.jp/event/
**フォトギャラリー**　福井県観光写真素材集
**観光統計**　福井県観光客入込数（推計）

| | | | |
|---|---|---|---|
| 福井県立歴史博物館 | 〒910-0016 | 福井市大宮2-19-15 | ☎0776-22-4675 |
| 福井県立美術館 | 〒910-0017 | 福井市文京3-16-1 | ☎0776-25-0452 |
| 福井県立一乗谷朝倉氏遺跡資料館 | 〒910-2152 | 福井市安波賀町4-10 | ☎0776-41-2301 |
| 福井県立図書館 | 〒918-8113 | 福井市下馬町51-11 | ☎0776-33-8860 |
| 若狭歴史民俗資料館 | 〒917-0241 | 小浜市遠敷2丁目104 | ☎0770-56-0525 |
| ふくい南青山291 | 〒107-0062 | 東京都港区南青山5-4-41 | ☎03-5778-0291 |

シンクタンクせとうち総合研究機構　発行

# 山梨県 〈甲斐〉 Yamanashi Prefecture

| | |
|---|---|
| 面積 | 4,465.3km² |
| 人口 | 86.9万人（2009年11月現在） |
| 県庁所在地 | 甲府市（人口 19.8万人）（2009年11月現在） |

- 県民の日　11月20日
- 構成市町村数　28（13市9町6村）（2009年12月1日現在）
- 観光客実人数　4,753万人（2008年）
  - 県内客　1,578万人　県外客　3,175万人
  - 日帰客　4,122万人　宿泊客　631万人
- 観光消費額　4,219億円

## 県名の由来：
果物の「ヤマナシ」、山をならして平地にした「山ならし」など諸説。

- 県の花：フジザクラ
- 県の木：カエデ
- 県の鳥：ウグイス
- 県の獣：カモシカ
- 県の歌：山梨県の歌

### 県章
3つの人文字で山梨の「山」を、周囲は富士山と武田菱で郷土を象徴しており、和と協力を表現する。

### シンボル
- 富士山
- 富士五湖
- 昇仙峡
- 武田信玄

### 世界遺産
—

### 暫定リスト記載物件
- 富士山

### ポテンシャル・サイト
- 富士山
- 南アルプス

### 世界無形文化遺産
—

### ポテンシャル・サイト

### 観光レクレーション客入込数の推移（万人）

| 年 | 2003 | 2004 | 2005 | 2006 | 2007 | 2008 |
|---|---|---|---|---|---|---|
| 客数 | 約4050 | 約4300 | 約4320 | 約4400 | 約4800 | 約4750 |

出所：山梨県観光部観光企画・ブランド推進課「山梨県観光客動態調査結果」

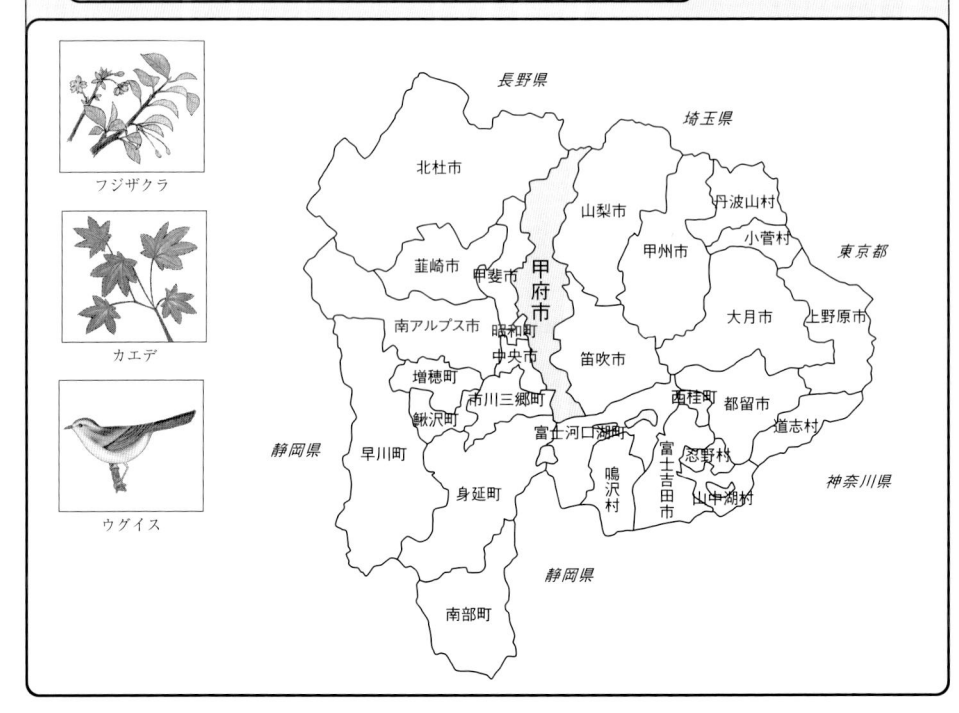

フジザクラ

カエデ

ウグイス

（地図：長野県、埼玉県、東京都、神奈川県、静岡県に接する山梨県の市町村図 — 北杜市、韮崎市、甲斐市、南アルプス市、早川町、身延町、南部町、富士川町、市川三郷町、増穂町、鰍沢町、甲府市、昭和町、中央市、笛吹市、山梨市、甲州市、丹波山村、小菅村、大月市、上野原市、都留市、道志村、西桂町、富士河口湖町、鳴沢村、忍野村、山中湖村、富士吉田市）

シンクタンクせとうち総合研究機構　発行

# 19 山梨県 誇れる郷土ガイド―全国47都道府県の観光データ編―

## 自然環境

**山岳高原** 富士山、北岳、間ノ岳、甲斐駒ヶ岳、農取岳、仙丈ヶ岳、鳳凰山、大菩薩嶺、八ヶ岳高原、丹沢山地、金峰山、清里高原 **原生林** 青木ヶ原樹海原生林 **峠** 夜叉神峠、御坂峠、笹子峠、大菩薩峠、大弛峠、安倍峠、雁坂峠 **河川** 富士川、相模川、多摩川、桂川、笛吹川 **湖沼池** 山中湖、河口湖、本栖湖、西湖、精進湖、四尾連湖 **峡渓谷滝** 昇仙峡、西沢渓谷
**温泉** 石和温泉、湯村温泉、下部温泉、西山温泉、増富温泉郷など
**動物** ヒメネズミ、ツキノワグマ、ニホンカモシカ、イノシシ、ホンドギツネ、マガモ、ヒドリガモ、ヨシガモ、ホシハジロ、キンクロハジロ、ミコアイサ
**植物** 桜、桃、アヤメ、アズマシャクナゲ、ハナビシソウ、ポピー、ツツジ、ヒマワリ、ラベンダー、コスモス

## 文化財

**国宝（建造物）** 大善寺本堂、清白寺本堂 **国の重要文化財（建造物）** 東光寺仏殿、穴切大神社本殿、塩沢寺地蔵堂、善光寺本堂、善光寺山門、旧睦沢学校校舎、小佐野家住宅、北口本宮富士浅間神社本殿、北口本宮富士浅間神社西宮本殿、北口本宮富士浅間神社東宮本殿、恵林寺四脚門、旧高野家住宅、向岳寺中門、熊野神社本殿、熊野神社拝殿、雲峰寺本堂、雲峰寺書院、雲峰寺庫裏、雲峰寺仁王門、天神神社本殿、窪八幡神社本殿、窪八幡神社拝殿（庁屋）、窪八幡神社摂社若宮八幡神社本殿、窪八幡神社摂社若宮八幡神社拝殿、窪八幡神社末社武内大神本殿、窪八幡神社末社高良神社本殿、窪八幡神社末社比咩三神社本殿、窪八幡神社神門、窪八幡神社鳥居、星野家住宅、武田八幡神社本殿、山梨岡神社本殿、中牧神社本殿、浅間神社摂社山宮神社本殿、慈眼寺、門西家住宅、大遠寺、最恩寺仏殿、景徳院本堂、安藤家住宅、光照寺薬師堂、八代家住宅、旧平田家住宅、富士御室浅間神社本殿、観音堂、清白寺庫裏、清白寺仏殿、八ツ沢発電所施設
**国の重要伝統的建造物群保存地区** 早川町赤沢

## 国立公園・国定公園

● 富士箱根伊豆国立公園、南アルプス国立公園、秩父多摩甲斐国立公園、八ヶ岳中信高原国定公園

## 県内観光圏域

● 峡中圏域 ● 峡東圏域 ● 峡南圏域 ● 峡北圏域 ● 富士北麓・東部圏域

## 県内広域観光ルート

● 甲州イチゴ狩りとそば打ち ● 昇仙峡と武田めぐり ● 昇仙峡と恵林寺 ● 富士山＆河口湖 ● 甘草屋敷の雛飾り祭りと不老園 ● 下部温泉と身延山 ● 武田信玄公歴史探訪ツアー ● 昇仙峡と富士河口湖 ● 山中湖遊覧船 ● 河口湖遊覧船 ● 本栖湖遊覧船

## 県内主要観光地

● 富士吉田・河口湖・三ッ峠周辺 ● 本栖湖・精進湖・西湖周辺 ● 山中湖・忍野周辺 ● 芸術の森・武田神社周辺 ● 昇仙峡・湯村温泉周辺 ● 石和温泉・果実郷周辺 ● 八ヶ岳高原周辺 ● 身延山・下部温泉周辺 ● 富士山五合目 ● 西沢渓谷・フルーツ公園周辺

## ふるさと検定（主催者）

富士山検定（静岡県富士商工会議所、山梨県富士吉田商工会議所）

## トピックス

● 富士山・富士五湖観光圏整備計画（富士吉田市・西桂町・忍野村・山中湖村・鳴沢村・富士河口湖町）
● 2009年11月18日、山梨県と静岡県の両県は、「富士山憲章制定10周年」を迎えた。
● ふるさと納税（ふるさとの水を育む森林保全に関する取組み、富士山の保全、環境美化に関する取組み など）

## 山梨県行政データ

| | | | |
|---|---|---|---|
| 県庁所在地 | 〒400-8501 甲府市丸の内1-6-1 | | ☎055-237-1111 |
| 観光部観光振興課 | ☎055-223-1557 | | |
| その他国内外事務所 | 大阪 | | |
| 長期総合計画 | 計画名『山梨未来ビジョン～山梨から明日がはじまる～』 目標年次 2025年 | | |
| | 基本目標 開（甲斐）の国～知恵の回廊～ 環境豊潤県、個性躍動県、未来交流県 | | |
| 山梨県ホームページアドレス | http://www.pref.yamanashi.jp/ | | |
| 富士の国やまなし観光ネット | http://www.yamanashi-kankou.jp/ | | |
| フォトギャラリー | 富士の国観光写真館 | | |
| 観光統計 | 山梨県観光客動態調査報告書 | | |
| 社団法人やまなし観光推進機構 | 〒400-0031 | 甲府市丸の内1-8-17 | ☎055-231-2722 |
| 山梨県立図書館 | 〒400-0031 | 甲府市丸の内2-33-1 | ☎055-226-2586 |
| 山梨県立美術館 | 〒400-0065 | 甲府市貢川1-4-27 | ☎055-228-3322 |
| 山梨県立考古博物館 | 〒400-1508 | 東八代郡中道町下曽根923 | ☎0552-66-3881 |
| なるさわ富士山博物館 | 〒401-0320 | 南都留郡鳴沢村8532-63 | ☎0555-20-5600 |
| 富士吉田市歴史民俗博物館 | 〒403-0005 | 富士吉田市上吉田2288-1 | ☎0555-24-2411 |
| 富士川ふるさと工芸館 | 〒409-2522 | 南巨摩郡身延町下山1578 | ☎0556-62-5524 |
| 富士の国やまなし館 | 〒103-0027 | 東京都中央区日本橋2-3-4 本橋プラザビル | ☎03-3241-3776 |

シンクタンクせとうち総合研究機構　発行

誇れる郷土ガイド－全国47都道府県の観光データ編－　20長野県　　つらなる つながる 信州

# 長野県 〈信　濃〉　Nagano Prefecture

| 面積 | 13,562.23km² |
| --- | --- |
| 人口 | 216.0万人（2009年11月現在） |
| 県庁所在地 | 長野市（人口　37.7万人）（2009年11月現在） |

長野冬季五輪開催記念日　2月7日
構成市町村数　80（19市25町36村）(2009年12月1日現在)
観光延利用者数　8,676万人（2008年）
　県内客　2,993万人　県外客　5,683万人
　日帰客　5,818万人　宿泊客　2,858万人
観光消費額　3,217億円

**県名の由来：**
緩く傾斜して広がる扇状地の形容から長野。

県の花：リンドウ
県の木：シラカバ
県の鳥：ライチョウ
県の獣：ニホンカモシカ
県の歌：信濃の国

### 県　章

長野県の「ナ」を円の中央に図案化。山とそれを湖に映す姿を表現し、自然と未来への発展を象徴している。

### シンボル
- 善光寺
- 千曲川
- 浅間山

### 世界遺産
—

### 暫定リスト記載物件
—

### ポテンシャル・サイト
- 松本城
- 善光寺と門前町
- 妻籠宿・馬籠宿と中山道
- 日本製糸業近代化遺産
- 北アルプス
- 南アルプス

### 世界無形文化遺産
—

### ポテンシャル・サイト
—

## 観光レクレーション客入込数の推移

| 年 | 2003年 | 2004年 | 2005年 | 2006年 | 2007年 | 2008年 |
|---|---|---|---|---|---|---|
| 万人 | 約9750 | 約9300 | 約8880 | 約8700 | 約9150 | 約8650 |

出所：長野県観光部観光企画課「観光地利用者統計調査結果」

リンドウ

シラカバ

ライチョウ

44

シンクタンクせとうち総合研究機構　発行

20 長野県　誇れる郷土ガイド－全国47都道府県の観光データ編－

## 自然環境

**山岳** 奥穂高岳、槍ヶ岳、赤石岳、涸沢岳、北穂高岳、大喰岳、前穂高岳、中岳、御嶽山、塩見岳、仙丈ヶ岳、南岳、乗鞍岳、聖岳、木曽駒ヶ岳、姨捨山、軽井沢、黒姫山、白馬岳、霧ヶ峰、浅間山、鷹狩山　**高原** 志賀高原、浅間高原、斑尾高原、飯綱高原、美ヶ原高原、蓼科高原、車山高原　**峠** 大弛峠、塩尻峠、針ノ木峠、杖突峠、北沢峠、三伏峠、安房峠、徳本峠、修那羅峠、十曲峠、大門峠、野麦峠、碓氷峠、夏沢峠、和田峠、鳥居峠、草津峠、富倉峠、大平峠、十石峠　**河川** 千曲川、信濃川、犀川、天竜川、木曽川、富士川、関川、姫川、矢作川、鹿島川　**湖沼池** 諏訪湖、野尻湖、青木湖、白樺湖、木崎湖　**峡渓谷滝** 上高地、天竜峡、寝覚の床、奥裾花渓谷、米子大瀑布、三本滝、田立の滝　**温泉** 野沢温泉、松代温泉、保科温泉、湯田中温泉、山田温泉、上諏訪温泉、別所温泉、浅間温泉、白骨温泉、上林温泉郷、戸倉上山田温泉、大町温泉郷など
**動物** ライチョウ、シジュウガラ、コガラ、ヒガラ、キツネ、テン、イタチ
**植物** 桜、アンズ、りんご、みずばしょう、あやめ、りんどう、コスモス、そば、もみじ、ミズナラ、ヒノキ

## 文化財

**国の特別史跡** 尖石石器時代遺跡
**国宝（建造物）** 善光寺本堂、松本城天守、大法寺三重塔、安楽寺八角三重塔、仁科神明宮
**国の重要文化財（建造物）** 林家住宅、葛山落合神社本殿、真田信重霊屋、真田信之霊屋、旧横田家住宅、善光寺三門、善光寺経蔵、筑摩神社本殿、若宮八幡社本殿、旧開智学校校舎、馬場家住宅、国分寺三重塔、中禅寺薬師堂、常楽寺多宝塔、文永寺、旧小笠原家書院、開善寺山門、釈尊寺観音堂宮殿、旧小諸本陣、小諸城、旧竹村家住宅、光前寺弁天堂、若一王子神社本殿、盛蓮寺観音堂、白山社奥社本殿、白山神社、白山神社本殿、健御名方富命彦神別神社末社若宮八幡神社本殿、小菅神社奥社本殿、小野家住宅、堀内家住宅、小松家住宅、島崎家住宅、駒形神社本殿、旧中込学校校舎、新海三社神社三重塔、新海三社神社東本社、六地蔵幢、旧三笠ホテル、真山家住宅、八幡神社本殿、八幡社境内神社高良社本殿、法住寺虚空蔵堂、春原家住宅、法法寺観音堂厨子及び須須織、諏訪社、諏訪大社下社、諏訪大社下社上社、諏訪大社下社上社、遠照寺釈迦堂、熱田神社本殿、竹ノ内家住宅、大山田神社、諏訪社、福徳寺本堂、松下家住宅、読書発電所施設、定勝寺本堂、定勝寺庫裏、定勝寺山門、神明社、田村堂、松尾寺本堂、曾根原家住宅、大宮熱田神社本殿、大宮熱田神社若宮八幡宮本殿、旧中村家住宅、神明社、智識寺大御堂、水上布奈山神社本殿、浄光寺薬師堂、佐野神社本殿、白髯神社本殿、旧松本高等学校、旧林家住宅、手塚家住宅、深澤家住宅
**国の重要伝統的建造物群保存地区** 塩尻市奈良井、塩尻市木曾平沢、東御市海野宿、南木曾町妻籠宿、白馬村青鬼

## 国立公園・国定公園

中部山岳国立公園、上信越高原国立公園、秩父多摩甲斐国立公園、南アルプス国立公園、八ヶ岳中信高原国定公園、天竜奥三河国定公園、妙義荒船佐久国定公園

## 県内観光圏域

● 東信州エリア　● 諏訪湖・ビーナスライン・八ヶ岳エリア　● 伊那路エリア　● 木曽路エリア
● 日本アルプス・中信エリア　● 北信濃エリア

## 県内広域観光ルート

● 木曽路11宿欲張りドライブ　● 悲劇の武将木曽義仲を訪ねて　● 歴史の道南木曽巡り
● 川中島合戦史跡めぐり　● 南アルプス林道コース　● 木曽八景巡り緑と水紀行
● 信濃菜の花めぐりコース　● 北信濃もみじ狩りの旅　● 版画ロードの旅　● 北信濃名画鑑賞の旅
● 中央アルプスと駒ヶ根高原周辺コース　● 花の高遠城下町史跡めぐりコース　● 北木曽路巡り

## 県内主要観光地

● 軽井沢高原　● 善光寺　● 志賀高原・北志賀高原　● 上諏訪温泉・諏訪湖　● 白馬山麓　● 白樺湖
● 上高地　● 蓼科　● 霧ヶ峰高原　● 美ヶ原高原　● 諏訪大社　● 湯田中渋温泉郷　● 菅平高原　● 戸隠高原
● 仁科三湖　● 黒部ダム　● 碌山美術館・わさび園・アイマックスシアター　● 上山田温泉　● 別所温泉
● 八島高原

## ふるさと検定（主催者）

信州観光文化検定試験（長野県）　すわこおもてなしアカデミー（諏訪商工会議所）
信州検定（長野県）、松本検定（長野県松本市）、飯田線検定（長野県、静岡県、愛知県）

## 長野県行政データ

| 県庁所在地 | 〒380-0837　長野市南長野字幅下692-2　☎026-232-0111 |
|---|---|
| 観光部観光振興課 | ☎026-235-7253 |
| 中期総合計画 | 基本目標　"活力と安心" 人・暮らし・自然が輝く信州　目標年次　2012年度 |
| 「観光立県長野」再興計画 | 将来像　国内外の多くの人々が繰り返し訪れ時代を超えて愛される日本のふるさと「長野県」（NAGANO） |
| 長野県ホームページアドレス | http://www.pref.nagano.jp/ |
| さわやか信州旅ネット | http://www.nagano-tabi.net/ |
| フォトギャラリー | フォトライブラリー |
| 観光統計 | 観光地利用者統計調査結果 |
| 長野県立長野図書館 | 〒380-0922　長野市大字若里298　☎026-228-4500 |
| 長野県立歴史館 | 〒387-0007　千曲市屋代字清水260-6　☎026-274-2000 |
| 財団法人八十二文化財団 | 〒380-0936　長野市岡田178-13　☎026-224-0511　FAX026-224-6452 |

長野県

シンクタンクせとうち総合研究機構　発行

誇れる郷土ガイド—全国47都道府県の観光データ編— 21岐阜県

# 岐阜県 〈飛騨　美濃〉　Gihu Prefecture

| 面積 | 10,621.17km² |
|---|---|
| 人口 | 208.7万人（2009年11月現在） |
| 県庁所在地 | 岐阜市（人口　41.1万人）（2009年11月現在） |

構成市町村数　42　（21市19町2村）
　　　　　　　　（2009年12月1日現在）

観光条例　みんなでつくろう観光王国飛騨・美濃条例（2007年10月1日施行）
観光入込客数　5,429万人（2007年）
　県内客　3,039万人　県外客　2,390万人
　日帰客　5,013万人　宿泊客　416万人
観光消費額　2,863億円　生産誘発額　4,090億円　就業誘発効果　41,133人

### 観光レクレーション客入込数の推移

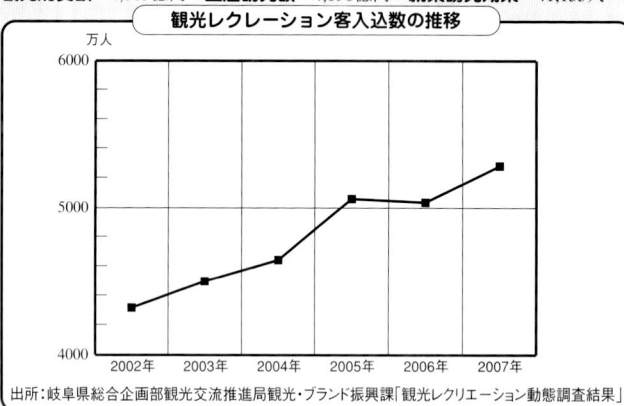

出所：岐阜県総合企画部観光交流推進局観光・ブランド振興課「観光レクリエーション動態調査結果」

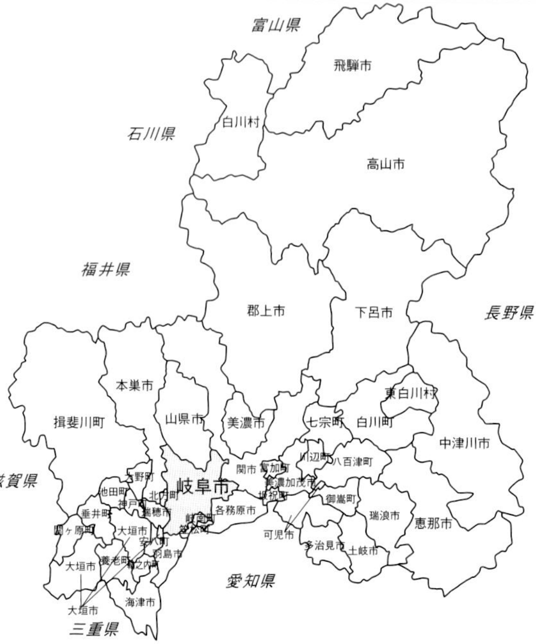

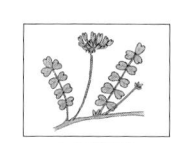

### 県名の由来：
信長が周の文王が起こった岐山と孔子の生地・曲阜を合わせて名付けた。

県の花：レンゲソウ
県の木：イチイ
県の鳥：ライチョウ
県の魚：アユ
県の歌：岐阜県民の歌

### 県章
岐阜県の「岐」を図案化。円形に囲んで、郷土の平和・団結・円満を表す。

### シンボル
● 長良川
● 白川郷の合掌造り集落

### 世界遺産
● 白川郷・五箇山の合掌造り集落

### 暫定リスト記載物件
—
### ポテンシャル・サイト
● 飛騨高山の町並みと祭礼の場
● 北アルプス

### 世界無形文化遺産
—
### ポテンシャル・サイト
● 高山祭の屋台行事
● 本美濃紙

レンゲソウ
イチイ 
ライチョウ 

46　シンクタンクせとうち総合研究機構　発行

21岐阜県　誇れる郷土ガイド－全国47都道府県の観光データ編－

## 自然環境

| | |
|---|---|
| 山岳 | 奥穂高岳、涸沢岳、北穂高岳、大喰岳、中岳、南岳、乗鞍岳、恵那山、伊吹山、笠ヶ岳 |
| 高原 | ひるがの高原 |
| 峠 | 十曲峠、野麦峠、高倉峠、温見峠、油坂峠 |
| 河川 | 木曾川、矢作川、庄内川、長良川、揖斐川、宮川 |
| 湖沼池 | 柄の湖、御母衣湖、大白川湖 |
| 峡渓谷滝 | 川浦渓谷、恵那峡、霞間ヶ渓、揖斐峡、飛水峡、養老滝、阿弥陀ヶ滝、五宝滝 |
| 温泉 | 長良川温泉、下呂温泉、白川温泉、小坂温泉郷、奥飛騨温泉郷など |
| 動物 | ライチョウ、ギフチョウ、オオサンショウウオ、ウナギ |
| 植物 | サクラ、コスモス、ハナノキ、アジサイ、コブシ、ムクゲ、ミズバショウ、スギ |

## 文化財

**国宝（建造物）**　安国寺経蔵、永保寺開山堂、永保寺観音堂

**国の重要文化財（建造物）**　国分寺本堂、照蓮寺本堂、吉島家住宅、日下部家住宅、旧田中家住宅、松本家住宅、旧田口家住宅、旧若山家住宅、旧吉真家住宅、新長谷寺本堂、新長谷寺三重塔、新長谷寺釈迦堂、新長谷寺阿弥陀堂、新長谷寺大師堂、新長谷寺鎮守堂、新長谷寺薬師堂、新長谷寺客殿、長蔵寺舎利塔及び須弥壇、鹿苑寺地蔵堂、小欠家住宅、大矢田神社本殿、武並神社本殿、旧太田脇本陣林家住宅、桑原家住宅、南宮神社本殿、真禅院、日吉神社三重塔、牧村家住宅、円鏡寺楼門、白山神社拝殿、日竜峯寺多宝塔、明鏡寺観音堂、旧八百津発電所施設、願興寺本堂、久津八幡宮拝殿、久津八幡宮本殿、旧大戸家住宅、荒川家住宅、旧遠山家住宅、和田家住宅、荒城神社本殿、阿多由太神社本殿、熊野神社本殿、薬師堂、美濃橋

**国の重要伝統的建造物群保存地区**　恵那市岩村町本通り、高山市下二之町大新町、高山市三町、白川村荻町、美濃市美濃町

## 国立公園・国定公園

中部山岳国立公園、白山国立公園、揖斐関ヶ原養老国定公園、飛騨木曽川国定公園

## 県内観光圏域

●岐阜圏域　●西濃圏域　●中濃圏域　●東濃圏域　●飛騨圏域

## 県内広域観光ルート

●温泉めぐり　●高山・郡上八幡・美濃　●世界遺産白川郷　●長良川の鵜飼い　●中山道・姫街道　●花の都ぎふ

## 県内主要観光地（域）

●長良川の鵜飼（岐阜市）　●飛騨高山（高山市）　●下呂温泉（下呂町）

## 岐阜の宝もの

●小坂の滝めぐり（下呂市）
＜明日の宝もの＞　川原町界隈（岐阜市）　●中山道（中津川市、恵那市、瑞浪市、大垣市）馬籠宿、落合宿、中津川宿、大井宿、大湫宿、細久手宿、赤坂宿
●郡上鮎（郡上市）　●八百津のおやつ（八百津町）

## ふるさと検定（主催者）

岐阜市まちなか博士認定試験（岐阜県岐阜市）、中山道中津川かいわい認定（中津川商工会議所）
下呂検定（下呂市観光商工部観光課）

## トピックス

●第67回国民体育大会2012岐阜清流国体（2012年）
●2010年「白川郷・五箇山の合掌造り集落」世界遺産登録15周年

## 岐阜県行政データ

**県庁所在地**　〒500-8570　岐阜市藪田南2-1-1　☎058-272-1111
**総合企画部観光交流推進局観光・ブランド振興課**　☎058-272-8396
**岐阜県長期構想**　『希望と誇りの持てるふるさと岐阜県を目指して～人口減少時代への挑戦～』
　　目標年次　2018年度
　　基本目標　希望と誇りの持てるふるさと岐阜県づくり
**観光消費額増大プロジェクト**
　①地域における旅行者受入体制の整備
　②観光消費を引き出す地域資源の発掘・創出
　③宿泊・滞在につなぐる仕掛けづくり
　④国内外からの誘客拡大
**岐阜県ホームページアドレス**　http://www.pref.gifu.lg.jp/
**ぎふ観光ガイド**　http://www.kankou-gifu.jp/
**フォトギャラリー**　デジタルアーカイブ
**観光統計**　岐阜県観光レクリエーション動態調査結果
**岐阜県立図書館**　〒500-8368　岐阜市宇佐4-1-1　☎058-275-5111
**岐阜県美術館**　〒500-8368　岐阜市宇佐4-1-22　☎058-275-1313
**岐阜県博物館**　〒501-3941　関市小屋名　☎0575-28-3111

シンクタンクせとうち総合研究機構　発行

# 静岡県 〈伊豆 駿河 遠江〉 Shizuoka Prefecture

| | |
|---|---|
| 面積 | 7,780.12km² |
| 人口 | 378.7万人（2009年11月現在） |
| 県庁所在地 | 静岡市（人口 71.7万人）（2009年11月現在） |

**県名の由来：** 賤機山（しずはたやま）にちなむ。

- 県の花：ツツジ
- 県の木：モクセイ
- 県の鳥：サンコウチョウ
- 県の歌：あけゆく朝
- 県賛歌：富士よ夢よ友よ

**県章**

富士山と静岡県の地形を図案化。親しみやすい、明るく住みよい静岡県を表現し、力強い前進と団結を表す。

- 県民の日　8月21日
- 構成市町村数　37（2政令指定都市21市14町）（2009年12月1日現在）
- 観光交流客数　13,671万人（2007年度）
- 　宿泊者数　1,922万人

### 観光交流客数の推移

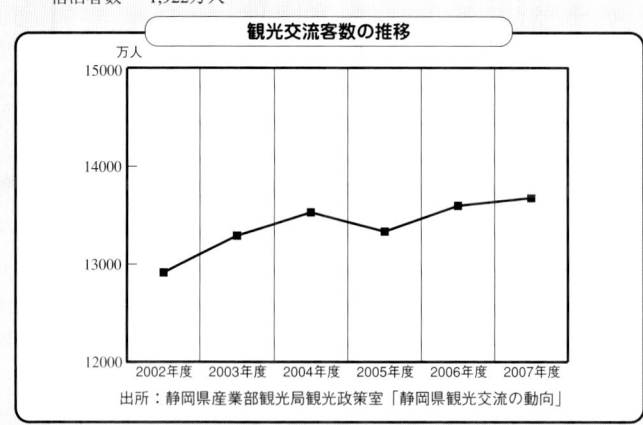

（グラフ：2002年度 約12,900万人、2003年度 約13,300万人、2004年度 約13,500万人、2005年度 約13,350万人、2006年度 約13,600万人、2007年度 約13,670万人）

出所：静岡県産業部観光局観光政策室「静岡県観光交流の動向」

**シンボル**
- 富士山
- 茶畑

**世界遺産**
—

**暫定リスト記載物件**
- 富士山

**ポテンシャル・サイト**
- 富士山
- 南アルプス

**世界無形文化遺産**
—

**ポテンシャル・サイト**
—

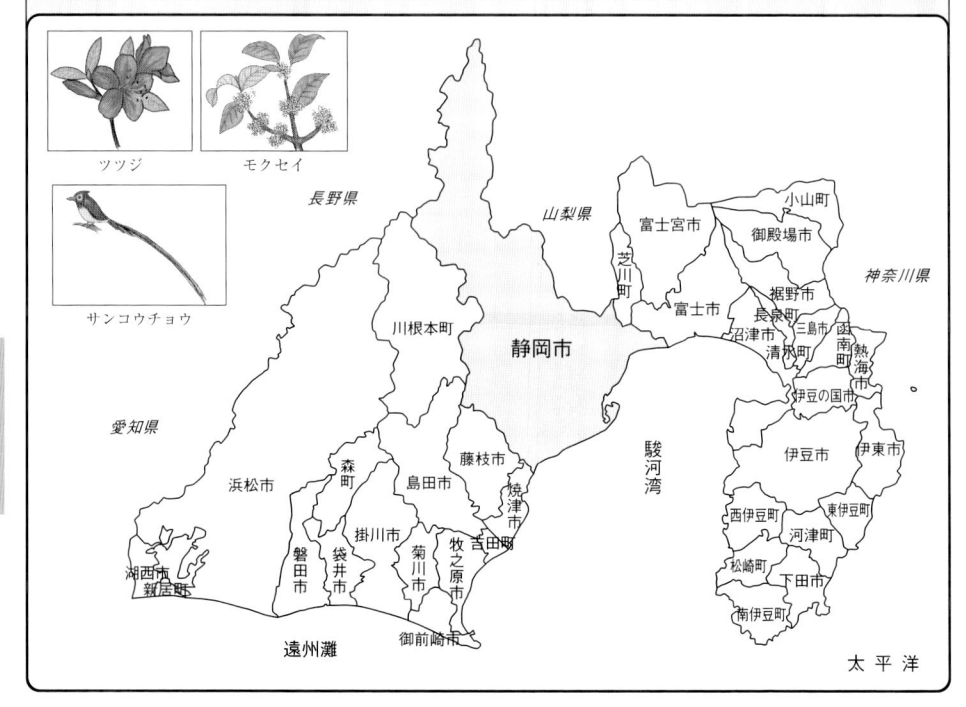

# 22 静岡県 誇れる郷土ガイド－全国47都道府県の観光データ編－

## 自然環境

**山岳高原** 富士山、間ノ岳、東岳、赤石岳、荒川岳、塩見岳、聖岳、光岳、天城高原、朝霧高原　**峠** 十国峠、天城峠、仁科峠、船原峠、宇津ノ谷峠、本坂峠、安倍峠、青崩峠、薩埵峠、足柄峠、戸田峠、亀石峠、婆娑羅峠、富士見峠、大日峠、二本松峠　**河川** 天竜川、大井川、富士川、安倍川、柿田川、狩野川

**湖沼池** 浜名湖、猪鼻湖、引佐細江湖、井川湖、畑薙湖、田貫湖、一碧湖、桶ヶ谷沼、湧玉池

**峡渓谷海** 白糸の滝、お糸の滝、寸又峡、不動峡、接岨峡、大倉峡、三ツ池洞窟（溶岩洞）、安倍の大滝、不動の滝、万城の滝、浄蓮の滝、河津七滝　**鍾乳洞** 竜ヶ岩洞

**海湾岬** 石廊崎、御前崎、大瀬崎、黄金崎、瓜木崎、城ヶ崎海岸、波勝崎、恋人岬、御浜岬、南遠砂丘、三保の松原、弓ヶ浜、相模湾、駿河湾、遠州灘、太平洋　**半島** 伊豆半島　**島** 初島、弁天島

**温泉** 熱海温泉、伊東温泉、熱川温泉、伊豆長岡温泉、修善寺温泉、天城湯ヶ島温泉など

**動物** ライチョウ、オイカワ、サギ、カワセミ

**植物** ウメ、サクラ、アジサイ、ツツジ、ベゴニア、ボタン、ハナショウブ、藤、ラン、キク、バラ、カーネーション

## 文化財

**国の特別史跡** 遠江国分寺跡、新居関跡、登呂遺跡　**国の史跡** 伊豆国分寺塔跡、横須賀城跡、久能山、休場遺跡、旧見付学校、玉泉寺、浅間古墳、韮山反射炉、韮山役所跡、柏谷横穴群、片山廃寺跡、北条氏邸跡（円成寺跡）、了仙寺、北江間横穴群、和田岡古墳群、蜆塚遺跡、賎機山古墳、千居遺跡、大鹿窪遺跡など

**国の重要文化財（建造物）** 三嶋大社本殿、幣殿及び拝殿、天城山隧道、久能山東照宮、神部神社浅間神社、臨済寺本堂、大歳御祖神社、霊山寺仁王門、富士山本宮浅間神社本殿、富士浅間宮本殿、大石寺五重塔、智満寺本堂、掛川城御殿、尊永寺仁王門、油山寺山門、油山寺三重塔、油山寺本堂内厨子、旧植松家住宅、本興寺本堂、旧岩科学校校舎、江川家住宅、大鐘家住宅、黒田家住宅、応声教院山門、友田家住宅、中村家住宅、寶林寺、方広寺七尊菩薩堂、浜名惣社神明宮本殿、旧日向家熱海別邸地下室、古谿荘、松城家住宅、鈴木家住宅

## 国立公園・国定公園

富士箱根伊豆国立公園、南アルプス国立公園、天竜奥三河国定公園

## 県内観光地域

- 伊豆地域　● 富士地域　● 駿河地域　● 奥大井地域　● 西駿河地域　● 中東遠地域　● 西遠地域
- 北遠地域

## 県内広域観光ルート

富士山ビューポイント　● 富士宮市田貫湖　● 裾野市水ヶ塚　● 小山町須走　● 東名高速富士川サービスエリア　● 富士市富士川河口　● 御殿場市長尾峠

遊覧船　● 城ヶ崎遊覧船　● 堂ヶ島マリン　● 下田湾遊覧船　● 遠州天竜下り　● 浜名湖遊覧船

## 県内主要観光地域

- 伊豆　● 駿河　● 富士　● 西遠　● 中東遠　● 西駿河　● 北遠　● 奥大井

## ふるさと検定（主催者）

富士山検定（静岡県富士商工会議所、山梨県富士吉田商工会議所）、飯田線検定（長野県、静岡県、愛知県）、静岡おでん検定（静岡おでん検定実行委員会）、伊豆検定（伊豆検定実行委員会）、静岡学検定（静岡市地域産業課）、いただきます検定（食育検定実行委員会）、まるごと浜松検定（静岡新聞社など）

## トピックス

- 2009年6月4日　富士山静岡空港開港
- 2009年11月18日、山梨県と静岡県の両県は、「富士山憲章制定10周年」を迎えた。

## 静岡県行政データ

**県庁所在地**　〒420-8601　静岡市葵区追手町9-6　☎054-221-2455
産業部観光局観光政策室　☎054-221-3617
**長期総合計画**　計画名　魅力ある"しずおか"2010年戦略プラン後期5年計画－富国有徳 創知協働－
　　　　　　　　計画期間　2006年度～2010年度
　　　　　　　　基本目標　豊かな快適空間と有徳の志が織り成す「魅力ある"しずおか"」の実現
**観光しずおか躍進計画　戦略プログラム**
①静岡ならではの観光魅力づくり　②静岡流おもてなしの実践　③誘客戦略（商品化等）
④観光魅力の発信（広報戦略）　⑤外国人旅行者の誘致拡大　⑥コンベンションの推進
⑦しずおかファンづくり　⑧観光ネットワークづくり　⑨交流基盤づくり
⑩観光情報基盤づくり　⑪観光を担う人づくり　⑫観光経営力の向上

静岡県ホームページアドレス　　http://www.pref.shizuoka.jp/
ハローナビ・しずおか　　　　　http://www.hellownavi.jp/
スローライフ・スローフード・シズオカ　http://www.pref.shizuoka.jp/a_content/4_05html
フォトギャラリー　　しずおか観光デジタル・ライブラリー
観光統計　静岡県観光交流の動向
静岡県立美術館　　　　　〒422-8002　静岡市駿河区谷田53-2　☎054-263-5755
静岡県立中央図書館　　　〒422-8002　静岡市駿河区谷田53-1　☎054-262-1242
(財)静岡県舞台芸術センターSPAC　〒422-8005　静岡市駿河区池田79-4　☎054-203-5730

シンクタンクせとうち総合研究機構　発行

誇れる郷土ガイド―全国47都道府県の観光データ編― 23愛知県

# 愛知県 〈三河　尾張〉 Aichi Prefecture

- **面積**　5,164.57km²
- **人口**　741.4万人（2009年11月現在）
- **県庁所在地**　名古屋市（人口225.8万人）
  （2009年11月現在）
- **構成市町村数**　60（1政令指定都市34市23町2村）
  （2009年12月1日現在）
- **観光条例**　愛知県観光振興基本条例（2008年10月14日施行）
- **観光レクリェーション資源・施設利用者総数**　14,763万人（2008年）

**県名の由来：**
海風の地、鮎淵、湧水（あゆ）の地など。

- **県の花**：カキツバタ
- **県の木**：ハナノキ
- **県の鳥**：コノハズク
- **県の魚**：クルマエビ
- **県の歌**：われらが愛知

**県　章**

「あいち」の文字を図案化。太平洋に面した県の海外発展性と希望に満ちた旭日波頭を表している。

**シンボル**
- 名古屋城

**世界遺産**
―

**暫定リスト記載物件**
―

**ポテンシャル・サイト**
―

**世界無形文化遺産**
―

**ポテンシャル・サイト**
―

観光レクレーション客入込数の推移（2003年～2008年）
2005年：愛知万博

出所：愛知県産業労働部観光コンベンション課「観光レクリエーション利用者統計」

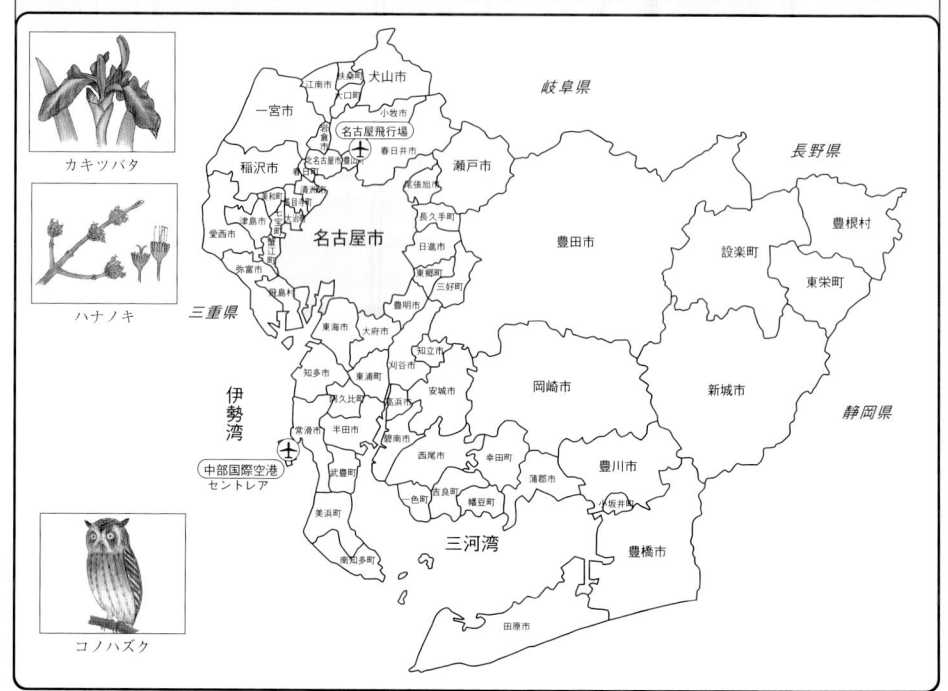

カキツバタ
ハナノキ
コノハズク

シンクタンクせとうち総合研究機構　発行

# 23愛知県　誇れる郷土ガイド－全国47都道府県の観光データ編－

## 自然環境

**山岳高原**　愛知高原、段戸高原、面の木高原、茶臼山高原、鳳来寺山、石巻山、本宮山、道樹山、蓬莱寺山、岩古谷山、宮路山　**峠**　本坂峠、多目峠、宇利峠、柚坂峠、与良木峠、三峰峠、笹暮峠
**河川**　木曽川、矢作川、庄内川、日光川、豊川、山崎川、五条川
**湖沼池**　三河湖、みどり湖、芦ヶ池、葦毛湿原　**湿地湿原**　汐川干潟、藤前・庄内干潟地、伊勢湾奥部、木曽三川下流部　**峡渓谷滝**　振草渓谷、香嵐渓、王滝渓谷、くらがり渓谷、鳳来峡、大入渓谷、神越渓谷、乳岩峡、奥矢作峡、滝山寺本堂、渓山寺三門、不動の滝　**海海岬**　伊勢湾、三河湾、恋路ヶ浜、片浜十三里、伊良湖岬、太平洋　**半島**　渥美半島、知多半島　**島**　佐久島、篠島、日間賀島、蒲郡竹島、三河大島
**温泉**　湯谷温泉、蒲郡温泉、西浦温泉、吉良温泉、三谷温泉、猿投温泉、尾張温泉、奥矢作温泉など
**動物**　ゲンジボタル、カワウ、ウミウ、ヒメウ、ゴイサギ、コサギ、アマサギ
**植物**　バラ、ストック、キンセンカ、カキツバタ、ハナノキ

## 文化財

**国の特別史跡**　名古屋城跡　**国の史跡**　阿野一里塚、伊良湖東大寺瓦窯跡、瓜郷遺跡、三河国分寺跡、三河国分尼寺跡、長久手古戦場、姫小川古墳、二子古墳、東之宮古墳、富田一里塚、北野廃寺跡など
**国宝（建造物）**　犬山城天守、有楽苑茶室如庵、金蓮寺弥陀堂
**国の重要文化財（建造物）**　名古屋城、名古屋城二之丸大手二之門、名古屋城旧二之丸東二之門、船頭平閘門、旧名古屋控訴院地方裁判所区裁判所庁舎、興正寺五重塔、観音寺多宝塔、富部神社本殿、竜泉寺仁王門、東観音寺多宝塔、滝山寺本堂、滝山寺三門、滝山東照宮、妙源寺柳堂、大樹寺多宝塔、信光明寺観音堂、伊賀八幡宮、八幡宮本殿、八幡宮拝殿、八幡宮幣殿、六所神社、旧額田郡公会堂及物産陳列所、妙興寺勅使門、定光寺本堂、源敬公（徳川義直）廟、旧中埜家住宅、密蔵院多宝塔、三明寺本堂内宮殿、三明寺三重塔、財賀寺、旧堀田家住宅、津島神社本殿、津島神社楼門、久麻久神社本殿、旧西郷従道住宅、旧伊勢郵便局舎、大縣神社、旧正院書院、旧愛知県公会堂記念館、旧本勝寺公会堂聖骸総の斎、旧山梨県東山東照宮役所、旧品川燈台、旧菅扁梅合付属宮舎、旧三重県庁舎、旧札幌電話交換局舎、旧東松家住宅、旧呉服座、曼荼羅寺正堂、曼荼羅寺書院、万徳寺多宝塔、万旧保徳寺鎮守堂、性海寺本堂及び宝塔、性海寺多宝塔、長光寺地蔵堂、尾張大国霊神社楼門、尾張大国霊神社拝殿、望月家住宅、観福寺本堂内宮殿、知立神社多宝塔、高田本堂、甚目寺南大門、甚目寺、富吉建速神社本殿、八劔社本殿、服部家住宅、幡頭神社本殿、天恩寺仏殿、天恩寺山門、足助八幡宮本殿、熊谷家住宅、東照宮、鳳来寺仁王門、豊橋ハリストス正教会聖使徒福音者馬太聖堂、名古屋市東山植物園温室前館

## 国立公園・国定公園

三河湾国定公園、飛騨木曾川国定公園、天竜奥三河国定公園、愛知高原国定公園

## 県内観光地域

- 名古屋市　●尾張（津島・一宮・犬山・瀬戸周辺）　●知多半島　●三河（豊田・岡崎・足助周辺）
- 奥三河　●三河湾（西尾・蒲郡・豊橋・渥美周辺）

## 県内広域観光ルート

- 尾張（津島・一宮・犬山・瀬戸周辺）　●三河（豊田・岡崎・足助周辺）　●三河湾（西尾・蒲郡・豊橋・渥美周辺）
- 日本ライン下り　●名古屋港遊覧船　●師崎遊覧　●内海遊覧　●日間賀島遊覧　●豊浜遊覧

## 県内主要観光地域

- 名古屋・尾張北部地域　●豊橋・三河湾地域　●岡崎・西三河内陸地域

## ふるさと検定（主催者）

名古屋四百年時代検定（なごや検定）（名古屋商工会議所）、名古屋城検定（名古屋市市民経済局文化観光部）、飯田線検定（長野県、静岡県、愛知県）、信長の台所歴史検定（津島商工会議所）、尾張一宮学検定（市民団体「尾張一宮文化検定協会」）

## トピックス

- 2010年　愛知名古屋　生物多様性条約第10回締約国会議（COP10）
- あいちトリエンナーレ2010

## 愛知県行政データ

県庁所在地　〒460-0001　名古屋市中区三の丸3-1-2　　☎052-961-2111
産業労働部観光コンベンション課　☎052-961-2111
長期総合計画　「新しい政策の指針」　目標年次2015年
　　　　　　　地域づくりの視点
　　　　　　　●人と地域の「つながり・絆」　●経済と環境の「持続可能性」　●愛知・中部の「風格」
愛知県ホームページアドレス　ネットあいち　http://www.pref.aichi.jp/
愛知観光情ガイド　　　　　　　　　　　　http://www.aichi-kanko.jp/
フォトギャラリー　観光地フォトライブラリ
観光統計　愛知県観光レクリエーション利用者統計
愛知県美術館　　　〒461-8525　名古屋市東区東桜1-13-2-10F　☎052-971-5511
愛知県図書館　　　〒460-0001　名古屋市中区三の丸1-9-3　　　☎052-212-2323
トヨタ博物館　　　〒480-1131　愛知郡長久手町大字長湫字横道41-100　☎0561-63-5151
愛知県陶磁資料館　〒489-0965　瀬戸市南山口町234　　　　　　☎0561-84-7474

シンクタンクせとうち総合研究機構　発行

誇れる郷土ガイドー全国47都道府県の観光データ編ー　24三重県

# 三重県 〈伊勢志摩 伊賀紀伊〉 Mie Prefecture

- 面積　5,777.17km²
- 人口　186.3万人（2009年11月現在）
- 県庁所在地　津市（人口　28.7万人）
　　　　　　（2009年11月現在）

- 県民の日　4月18日
- 構成市町村数　29（14市15町）（2009年12月1日現在）
- 観光入込客数　3,356万人（実数）（2008年）

**県名の由来：** 水辺（みえ）から。

- 県の花：ハナショウブ
- 県の木：ジングウスギ
- 県の鳥：シロチドリ
- 県の魚：伊勢エビ
- 県の獣：カモシカ
- 県の歌：三重県民歌

### 県章
三重の「み」を図案化、特産の真珠を象徴。右上がりのデザインは、県の力強い飛躍を表現している。

### シンボル
- 伊勢志摩
- 伊勢神宮
- 真珠

### 世界遺産
- 紀伊山地の霊場と参詣道

### 暫定リスト記載物件
ポテンシャル・サイト
ー

### 世界無形文化遺産
ポテンシャル・サイト
ー

## 観光レクレーション入込客数の推移

（2005年より集計方法変更）

出所：三重県農水商工部観光・交流室「観光レクリエーション入込客数推計書・観光客実態調査報告書」

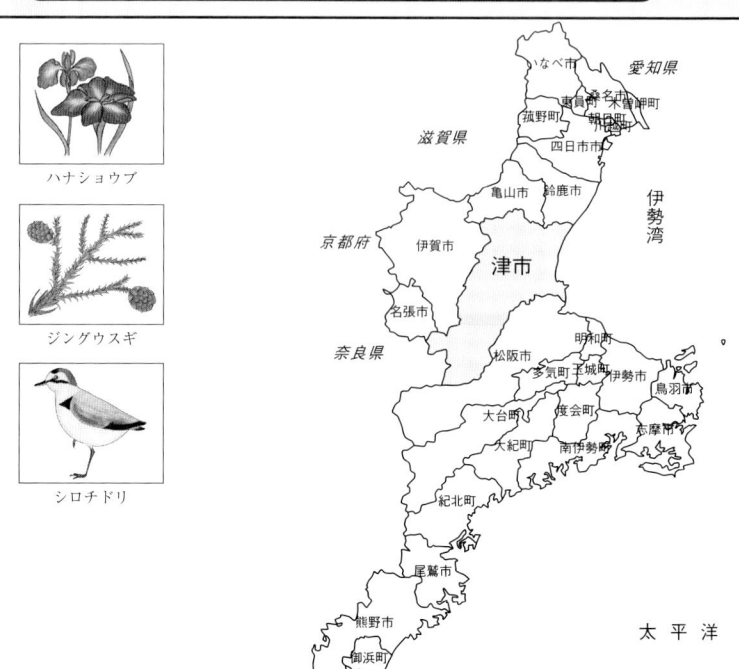

- ハナショウブ
- ジングウスギ
- シロチドリ

52　　シンクタンクせとうち総合研究機構　発行

# 24 三重県 誇れる郷土ガイド－全国47都道府県の観光データ編－

## 自然環境

**山岳高原** 青山高原、大台ヶ原、江野高原、御在所山
**峠** 鈴鹿峠、鞍掛峠、長野峠、高見峠、青山峠、荷阪峠、矢ノ川峠、花抜峠、馬越峠 **河川** 宮川、雲出川、櫛田川、鈴鹿川、熊野川（新宮川）、大内山川、揖斐川、木曽川
**湖沼池** 宮川湖、君ヶ野湖 **湿地湿原** 木曽三川下流部
**峡谷渓滝** 瀞峡、赤目四十八滝、石水渓、宇賀渓、大杉峡谷、香落渓
**海岸岬** 大王崎、三木崎、九木崎、御座崎、七里御浜、二見浦、国府白浜、中尾鷲湾、五ヶ所湾、英虞湾、伊勢湾、熊野灘、太平洋 **海食** 熊野の鬼ヶ城 **半島** 志摩半島、紀伊半島
**島** 神島、答志島、菅島、坂手島、渡鹿野島、間崎島
**温泉** 長島温泉、湯の山温泉、湯ノ口温泉、榊原温泉、一志温泉、猪の倉温泉、三重嬉野温泉など
**動物** 海ガメ、オオサンショウ、カワガラス、セキレイ、ヨシノボリ、ホンドギツネ
**植物** ウメ、サクラ、ツツジ、ハナショウブ、シャクナゲ、ツバキ、ハマユウ、ハマボウ

## 文化財

**国の特別史跡** 本居宣長旧宅同宅跡 **国の史跡** 斎宮跡、長野氏城跡、天白遺跡、上野城跡、城之越遺跡など
**国の重要文化財（建造物）** 専修寺御影堂、専修寺如来堂、四日市旧港港湾施設、末広橋梁（旧四日市駅鉄道橋）、金剛證寺本堂、来迎寺本堂、旧諸戸家住宅、高倉神社、猪田神社本殿、射手神社十三重塔（南方塔）、町井家住宅、庫蔵寺本堂、庫蔵寺鎮守堂、地蔵院、国津神社十三重塔、観菩提寺本堂、観菩提寺楼門、大村神社宝殿、旧松坂御城番長屋、諸戸家住宅、神宮祭主職舎本館（旧慶光院客殿）
**国の重要伝統的建造物群保存地区** 亀山市関宿

## 国立公園・国定公園

伊勢志摩国立公園、吉野熊野国立公園、鈴鹿国定公園、室生赤目青山国定公園

## 県内観光地域

● 北伊勢 ● 鈴鹿 ● 中南勢 ● 伊勢志摩東紀州 ● 東紀州 ● 伊賀

## 県内広域観光ルート

● 伊勢志摩 ● 熊野古道・伊勢路
遊覧船 ● あご湾遊覧船 ● 四日市港遊覧船いなば ● 木曽三川遊覧 ● 鳥羽市島めぐり ● 熊野市楯ヶ崎

## 県内主要観光地

● 伊勢神宮内宮 ● 長島温泉 ● 鈴鹿サーキット ● 二見浦 ● 伊勢神宮外宮 ● 志摩スペイン村
● 椿大神社 ● 多度大社 ● 湯の山温泉 ● 鳥羽水族館 ● 川上山若宮八幡神社

## 「ふるさと三重"再発見の旅"」お薦め観光コース

＜北勢地域＞ ● 石水渓 ● 城下町と宿場町が共存する亀山市内を歩く ● 東海道伊勢路の玄関を歩く 等
＜中南勢地域＞ ● 松阪三傑（三道）● 熊野古道「女鬼峠」と日本一の清流宮川を訪ねる ● 谷川士清史跡めぐり 等
＜伊勢志摩地域＞ ● 賢島 ● 朝熊山麓に広がる歴史の道 ● 造船の町大湊の歴史散歩
＜伊賀地域＞ ● 芭蕉翁ゆかりの俳蹟めぐり ● 名張藤堂家ゆかりの地を巡る ● 奥伊賀に忍者が走った里めぐり
● 茶陶 古伊賀の里めぐり ● 赤目四十八滝～香落渓 ● 壬申の乱の伝承地と初瀬街道 等
＜東紀州地域＞ ● 名瀑 清五郎滝と道しるべ地蔵尊 ● 絶景の便石山に登り、熊野古道馬越峠より下りる
● 猪鼻まわりの水平道 馬越峠へ ● 紀伊長島の歴史文化、ロマンの道を歩く 等

## ふるさと検定（主催者）

桑名ふるさと検定（桑名商工会議所）、検定「お伊勢さん」（伊勢商工会議所）
伊賀学検定試験（上野商工会議所）、ふるさと四日市検定（四日市商工会議所）
亀山検定（亀山商工会議所）

## トピックス

● 2014年「紀伊山地の霊場と参詣道」世界遺産登録10周年
● 伊勢志摩地域観光圏整備計画（伊勢市・鳥羽市・志摩市・南鳥羽町）

## 三重県行政データ

**県庁所在地** 〒514-8570 津市広明町13　☎059-224-3070
**農水商工部観光・交流室** ☎059-224-2077
**三重県総合計画** 「県民しあわせプラン」
　　　　　　　　基本理念　みえけん愛を育む"しあわせ創造県"
**三重県ホームページアドレス** http://www.pref.mie.jp/
**かんこうみえ** http://www.kankomie.or.jp/
**フォトギャラリー** 観光三重フォトギャラリー
**観光統計** 観光レクリエーション入込客数推計書・観光客実態調査報告書
**（社）三重県観光連盟** 〒514-0009　津市羽所町700　アスト津2F　☎0120-30-1714
**三重県立図書館** 〒514-0114　津市一身田上津部田1234　☎059-233-1182
**三重県立博物館** 〒514-0006　津市広明町147-2　☎059-228-2283
**三重県立美術館** 〒514-0007　津市大谷町11　☎059-227-2100
**斎宮歴史博物館** 〒515-0325　三重県多気郡明和町竹川503　☎0596-52-3800

シンクタンクせとうち総合研究機構　発行

誇れる郷土ガイド－全国47都道府県の観光データ編－　25滋賀県

# 滋賀県 〈近　江〉 Shiga Prefecture

| 面積 | 4,017.36km² |
| --- | --- |
| 人口 | 140.2万人（2009年11月現在） |
| 県庁所在地 | 大津市（人口　33.3万人）（2009年11月現在） |

構成市町村数　26（13市13町）（2009年12月1日現在）
観光入込客数　4,666万人（2007年）
　日帰客　4,350万人　宿泊客　316.5万人

## 県名の由来：
漁業、漁民や湖に関係する語源とする諸説がある。

- 県の花：シャクナゲ
- 県の木：モミジ
- 県の鳥：カイツブリ
- 県の歌：滋賀県民歌

### 県章
「シ」「ガ」を左右に配し、中央の空間を琵琶湖をとして図案化。全体の円形と上部の両翼で和と飛躍を表す。

### シンボル
- 琵琶湖

### 世界遺産
- 古都京都の文化財（京都市、宇治市、大津市）

### 暫定リスト記載物件
- 彦根城

### ポテンシャル・サイト
—

### 世界無形文化遺産
—

### ポテンシャル・サイト
—

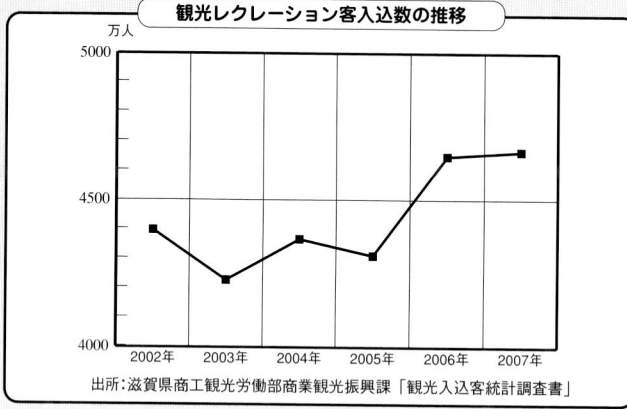

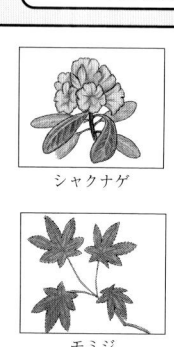

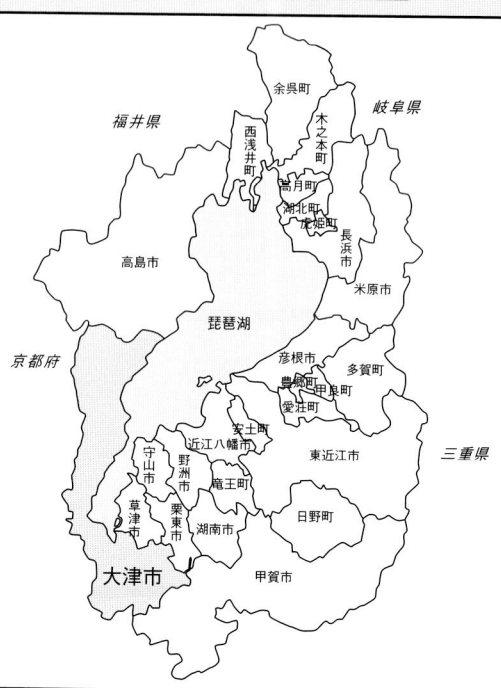

## 観光レクレーション客入込数の推移

出所：滋賀県商工観光労働部商業観光振興課「観光入込客統計調査書」

シャクナゲ

モミジ

カイツブリ

（地図：福井県、岐阜県、京都府、三重県に囲まれた滋賀県。琵琶湖を中心に、余呉町、木之本町、西浅井町、高月町、湖北町、虎姫町、長浜市、高島市、米原市、彦根市、多賀町、豊郷町、甲良町、愛荘町、安土町、近江八幡市、東近江市、日野町、竜王市、湖南市、野洲市、守山市、草津市、栗東市、大津市、甲賀市）

シンクタンクせとうち総合研究機構　発行

# 25 滋賀県 誇れる郷土ガイドー全国47都道府県の観光データ編ー

## 自然環境

| | |
|---|---|
| 山岳高原 | 鈴鹿山脈、伊吹山、御在所山、霊仙山、比叡山、比良山、御池岳 |
| 峠 | 月出峠、栃ノ木峠、鈴鹿峠、鞍掛峠　河川　野洲川、瀬田川 |
| 湖沼池 | 琵琶湖、余呉湖、三島池　湿地湿原　琵琶湖　渓谷滝　楊梅の滝 |
| 洞穴・鍾乳洞 | 河内風穴　半島　烏丸半島　島　竹生島、沖島、矢橋帰帆島 |
| 温泉 | 雄琴温泉、堅田温泉、びわ湖温泉、石山温泉、南郷温泉、虹乃湯温泉、今浜温泉、塩野温泉など |
| 動物 | ビワコオオナマズ、マガモ、オシドリ、ユリカモメ、カイツブリ、ダイサギ、赤トンボ |
| 植物 | アセビ、桜、牡丹、ヨシ、ザゼン草、シャクナゲ、サツキ、ツツジ、ハス、ヨシ |

## 文化財

**国の特別史跡**　安土城跡、彦根城跡
**国宝（建造物）**　石山寺（本堂、多宝塔）、園城寺（新羅善神堂、光浄院客殿、勧学院客殿、金堂）、延暦寺（根本中堂）、日吉大社（西本宮本殿及び拝殿、東本宮本殿及び拝殿）、御上神社（本殿）、大笹原神社（本殿）、長寿寺（本殿）、常楽寺（本堂、三重塔）、善水寺（本堂）、金剛輪寺（本堂）、苗村神社（西本殿）、西明寺（本堂、三重塔）、彦根城（天守、附櫓及び多聞櫓）、宝厳寺、都久夫須麻神社本殿
**国の重要文化財（建造物）**　延暦寺摂社地、安養寺十三重塔、宇和宮神社本殿、延暦寺戒壇院、延暦寺根本中堂廻廊、延暦寺常行堂及び法華堂、園城寺鐘楼、奥石神社本殿、押立神社本殿、観音寺、旧伊庭家住宅（住友活機園）、旧宮地家住宅、旧西川家住宅、鏡神社本殿、五村別院、御上神社拝殿、御上神社楼門、高木神社、弘誓寺本堂、若宮神社本殿、寂照寺宝篋印塔、春日神社、勝手神社本殿、小津神社本殿、小田神社楼門、正法寺本堂、西明寺宝塔、石津寺本堂、長命寺本堂、東門院五重塔、田中家住宅、豊満神社本殿、彦根城天秤櫓、彦根城西の丸三重櫓及び続櫓、彦根城太鼓門及び続櫓、彦根城二の丸佐和口多聞櫓、彦根城馬屋、百済寺本堂、不動寺本堂、蘆花浅水荘ほか
**国の重要伝統的建造物群保存地区**　近江八幡市八幡、大津市坂本、東近江市五個荘金堂
**国の重要文化的景観**　近江八幡の水郷（近江八幡市）、高島市海津・西浜・知内の水辺景観（高島市）

## 国立公園・国定公園

琵琶湖国定公園、鈴鹿国定公園

## 県内観光圏域

●大津・志賀　●湖南　●甲賀　●東近江　●湖東　●湖北　●湖西

## 県内広域観光ルート

●近江三景（彦根・米原・多賀）　●比叡山
遊覧船　●琵琶湖遊覧船　●竹生島めぐり・多景島めぐり　●水郷めぐり

## 県内主要観光地（域）

●多賀神社　●黒壁ガラス館　●長浜オルゴール堂　●比叡山ドライブウェイ　●びわ湖わんわん王国
●近江舞子水泳場　●滋賀県立希望が丘文化公園　●びわ湖鮎家の郷　●滋賀農業公園ブルーメの丘

## ふるさと検定（主催者）

彦根城下町検定（彦根商工会議所）、びわ湖検定（滋賀県商工会議所連合会ほか）
忍者検定（甲賀）（甲南町観光協会）、東海道検定（NPO法人歴史の道東海道宿駅会議）

## トピックス

●2014年「古都京都の文化財」世界遺産登録20周年

## 滋賀県行政データ

県庁所在地　〒520-8577　大津市京町4-1-1　☎077-524-1121
商工観光労働部観光振興課　☎077-528-3741
長期総合計画　計画名『新・湖国ストーリー2010』　目標年次　2010年度
　　　　　　　基本テーマ　ひと・くらし・自然～滋賀らしく
新・滋賀県観光振興指針　近江の誇りづくり観光ビジョン
施策の展開方向
　①滋賀ならではの観光ブランドの創造・発信
　②滋賀の観光情報の発信強化およびネットワーク化の推進
　③滋賀の優位性を活かした国際観光の展開
　④滋賀の素材を活かしたツーリズムの展開
　⑤受け入れる人びとの「おもてなし」の向上と居心地の良い「まちづくり」の推進
滋賀県ホームページアドレス　　http://www.pref.shiga.jp/
滋賀県観光情報　　　　　　　　http://www.biwako-visitors.jp/
フォトギャラリー　滋賀フォトギャラリー
観光統計　滋賀県観光動態調査報告書

| (社)びわこビジターズビューロー | 〒520-0055 | 大津市打出浜2-1 コラボしが21-6F | ☎077-523-2752 |
| 滋賀県立図書館 | 〒520-2122 | 大津市瀬田南大萱町1740-1 | ☎077-548-9691 |
| 滋賀県立琵琶湖博物館 | 〒525-0001 | 草津市下物町 | ☎077-568-4811 |
| 近江上布伝統産業会館 | 〒529-1311 | 愛知郡愛知川町 | ☎0749-42-3246 |
| ゆめぷらざ滋賀 | 〒100-0006 | 東京都千代田区有楽町2-10-1 東京交通会館2F | ☎03-5220-0231 |

シンクタンクせとうち総合研究機構　発行

誇れる郷土ガイド―全国47都道府県の観光データ編― 26京都府

# 京都府 〈山城 丹波 丹後〉 Kyoto Prefecture

| 面積 | 4,613.00km² |
| --- | --- |
| 人口 | 263.2万人（2009年11月現在） |
| 府庁所在地 | 京都市（人口 146.6万人）（2009年11月現在） |

**府名の由来：**
天子の宮殿のある場所を表す。

- 府の花：シダレザクラ
- 府の木：北山杉
- 府の鳥：オオミズナギドリ
- 府の草花：嵯峨ぎくなでしこ
- 府の歌：京都府の歌

**府章**

「京」の文字を中央に配し、古都の格調高い土地柄を表す六葉形に図案化。府民の連帯性と力の結合を表現。

**シンボル**
- 京都タワー
- 東寺五重塔

**世界遺産**
- 古都京都の文化財（京都市、宇治市、大津市）

**暫定リスト記載物件**
—

**ポテンシャル・サイト**
- 天橋立
- 山陰海岸

**世界無形文化遺産**
- 京都祇園祭の山鉾行事

**ポテンシャル・サイト**

- 府民の日　毎月23日
- 構成市町村数　26（1政令指定都市14市10町1村）（2009年12月1日現在）
- 観光入込客数　7,799万人（2008年）
- 観光消費額　7,063億円

## 観光入込客数の推移

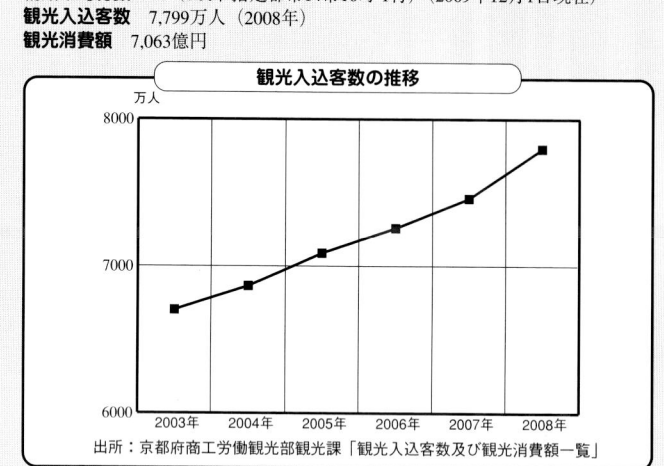

| 年 | 万人 |
| --- | --- |
| 2003年 | 約6,650 |
| 2004年 | 約6,850 |
| 2005年 | 約7,100 |
| 2006年 | 約7,250 |
| 2007年 | 約7,500 |
| 2008年 | 約7,800 |

出所：京都府商工労働観光部観光課「観光入込客数及び観光消費額一覧」

シダレザクラ

北山杉

オオミズナギドリ

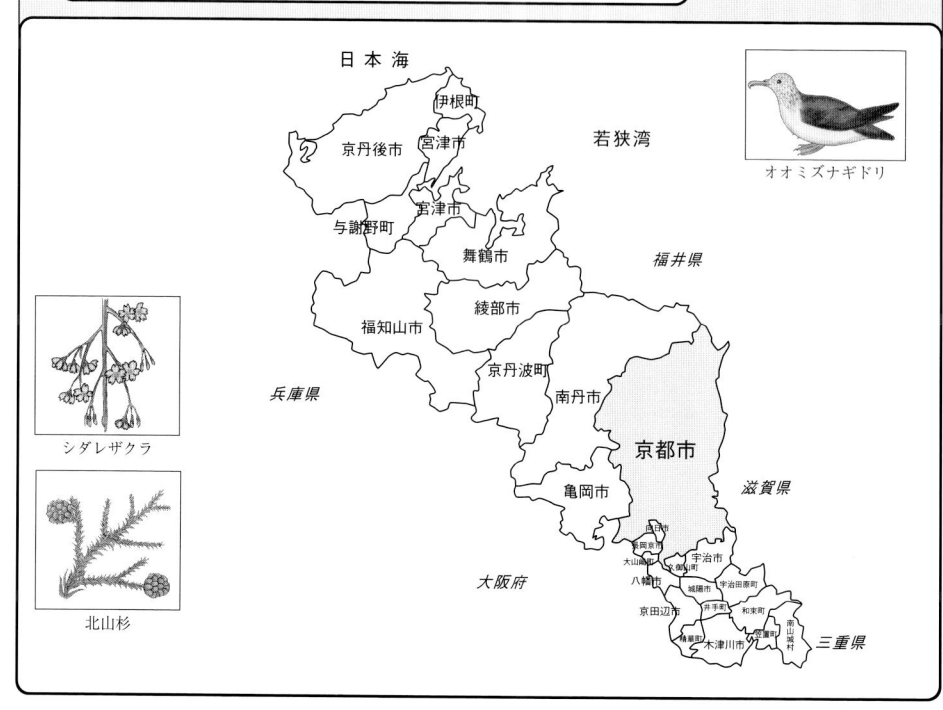

日本海　伊根町　京丹後市　宮津市　若狭湾　与謝野町　舞鶴市　福井県　綾部市　福知山市　京丹波町　南丹市　兵庫県　京都市　亀岡市　滋賀県　宇治市　城陽市　八幡市　京田辺市　大阪府　三重県

シンクタンクせとうち総合研究機構　発行

56

26京都府　誇れる郷土ガイド―全国47都道府県の観光データ編―

### 自然環境

**山岳高原**　丹波高原台地、夜久野高原、るり渓高原、大江山、嵐山、愛宕山、貴船山
**峠**　栗尾峠、裏白峠、清阪峠、琵越峠、深見峠、塩津峠、御経坂峠、与謝峠、登尾峠、河梨峠、天引峠、洞ヶ峠、途中峠、京見峠、老ノ坂峠、栗田峠、佐々里峠
**河川**　保津川、宇治川、鴨川、桂川、木津川、由良川、大堰川
**湿地湿原**　巨椋干拓　**渓谷滝**　保津峡、夢絃峡、るり渓、金引の滝、清滝、法金剛院青女滝
**洞穴・鍾乳洞**　質志鍾乳洞　**海岬湖**　天橋立（砂州）、琴引浜、経ヶ岬、成生岬、伊根湾舟屋群、若狭湾、舞鶴湾、宮津湾、久美浜湾、栗田湾、日本海　**半島**　丹後半島、栗田半島　**名水**　伏見の御香水、磯清水
**温泉**　木津温泉、湯の花温泉、丹後温泉、泊湯泉、夕日ヶ浦温泉、久美の浜温泉、あやべ温泉など
**動物**　ヤマセミ、イノシシ、シカ、カモシカ、ツキノワグマ　**植物**　サクラ、ウメ、フジ、ツツジ、スイレン、ヤマブキ、アジサイ、サザンカ、カキツバタ、嵯峨ぎく、なでしこ

### 文化財

**国の特別史跡**　慈照寺（銀閣寺）庭園、鹿苑寺（金閣寺）庭園、醍醐寺三宝院庭園
**国の史跡**　旧二條離宮（二条城）、教王護国寺境内、高山寺境内、詩仙堂、作山古墳、守山遺跡、仁和寺御所跡、西芳寺庭園、船岡山、西寺跡、大覚寺御所跡、長岡宮跡、丹後国分寺跡、丹波国分寺跡、天竜寺庭園、南禅寺境内、鳥羽離宮、平川廃寺跡、本願寺境内、嵐山、頼以陽書斎（山紫水明処）、白米山古墳など
**国宝（建造物）**　本願寺（北能舞台、飛雲閣、書院、唐門、黒書院・伝廊）、二条城（二の丸御殿）、北野天満宮（本殿ほか）、大報恩寺（本堂）、妙法院（蓮華王院本堂、庫裏）、豊国神社（唐門）、東福寺（三門、竜吟庵方丈）、清水寺（本堂）、南禅寺（方丈）、慈照寺（銀閣、東求堂）、加茂別雷神社本殿・権殿、広隆寺（桂宮院本堂）、仁和寺（金堂）、高山寺（石水院）、教王護国寺（蓮花門、大師堂、金堂、五重塔、観智院客殿）、醍醐寺（五重塔、清滝宮拝殿、三宝院書院、金堂、三宝院唐門、薬師堂）、方界寺（阿弥陀堂）、平等院（鳳凰堂四棟）、宇治上神社（本殿、拝殿）、妙喜庵（茶室）、海住山寺（五重塔、本堂、三重塔）、光明寺（仁王門）
**国の重要文化財（建造物）**　仁和寺五重の塔、知恩院本堂、八坂神社本殿ほか
**国の重要伝統的建造物群保存地区**　伊根町伊根浦、京都市祇園新橋、京都市嵯峨鳥居本、京都市産寧坂、京都市上賀茂、南丹市美山町北、与謝野町加悦
**国の重要文化的景観**　宇治の文化的景観

### 国立公園・国定公園

山陰海岸国立公園、若狭湾国定公園、琵琶湖国定公園

### 府内観光圏域

●向日町　●宇治　●田辺　●木津　●亀岡　●京北　●園部　●綾部　●福知山　●舞鶴　●宮津　●峰山

### 府内広域観光ルート

●古都京都歴史散歩　●丹後・丹波伝説の旅ルート　●越前・近江戦国ルート　遊覧船　●保津川下り　●伊根湾めぐり遊覧船

### 府内主要観光市町村

●京都市　●宇治市　●宮津市　●八幡市　●舞鶴市　●加悦町　●長岡京市　●丹波町　●亀岡市　●網野町

### ふるさと検定（主催者）

京都・観光文化検定（京都商工会議所）、京都家検定（京都家検定委員会）、北京都丹後ふるさと検定（丹後広域観光キャンペーン協議会）、京野菜検定（京のふるさと産品協会）、長岡京市観光歴史検定（京都府長岡京市）、大江山鬼検定（福知山市日本の鬼の交流博物館）、ふるさと加茂検定（NPO法人ふるさと案内「かも」）、かめおかふるさと検定（亀岡商工会議所）

### トピックス

● 「京都祇園祭の山鉾行事」（2009年世界無形文化遺産）
● 2014年「古都京都の文化財」世界遺産登録20周年
● 京都府丹後観光圏整備計画（舞鶴市・宮津市・京丹後市・伊根町・与謝野町）
● 第26回国民文化祭京都2011「こころを整える文化発心（ほっしん）」（2011年10月29日～11月6日）

### 京都府行政データ

**府庁所在地**　〒602-8570　京都市上京区下立売通新町西入藪内町　☎075-451-8111
**商工労働観光部観光課**　☎075-414-4841
**長期総合計画**　計画名『新京都府総合計画』　目標年次　2010年　基本理念　むすびあい、ともにひらく新世紀京都
**京都府ホームページアドレス**　http://www.pref.kyoto.jp/
**京都府観光情報**　http://www.kyoto-kankou.or.jp
**観光統計**　観光入込客数及び観光消費額について

| (社)京都府観光連盟 | 〒600-8216 | 京都市下京区烏丸通塩小路下る京都駅ビル9階 | ☎075-371-2226 |
| 京都府立図書館 | 〒606-8343 | 京都市左京区岡崎成勝寺町9 | ☎075-771-0069 |
| 京都国立博物館 | 〒605-0931 | 京都市東山区茶屋町52 | ☎075-525-2473 |
| 京都府立京都文化博物館 | 〒604-8183 | 京都市中京区三条高倉 | ☎075-222-0888 |
| 京都府立堂本印象美術館 | 〒603-8355 | 京都市北区平野上柳町26-3 | ☎075-463-0007 |
| 京都府立陶板名画の庭 | 〒606-0823 | 京都市左京区下鴨半木町 | ☎075-724-2188 |
| 京都館 | 〒104-0028 | 東京都中央区八重洲2-1-1ヤンマー東京ビル1階 | ☎03-5204-2260 |

シンクタンクせとうち総合研究機構　発行

# 大阪府 〈摂津 和泉 河内〉 Osaka Prefecture

| | |
|---|---|
| 面積 | 1,897.72km² |
| 人口 | 884.4万人（2009年11月現在） |
| 府庁所在地 | 大阪市（人口 266.2万人）<br>（2009年11月現在） |

構成市町村数　43（2政令指定都市31市9町1村）（2009年12月1日現在）
観光入込客数　14,366万人（2007年）
　宿泊客数　1,325万人
　府民観光客数　8,036万人　府外観光客数　6,330万人
観光消費額　2兆353億円

**府名の由来：** 傾斜した地形の形容や湿地を意味する語源から。

府の花：ウメ、サクラソウ
府の木：イチョウ
府の鳥：モズ

**府章**
太閤の「千成びょうたん」を図案化。大阪の「〇」を、上に伸びる3つの円（希望・繁栄・調和）で表わす。

**シンボル**
- 淀川
- 大阪城
- 通天閣
- 御堂筋

**世界遺産**
——

**暫定リスト記載物件**
——

**ポテンシャル・サイト**
- 百舌鳥・古市古墳群

**世界無形文化遺産**
——

**ポテンシャル・サイト**
——

## 観光レクレーション客入込数の推移

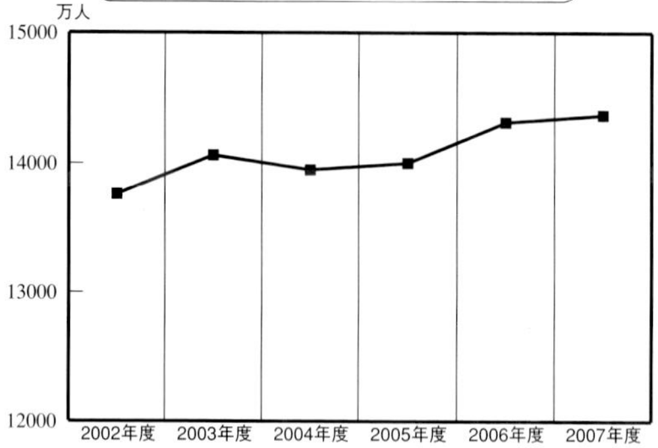

（出所：大阪府府民文化部都市魅力創造局観光課「大阪府観光統計調査」）

サクラソウ
イチョウ 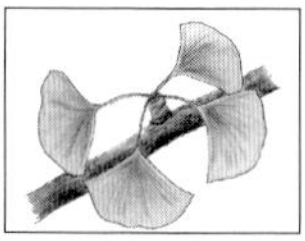
モズ 

58　　シンクタンクせとうち総合研究機構　発行

# 27大阪府 誇れる郷土ガイド－全国47都道府県の観光データ編－

## 自然環境

**山岳** 金剛山、生駒山、飯盛山、和泉葛城山、三国山、妙見山、剣尾山 **峠** 暗峠、竹ノ内峠、水越峠、紀見峠、千早峠 **山地** 北摂山地、生駒山地、金剛山地、和泉山脈、葛城高原 **丘陵台地** 泉北丘陵、千里丘陵、羽曳野丘陵、枚方丘陵、男山丘陵、上町台地、枚方台地、泉南台地
**河川** 淀川、大川、堂島川、安治川、木津川、神崎川、安威川、寝屋川、大和川、石津川、石川、西除川、東除川、大津川、近木川 **湖沼池** 室池、狭山池、大ノ池、久米田池、稲倉池
**渓谷滝** 摂津峡、箕面の滝
**海湾岬** 大阪湾、瀬戸内海
**温泉** 天見温泉、汐の湯温泉、箕面温泉、長野温泉、奥水間温泉、犬鳴山温泉など
**動物** シジュウカラ、ミヤマホオジロ、メジロ、ニホンザル、マヒワ
**植物** 桜、しゃくなげ、つつじ、しょうぶ、あじさい、もみじ、水仙、梅

## 文化財

**国の特別史跡** 大坂城跡、百済寺跡 **国の史跡** 古市古墳群、いたすけ古墳、安満遺跡、河内寺廃寺跡、観心寺境内、旧燈塔台、岩屋、郡山宿本陣、高井田横穴、高宮廃寺跡、黒姫山古墳、桜塚古墳群、住吉行宮跡、松岳山古墳、四ツ池遺跡、国府遺跡、鴻池新田会所跡、千早城跡、難波宮跡、緒方洪庵旧宅および塾 など
**国宝（建造物）** 観心寺金堂、桜井神社拝殿、慈眼院多宝塔、住吉大社本殿、孝恩寺観音堂
**国の重要文化財（建造物）** 旧緒方洪庵住宅、旧小西家住宅、大阪城大手門、叡福寺、観心寺書院、観心寺建掛塔、願泉寺、旧造幣寮鋳造所正面玄関、旧浄土寺九重塔、四天王寺、四天王寺鳥居、住吉大社、慈眼院金堂、聖神社、積川神社本殿、船守神社本殿、総福寺鎮守天満宮本殿、大安寺本堂、金剛寺金堂、金剛寺御影堂、金剛寺鐘楼、金剛寺食堂、金剛寺多宝塔、金剛寺楼門、交野天神社本殿、泉布観、大阪府立図書館、大阪市中央公会堂、淀川旧分流施設、愛珠幼稚園園舎ほか
**国の重要伝統的建造物群保存地区** 富田林市富田林

## 国立公園・国定公園

明治の森箕面国定公園、金剛生駒国定公園

## 府内観光圏域

●大阪市内　●北大阪　●東部大阪　●南河内　●堺・泉北　●南泉州

## 府内広域観光ルート

●北摂ルート　●臨空環状ルート　●大阪ベイルート　●淀川・学研ルート
遊覧船　●大阪水上バス（アクアライナー）

## 府内主要観光地域

●大阪市　●北大阪　●泉洲　●東部大阪　●南河内

## ふるさと検定（主催者）

大阪検定（大阪府大阪市）、なにわなんでも大阪検定（大阪商工会議所）、だいとう検定（だいとう検定実行委員会）、WAOOOせっつ検定（摂津異業種交流研究会）、泉州検定（NPO法人りんくうフォーラム）、いばらき何でも知っとこ検定（茨木商工会議所）、さやま検定（狭山池まつり実行委員会）、

## トピックス

●ふるさと納税　笑顔あふれる大阪づくり（大阪ミュージアム基金、大阪教育ゆめ基金、なみはやスポーツ振興基金、文化振興基金、福祉基金、みどりの基金、環境保全基金、女性基金、ゆとり基金）
●大阪ミュージアム構想　大阪府各地にある建築物や、橋、歴史的なまち並み、商店街など、身近にあるものを展示品として、また有名なお祭り、身近なお祭りを催し物として位置づけ展示する構想。

## 大阪府行政データ

| 府庁所在地 | 〒540-8570　大阪市中央区大手前2-1-22　☎06-6941-0351 |
|---|---|
| 府民文化部都市魅力創造局観光課 | ☎06-6944-7189 |
| 長期総合計画 | 計画名『大阪の再生・元気倍増プラン～大阪21世紀の総合計画～』 目標年次　2025年 |
| 大阪府ホームページアドレス | http://www.pref.osaka.jp/ |
| OSAKA-INFO大阪観光情報 | http://www.osaka-info.jp/ |
| フォトギャラリー | 大阪PR素材集 |
| 観光統計 | 大阪府観光統計調査 |

| | | | |
|---|---|---|---|
| （財）大阪観光コンベンション協会 | 〒542-0081 | 大阪市中央区南船場4-4-2-5F | ☎06-6282-5900 |
| 大阪府立中央図書館 | 〒577-0011 | 東大阪市荒本北57-3 | ☎06-6745-0170 |
| 大阪府立中之島図書館 | 〒530-0005 | 大阪市北区中之島1-2-10 | ☎06-6203-0474 |
| 大阪府立弥生文化博物館 | 〒594-0083 | 和泉市池上町443 | ☎0725-46-2162 |
| 大阪府立狭山池博物館 | 〒589-0007 | 大阪狭山市池尻中2丁目 | ☎072-367-8891 |
| 大阪府立近つ飛鳥博物館 | 〒585-0001 | 南河内郡河南町東山29-1 | ☎0721-93-8321 |
| 大阪府立泉北考古資料館 | 〒590-0116 | 堺市南区若松台2丁4　大蓮公園内 | ☎072-291-0230 |
| 大阪市立天王寺動物園 | 〒543-0063 | 大阪市天王寺区茶臼山町1-108 | ☎06-6771-8401 |
| 海遊館 | 〒552-0022 | 大阪市港区海岸通1 | ☎06-6576-5501 |

シンクタンクせとうち総合研究機構　発行

誇れる郷土ガイドー全国47都道府県の観光データ編ー　28兵庫県

# 兵庫県 〈摂津　丹波　播磨　但馬　淡路〉
**Hyogo Prefecture**

- 面積　8,395.61km²
- 人口　560.0万人（2009年11月現在）
- 県庁所在地　神戸市（人口　153.8万人）
  （2009年11月現在）
- 構成市町村数　41（1政令指定都市28市12町）
  （2009年12月1日現在）
- 観光入込客数　13,456万人（2008年）
  県内客　7,210万人　県外客　6,246万人
  日帰客　11,565万人　宿泊客　1,892万人

### 県名の由来：
大化の改新の際に造られた武器を納めた倉"兵庫"に由来。

- 県の花：ノジギク
- 県の木：クスノキ
- 県の鳥：コウノトリ
- 県の歌：ふるさと兵庫
- 県のマスコット：はばタン

### 県章
兵庫県の「兵」を南北に海を臨む兵庫県にふさわしく波形に図案化。力強く躍進する県の姿を表現する。

### シンボル
- 甲子園球場
- 姫路城
- 有馬温泉
- 城崎温泉

### 世界遺産
- 姫路城

### 暫定リスト記載物件
—

### ポテンシャル・サイト
- 山陰海岸

### 世界無形文化遺産
—

### ポテンシャル・サイト
—

## 観光レクレーション客入込数の推移

（グラフ：2003年～2008年、万人単位、12,000～13,500程度で推移）

出所：兵庫県産業労働部観光局観光交流課「兵庫県観光客動態調査報告書」

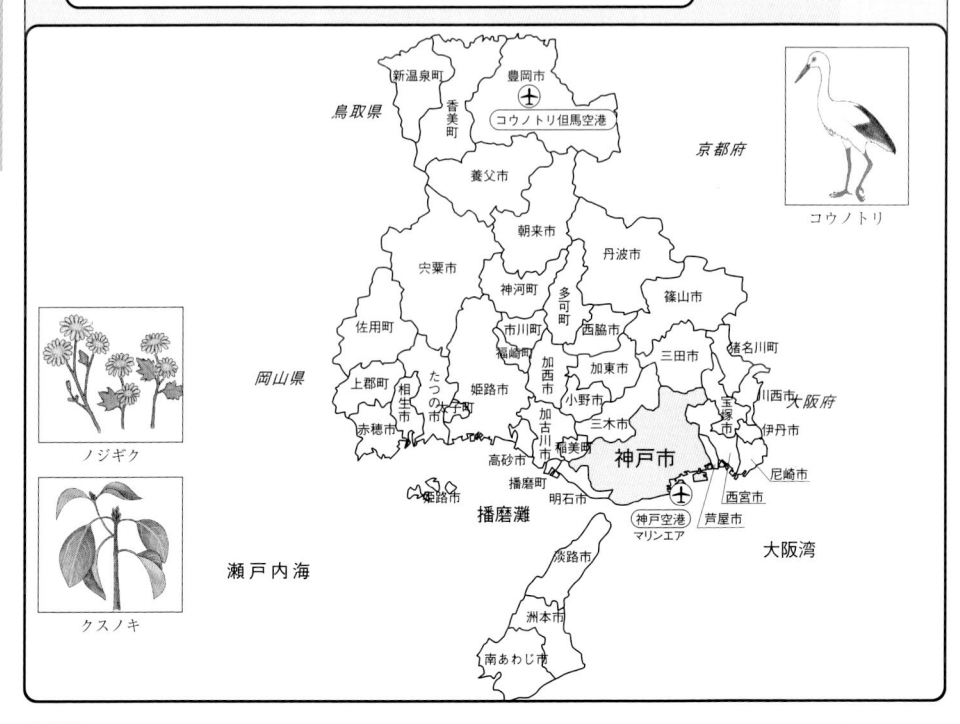

ノジギク

クスノキ

コウノトリ

（兵庫県地図：新温泉町、豊岡市、香美町、養父市、朝来市、宍粟市、神河町、丹波市、篠山市、佐用町、多可町、市川町、福崎町、西脇市、三田市、猪名川町、上郡町、相生市、たつの市、姫路市、加西市、加東市、小野市、三木市、川西市、宝塚市、伊丹市、赤穂市、加古川市、稲美町、高砂市、播磨町、明石市、神戸市、芦屋市、西宮市、尼崎市、淡路市、洲本市、南あわじ市／鳥取県、京都府、大阪府、岡山県／瀬戸内海、播磨灘、大阪湾／コウノトリ但馬空港、神戸空港マリンエア）

60

シンクタンクせとうち総合研究機構　発行

# 28 兵庫県 誇れる郷土ガイド－全国47都道府県の観光データ編－

## 自然環境

**山岳高原** 中国山地、六甲山、氷ノ山、妙見山、雪彦山、後山、笠形山、玄武洞 **峠** 戸倉峠、蒲生峠、帆坂峠、船坂峠 **高原** 千種高原、峰山高原、砥峰高原、八千北高原、兎和野高原
**河川** 加古川、市川、揖保川、千種川、円山川、武庫川、猪名川 **湖沼池** 太田池、多々良木ダム湖、銀山湖、東条湖、千丈寺湖 **湿地湿原** 瑞ヶ池 **渓谷滝** 蓬莱峡、日ヶ奥渓谷、赤西・音水渓谷、阿瀬渓谷、布引の滝、七種の滝、原不動滝、香良独鈷の滝 **海湾岬** 赤穂御崎、和田岬、余部崎、但馬海岸、竹野浜海岸、須磨海岸、舞子の浜、慶野松原海岸、五色浜、瀬戸内海、日本海、太平洋 **海峡** 明石海峡、友ヶ島水道、紀淡海峡
**島** 淡路島、家島、西島、男鹿島 **名水** 宮水、布引渓流、千種川
**温泉** 有馬温泉、湯村温泉、城崎温泉、宝塚温泉、洲本温泉、岩屋温泉、国領温泉など
**動物** コウノトリ、オオサンショウウオ、イヌワシ、オジロワシ、アカウミガメ、クサガメ
**植物** サクラ、レンゲツツジ、ザゼンソウ、ボタン、水仙、ノジギク、芝桜、花菖蒲、バラ

## 文化財

**国の特別史跡** 姫路城跡 **国の史跡** 五色塚古墳、山名氏城跡、洲本城跡、赤松氏城跡、西宮砲台、篠山城跡、多田院、大石良雄旧宅、明石城跡、和田岬砲台、有岡城跡、田能遺跡、但馬国分寺跡 など
**国宝（建造物）** 山寺（本堂）、鶴林寺（太子堂、本堂）、浄土寺（浄土堂）、一乗寺（三重塔）、朝光寺（本堂）、姫路城（大天守、西小天守、乾小天守、東小天守、イロハニ渡櫓）
**国の重要文化財（建造物）** 永富家住宅、一乗寺、稲荷神社本殿、円教寺、移情閣、温泉寺、賀茂神社、旧トーマス住宅、旧ハッサム住宅、旧神戸居留地十五番館、旧岡田家住宅、若王子神社本殿、西宮神社表大門、多田神社、如意寺阿弥陀堂、布引水源地水道施設、明石城、弥勒寺本堂、名草神社三重塔、満願寺九重塔ほか
**国の重要伝統的建造物群保存地区** 篠山市篠山、神戸市北野町山本通、豊岡市出石

## 国立公園・国定公園

瀬戸内海国立公園、山陰海岸国立公園、氷ノ山後山那岐山国定公園

## 県内観光地域

●神戸地域　●阪神南地域　●阪神北地域　●東播磨地域　●北播磨地域　●中播磨地域　●西播磨地域
●但馬地域　●丹波地域　●淡路地域

## 県内広域観光ルート

●淡路七福神めぐり　●鳴門海峡パノラマツアー　●出石史跡めぐり　●姫路市内めぐり

## 県内主要観光施設

●県立明石公園（明石市）　●阪神甲子園球場（西宮市）　●王子動物園（神戸市）
●六甲・摩耶地区（神戸市）　●有馬地区（神戸市）　●須磨海浜水族園（神戸市）
●城崎温泉（城崎町）　●甲山森林公園（西宮市）　●新西宮ヨットハーバー（西宮市）

## ふるさと検定（主催者）

神戸学検定（神戸商工会議所）、明石・タコ検定（明石商工会議所）、姫路観光文化検定試験（姫路商工会議所）、白鷹SAKE検定（西宮商工会議所）、いたみ学検定試験（清酒検定）（伊丹商工会議所）、有馬学検定（有馬温泉観光協会）、六甲・まや学検定（六甲摩耶観光推進協議会）、赤穂忠臣蔵検定（赤穂義士会）、芦屋検定（芦屋市商工会）、かこがわ検定（加古川観光協会）、丹波篠山黒まめ検定（篠山市丹波ささやま黒まめ課）但馬観光文化自然検定（㈱但馬ふるさとづくり協会）、淡路おのころ島検定（NPO法人あわじ地域活性化促進の会）、神戸暮らし検定（㈱フェリシモ）、香住！カニ検定（香住観光協会）

## トピックス

●2013年姫路城・世界遺産登録20周年
●姫路城大天守保存修理事業（2009年秋から実施）
●淡路島観光圏整備計画（洲本市・南あわじ市・淡路市）

## 兵庫県行政データ

| | | |
|---|---|---|
| 県庁所在地 | 〒650-8567　神戸市中央区下山手通5-10-1 | ☎078-341-7711 |
| 産業労働部観光局観光振興課 | ☎078-362-3317 | |
| 長期総合計画 | 計画名　『21世紀兵庫長期ビジョン－美しい兵庫21－』 | 目標年次　2015年 |
| | 基本理念　自律・共生、安全・安心 | |
| ひょうごツーリズムビジョン | 基本コンセプト　多彩な地域個性を活かしたツーリズム振興 －感動を呼ぶツーリズムひょうご－ | |
| 兵庫県ホームページアドレス | http://web.pref.hyogo.jp/ | |
| ひょうごツーリズムガイド | http://www.hyogo-tourism.jp/ | |
| フォトギャラリー | フォトライブラリー | |
| 観光統計 | 兵庫県観光客動態調査報告書 | |
| (社)ひょうごツーリズム協会 | 〒650-8567　神戸市中央区下山手通5-10-1 | ☎078-361-7661 |
| 兵庫県立図書館 | 〒673-0847　明石市明石公園1-27 | ☎078-918-3366 |
| 兵庫県立歴史博物館 | 〒670-0012　姫路市本町68 | ☎0792-88-9011 |
| 兵庫県立美術館 | 〒651-0073　神戸市中央区脇浜海岸通1-1-1 | ☎078-262-0901 |
| 神戸市立王子動物園 | 〒657-0838　神戸市灘区王子町3-1 | ☎078-861-5624 |

シンクタンクせとうち総合研究機構　発行

# 奈良県 〈大 和〉 Nara Prefecture

| | |
|---|---|
| 面積 | 3,691.09km² |
| 人口 | 140.1万人（2009年11月現在） |
| 県庁所在地 | 奈良市（人口 36.5万人）<br>（2009年11月現在） |

**県名の由来：**
なだらかで平らな土地のこと。

- 県の花：奈良の八重桜
- 県の木：スギ
- 県の鳥：コマドリ
- 県の歌：奈良県民の歌

### 県章
奈良県の「ナ」を図案化。外円は大和の自然、内円は協和の精神を、横一文字は県政の統一と進展を表している。

- 構成市町村数　39（12市15町12村）（2009年12月1日現在）
- 観光入込客数　3,530万人（2007年）
  - 宿泊客　341.9万人
- 観光消費額　2,206億円

### シンボル
- 奈良公園
- 五重塔（興福寺）

### 世界遺産
- 法隆寺地域の仏教建造物
- 古都奈良の文化財
- 紀伊山地の霊場と参詣道

### 暫定リスト記載物件
- 飛鳥・藤原の宮都とその関連資産

### ポテンシャル・サイト
―

### 世界無形文化遺産
- 題目立

### ポテンシャル・サイト
―

**観光レクレーション客入込数の推移**

出所：奈良県文化観光局観光振興課「奈良県観光客動態調査報告書」

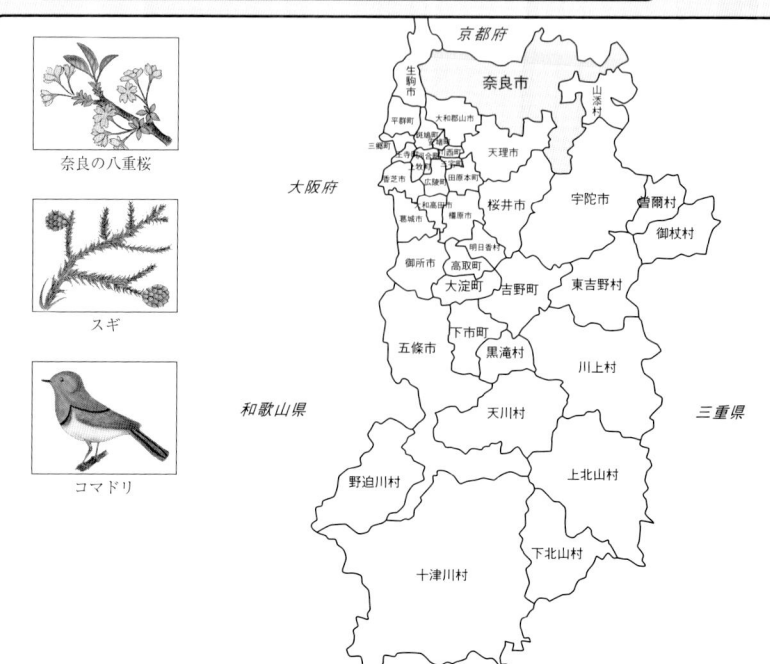

奈良の八重桜

スギ

コマドリ

## 29 奈良県 誇れる郷土ガイド－全国47都道府県の観光データ編－

### 自然環境

**山岳高原** 紀伊山地、生駒山地、金剛山地、竜門山地、宇陀山地、大和高原、吉野山、畝傍山、天香久山、耳成山、生駒山、大峰山、若草山、信貴山、高見山、八剣山、釈迦ヶ岳、大台ヶ原山、笠捨山、伯母子岳、牛廻山
**峠** 暗峠、竹ノ内峠、水越峠、高見峠、千早峠
**河川** 吉野川、紀ノ川、天ノ川、北山川、名張川、丹生川、大和川、宇陀川、十津川、飛鳥川
**湖沼池** 猿沢池、風屋ダム湖、猿谷ダム湖、津風呂湖　**渓谷滝** 瀞八丁、月ヶ瀬梅渓、宮の滝
**洞穴・鍾乳洞** 面不動鍾乳洞、五代松鍾乳洞、トウロウの窟
**温泉** 十津川温泉、吉野温泉、三笠温泉、入之波温泉、西吉野温泉など　**名水** 洞川湧水群
**動物** ニホンジカ、ニホンリス、ムササビ
**植物** 吉野の桜、花しょうぶ、あじさい、萩、コスモス、もみじ、寒牡丹

### 文化財

**国の特別史跡** キトラ古墳、高松塚古墳、山田寺跡、石舞台古墳、巣山古墳、藤原宮跡、文殊院西古墳、平城宮跡、平城京左京三条二坊宮跡庭園、本薬師寺跡　**国の史跡** マルコ山古墳、ナガレ山古墳、岡寺跡、吉野山、橘寺境内、巨勢山古墳群、金剛山、興福寺旧境内、宮滝遺跡、行基本墓、三井、三井瓦窯跡、酒船石遺跡、植山古墳、西大寺境内、大峰山寺境内、川原寺跡、大安寺旧境内、大野寺石仏、中尾山古墳、藤ノ木古墳、飛鳥水落遺跡、飛鳥寺跡、法起寺境内、纏向古墳群、平城京朱雀大路跡、藤原京朱雀大路跡　など
**国宝（建造物）** 興福寺(北円堂、五重塔、三重塔、東金堂)、東大寺(法華堂、南大門、金堂、転害門、鐘楼、本坊経庫、開山堂)、正倉院、春日大社(本殿四棟)、新薬師寺(本堂)、元興寺(五重小塔、禅室、本堂)、十輪院(本堂)、般若寺(楼門)、海竜王寺(五重小塔)、秋篠寺(本堂)、唐招提寺(金堂、鼓楼、講堂、経蔵、宝蔵)、薬師寺(東塔、東院堂)、霊山寺(本堂)、円成寺(春日堂白山堂)、長弓寺(本堂)、法隆寺(金堂、鐘楼、聖霊院、南大門、五重塔、大講堂、東院鐘楼、東室、中門、綱封蔵、西円堂、回廊、三経院・西室、経蔵、夢殿、伝法堂、東大門、食堂)、法起寺(三重塔)、石上神宮(拝殿、建雄神社拝殿葦本殿)(東塔、本堂、西塔)、室生寺(五重塔、本堂、金堂)、宇多水分神社本殿、金峯山寺(本堂、仁王門)、栄山寺(八角円堂)
**国の重要文化財（建造物）** 吉野水分神社、大峰山寺本堂、岡寺書院、奈良女子大学、長福寺本堂ほか
**国の重要伝統的建造物群保存地区** 宇陀市松山、橿原市今井町

### 国立公園・国定公園

吉野熊野国立公園、金剛生駒紀泉国定公園、高野龍神国定公園、室生赤目青山国定公園、大和青垣国定公園

### 県内観光圏域

●奈良　●月ヶ瀬　●矢田　●山の辺　●生駒　●信貴　●曽爾　●二上・當麻　●明日香　●斑鳩　●橿原　●室生・長谷　●金剛・葛城　●吉野山　●東吉野　●吉野川　●大台ヶ原　●大峰山北部　●大峰山南部　●高野・龍神　●十津川

### 県内広域観光ルート

●奈良・大和路（奈良市とその近郊，西の京，佐保・佐紀路，斑鳩・信貴山，飛鳥・多武峰，山の辺の道，当麻・葛城，長谷・室生，吉野）　●歴史街道

### 県内主要観光地

● 吉野山（吉野町）　● 法隆寺（斑鳩町）　● 奈良国立博物館（奈良市）　● 長谷寺（桜井市）
● 石舞台古墳（明日香村）　● ミタライ渓谷（天川村）　● 月ヶ瀬温泉（月ヶ瀬村）　● 室生寺（室生村）
● 奈良市観光センター（奈良市）　● 春日大社宝物殿（奈良市）

### ふるさと検定（主催者）

奈良まほろばソムリエ検定（奈良商工会議所）、大和郡山・金魚検定（大和郡山市商工観光課）

### トピックス

● 2013年法隆寺地域の仏教建造物・世界遺産登録20周年
● 2010年平城遷都1300年祭
● 2009年世界無形文化遺産「題目立」

### 奈良県行政データ

県庁所在地　〒630-8501　奈良市登大路町30番地　☎0742-22-1101
文化観光局観光振興課　☎0742-27-8482
長期総合計画　計画名『やまと21世紀ビジョン』－なら未来30年間の道しるべ－　目標年次　2035年
　　基本理念　「心の豊かさ」「多様な選択」「ふれあい」　基本目標　世界に光る奈良県づくり
奈良県ホームページアドレス　http://www.pref.nara.jp/
大和路アーカイブ　http://yamatoji.nara-kankou.or.jp/
フォトギャラリー　フォトギャラリー
観光統計　奈良県観光客動態調査報告書

| ㈳奈良県観光連盟 | 〒630-8213 | 奈良市登大路町38-1-2F | ☎0742-23-8288 |
| 奈良県立奈良図書館 | 〒630-8213 | 奈良市登大路町 | ☎0742-27-0801 |
| 奈良県立橿原図書館 | 〒634-0065 | 橿原市畝傍町50 | ☎07442-4-1104 |
| 奈良国立博物館 | 〒630-8213 | 奈良市登大路町50 | ☎0742-22-7771 |
| 奈良国立文化財研究所　飛鳥資料館 | 〒634-0102 | 高市郡明日香村奥山601 | ☎074454-3561 |
| 奈良まほろば館 | 〒103-0022 | 東京都中央区日本橋室町1-6-2 | ☎03-3516-3931 |

シンクタンクせとうち総合研究機構　発行

誇れる郷土ガイド－全国47都道府県の観光データ編－　30和歌山県

# 和歌山県 〈紀　伊〉 Wakayama Prefecture

- **面積**　4,726.28km²
- **人口**　100.5万人（2009年11月現在）
- **県庁所在地**　和歌山市（人口37.0万人）
　　　　　　　（2009年11月現在）
- **ふるさと誕生日**　11月22日
- **構成市町村数**　30（9市20町1村）（2009年12月1日現在）
- **世界遺産条例**　和歌山県世界遺産条例（2005年3月25日施行）
- **観光入込客数**　3,134万人（2008年）
　日帰客　2,589万人　宿泊客　546万人

**県名の由来：**
若山、崖の転化など諸説。

- 県の花：ウメ
- 県の木：ウバメガシ
- 県の鳥：メジロ
- 県の魚：マグロ
- 県の歌：和歌山県民歌

**県章**
和歌山県の「ワ」を図案化。末広がりの形は、明日に向って発展する紀州を表現し、県民の和を象徴する。

**シンボル**
- 和歌山城

**世界遺産**
- 紀伊山地の霊場と参詣道

**暫定リスト記載物件**
—

**ポテンシャル・サイト**
—

**世界無形文化遺産**
—

**ポテンシャル・サイト**
- 那智の田楽

## 観光レクレーション客入込数の推移

出所：和歌山県観光振興課「和歌山県観光客動態調査報告書」

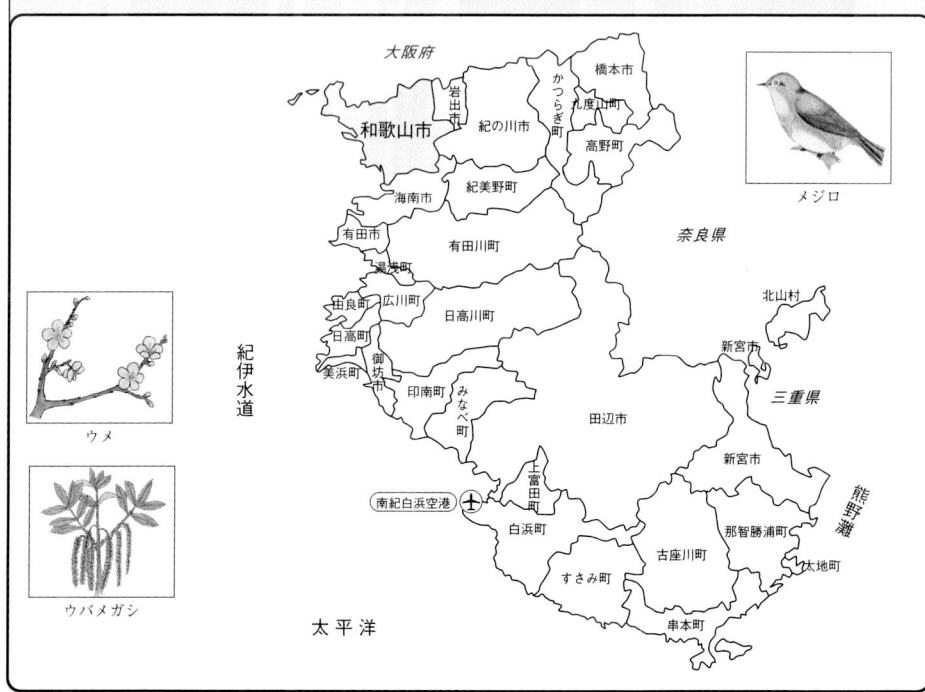

64
シンクタンクせとうち総合研究機構　発行

30 和歌山県　誇れる郷土ガイド－全国47都道府県の観光データ編－

## 自然環境

| | |
|---|---|
| 山岳高原 | 護摩壇山、高野山、鉾尖岳、城ヶ森山、大峠山、牛廻山、大塔山、那智山、法師山、生石高原、和歌山山脈 |
| 峠 | 逢坂峠、紀見峠　河川　熊野川（新宮川）、紀ノ川、十津川、日高川、有田川、日置川、北山川、会津川 |
| 湖沼池 | 平池、亀池、岩倉池、桜池　渓谷滝　瀞八丁、那智の滝、かやの滝、百間山渓谷、奇絶峡、古座川峡 |
| 海湾岬 | 潮岬、日ノ御崎、市江崎、田倉崎、樫野崎、梶取崎、田辺湾、和歌浦、煙樹ヶ浜、白良浜、白崎海岸、荒船海岸、紀伊水道、瀬戸内海、太平洋 |
| 海峡 | 紀淡海峡　半島　紀伊半島　島　中ノ島、大島、友ヶ島、円月島 |
| 温泉 | 白浜温泉、龍神温泉、川湯温泉、勝浦温泉、しみず温泉など　名水　野中の清水、紀三井寺の三井水 |
| 動物 | オオウナギ、ニホンカモシカ、紀州犬、ムササビ、カケス、ウミネコ、クジラ、アカウミガメ |
| 植物 | 那智原始林、熊野速玉大社のナギ、梅、桜、藤、菖蒲、かきつばた、蜜柑、紫陽花、向日葵、萩、コスモス、寒椿 |

## 文化財

**国の特別史跡**　岩橋千塚古墳群　　**国宝（建造物）**　金剛三昧院（多宝塔）、金剛峰寺（不動堂）、根来寺多宝塔（大塔）、長保寺（本堂、大門、多宝塔）、善福院（釈迦堂）

**国の重要文化財（建造物）**　那智山青岸渡寺（本堂、宝篋印塔）、熊野那智大社、熊野本宮大社、金剛峯寺徳川家霊台、金剛峯寺大門、金剛峯寺山王院本殿、金剛峯寺奥院経蔵、金剛三昧院経蔵、金剛三昧院客殿及び台所、金剛三昧院四所明神社本殿、丹生都比売神社本殿、丹生官省符神社本殿、慈尊院弥勒堂、護国院鐘楼、護国院多宝塔、護国院楼門、東照宮、天満神社、天満神社本殿、天満神社楼門、加太春日神社本殿、和歌山城岡口門、旧柳川家住宅、安楽寺多宝小塔、雨錫寺阿弥陀堂、吉祥寺薬師堂、旧谷山家住宅、旧中筋家住宅、旧名手本陣妹背家住宅、広八幡神社本殿、広八幡神社拝殿、広八幡神社楼門、広八幡神社摂社天神社本殿、根来寺大師堂、佐竹義重霊屋、三郷八幡神社本殿、三船神社本殿、松平秀康及び同母霊屋、上杉謙信霊屋、浄妙寺本堂、浄妙寺多宝塔、福勝寺、粉河寺、宝来山神社本殿、法音寺本堂、法蔵寺鐘楼、野上八幡宮本殿、野上八幡宮拝殿、野上八幡宮摂社高良玉垂神社本殿、野上八幡宮摂社武内神社本殿、野上八幡宮摂社平野今木神社本殿、薬王寺観音堂、利生護国寺本堂、鈴木家住宅、増田家住宅、鞆淵八幡神社本殿、鞆淵八幡神社大日堂、地蔵峰寺本堂、長樂寺仏殿、道成寺本堂、道成寺仁王門、白岩丹生神社本殿、普賢院四脚門

**国の重要伝統的建造物群保存地区**　湯浅町湯浅

## 国立公園・国定公園

吉野熊野国立公園、瀬戸内海国立公園、高野龍神国定公園

## 県内観光地区

●高野山　●加太・友ヶ島・磯ノ浦　●和歌山（和歌浦・紀三井寺・和歌山城ほか）　●西有田　●煙樹海岸・白崎海岸・道成寺・御坊他　●龍神温泉・護摩壇山　●田辺・中辺路・百間山・南部　●白浜温泉・椿温泉　●枯木灘　●串本　●勝浦温泉・湯川温泉　●熊野本宮温泉郷　●新宮・瀞峡　●海南生石山周辺　●紀仙峡（那珂郡）　●橋本周辺

## 県内広域観光ルート

●紀州路（紀の川みち、高野みち、日高路、熊野古道、白浜）

## 県内主要観光地（域）

●和歌山（和歌浦・紀三井寺・和歌山城ほか）　●白浜温泉・椿温泉　●紀仙峡（那珂郡）　●海南生石山周辺　●勝浦温泉・湯川温泉　●田辺・中辺路・百間山・南部　●煙樹海岸・白崎海岸・道成寺・御坊他　●串本　●新宮・瀞峡　●橋本周辺　●高野山

## ふるさと検定（主催者）

わかやま検定（わかやま検定推進協議会）、ふるさと海南検定（わかやま検定推進協議会）

## トピックス

● 2014年「紀伊山地の霊場と参詣道」世界遺産登録10周年
● 2015年（平成27年）第70回国民体育大会（和歌山国体）

## 和歌山県行政データ

| | |
|---|---|
| 県庁所在地 | 〒640-8585　和歌山市小松原通1-1　☎073-432-4111 |
| 商工観光労働部観光局観光振興課 | ☎073-441-2775 |
| 長期総合計画 | 和歌山県長期総合計画～未来に羽ばたく元気な和歌山～ |
| 和歌山県観光振興アクションプログラム2009 | 8つの魅力で和歌山を売り出す |

①世界遺産　②温泉　③ほんまもん体験　④歴史・浪漫　⑤四季折々の魅力　⑥食の魅力　⑦自然の素晴らしさ　⑧ブランド

和歌山県ホームページアドレス　http://www.pref.wakayama.lg.jp/
わかやま観光情報　http://kanko.wiwi.co.jp/
フォトギャラリー　和歌山県フォトライブラリー
観光統計　和歌山県観光客動態調査報告書

| | | | |
|---|---|---|---|
| 和歌山県立図書館 | 〒641-0051 | 和歌山市西高松1-7-38 | ☎0734-36-9500 |
| 和歌山県立紀南図書館 | 〒646-0011 | 田辺市新庄町3353-9 | ☎0739-22-2061 |
| 和歌山県立博物館 | 〒640-8137 | 和歌山市吹上1-4-14 | ☎073-436-8670 |
| わかやま喜集館 | 〒100-0006 | 東京都千代田区有楽町2-10-1東京交通会館B1F | ☎03-3216-8000 |

シンクタンクせとうち総合研究機構　発行

誇れる郷土ガイド−全国47都道府県の観光データ編− 31鳥取県

# 鳥取県 〈因幡 伯耆〉 Tottori Prefecture

| 面積 | 3,507.26km² |
| 人口 | 59.1万人（2009年11月現在） |
| 県庁所在地 | 鳥取市 （人口 19.8万人）（2009年11月現在） |

県民の日　9月12日
構成市町村数　19（4市14町1村）（2009年12月1日現在）
観光条例　ようこそようこそ鳥取観光振興条例（2009年7月3日施行）
観光入込客数　1,690万人（延人数）　905万人（実人数）（2007年）
　県内客　443万人　県外客　463万人（実人数）
　日帰客　639万人　宿泊客　266万人（実人数）

**県名の由来：** 鳥を捕える役目を持っていた鳥取部に由来する。

県の花：20世紀梨の花
県の木：大山キャラボク
県の鳥：オシドリ
県の魚：ヒラメ
県の歌：わきあがる力
県のマスコット：トリピー

### 県章

鳥取県の「と」と「鳥」をデザインしたもので、自由と平和。県の明日への発展を象徴する。

### シンボル
- 鳥取砂丘
- 大山
- 三徳山
- 二十世紀梨
- 水木しげるロード

### 世界遺産
—

### 暫定リスト記載物件
—

### ポテンシャル・サイト
- 三徳山
- 山陰海岸

### 世界無形文化遺産
—

### ポテンシャル・サイト
—

観光消費額　1,006億円

**観光レクレーション客入込数の推移**

出所：鳥取県文化観光局観光政策課「観光客入込動態調査結果」

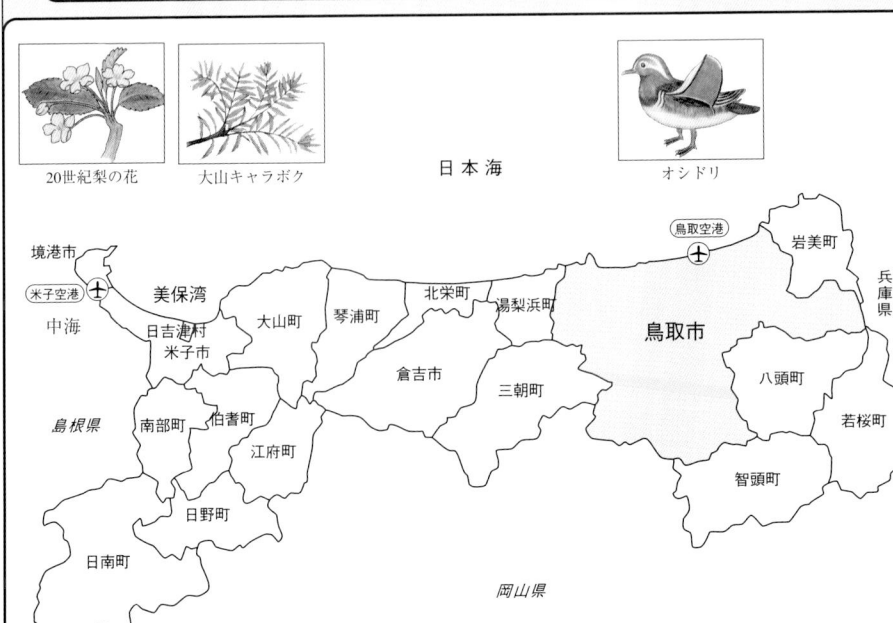

20世紀梨の花　　大山キャラボク　　日本海　　オシドリ

境港市　米子空港　美保湾　鳥取空港　岩美町
中海　日吉津村　大山町　北栄町　湯梨浜町　兵庫県
米子市　　琴浦町　　　　　　　　鳥取市
島根県　南部町　伯耆町　倉吉市　三朝町　八頭町
　　　　　　江府町　　　　　　　　　若桜町
　　　　　日野町　　　　　　　　智頭町
　　日南町　　　　岡山県
広島県

シンクタンクせとうち総合研究機構　発行

31鳥取県　誇れる郷土ガイド－全国47都道府県の観光データ編－

## 自然環境

**山岳高原** 大山、氷ノ山、那岐山、三国山、高鉢山、蒜山、船通山、三徳山、船上山、大倉山、三室山、久松山、桝水高原　**峠** 人形峠、鍵掛峠、四十曲峠、大挾峠、明地峠、辰巳峠、物見峠、志戸坂峠、戸倉峠
**砂丘** 鳥取砂丘　**河川** 千代川、天神川、日野川、斐伊川　**湖沼池** 中海、東郷池、湖山池、緑水湖、鏡ヶ成湿原　**湿地湿原** 中海、鏡ヶ成湿原、岩美地先沿岸、唐川湿原、菅野湿原、多稔ケ池、神戸ノ上湿地
**渓谷滝** 三滝渓、芹津渓、石霞渓、雨滝、諸鹿川渓谷、大山滝
**海湾岬** 長尾鼻、弓ヶ浜海岸、浦富海岸、白兎海岸、美保湾、日本海
**半島** 島根半島、弓ヶ浜半島
**温泉** 岩井温泉、鳥取温泉、吉岡温泉、浜村温泉、鹿野温泉、東郷温泉、三朝温泉、はわい温泉、関金温泉、皆生温泉、日乃丸温泉、元湯温泉、木島温泉、宝温泉、日吉津温泉、淀江ゆめ温泉など
**動物** イワツバメ、ヒガラ、コガラ、キツツキ、ミソサザイ、アマツバメ、オオサンショウウオ
**植物** サクラ、カキツバタ、コバノミツバツツジ、ダイセンキャラボク純林

## 文化財

**国の特別史跡** 斎尾廃寺跡　**国の史跡** 妻木晩田遺跡、阿弥大寺古墳群、伊福吉部徳足比売墓跡、因幡国庁跡、梶山古墳、岩井廃寺塔跡、向山古墳群、三徳山、三明寺古墳、若桜鬼ヶ城跡、橋津古墳群、上淀廃寺跡、青谷上寺地遺跡、青木遺跡、船上山行宮跡、大原廃寺跡、鳥取城跡、鳥取藩台場跡、栃本廃寺跡　など
**国宝（建造物）** 三仏寺奥院（投入堂）
**国の重要文化財（建造物）** 樗谿神社、仁風閣、福田家住宅、後藤家住宅、長谷寺本堂内厨子、矢部家住宅、不動院岩屋堂、三仏寺納経堂、三仏寺地蔵堂、三仏寺文殊堂、大山寺阿弥陀堂、門脇家住宅、大神山神社奥宮、旧美歎水源地水道施設
**国の重要伝統的建造物群保存地区** 倉吉市打吹玉川

## 国立公園・国定公園

大山隠岐国立公園、山陰海岸国立公園、氷ノ山後山那岐山国定公園、比婆道後帝釈国定公園

## 県内観光地域

●鳥取砂丘・いなば温泉郷周辺　●浦富海岸・岩井温泉周辺　●八頭　●とっとり梨の花温泉郷周辺
●東伯耆周辺　●米子・皆生温泉周辺　●境港周辺　●大山周辺　●奥日野周辺

## 県内広域観光ルート

●県内縦断コース　●西部のびのびコース　●中部ほのぼのコース　●東部漫遊コース

## 県内主要観光地（域）

●大山　●鳥取砂丘　●皆生温泉　●三朝温泉　●浦富海岸　●羽合温泉　●鳥取温泉

## ふるさと検定（主催者）

境港妖怪検定（境港商工会議所・境港市観光協会）、大山・日野川・中海学検定試験（米子商工会議所）、ナシ学検定（米子知財活用支援センター）、三徳山検定（三徳山世界遺産登録運動推進協議会）

## トピックス

●日本ジオパーク委員会、「山陰海岸」を、世界ジオパークネットワークの国内候補地として選定。
●山陰文化観光圏整備計画（米子市・倉吉市・境港市・三朝町・湯梨浜町・琴浦町・北栄町・日吉津村・大山町・南部町・伯耆町・日南町・日野町・江府町、島根県松江市・出雲市・大田市・安来市・雲南市・斐川町・東出雲町・奥出雲町・飯南町）

## 鳥取県行政データ

**県庁所在地** 〒680-8570　鳥取市東町1-220　☎0857-26-7111
**文化観光局観光政策課** ☎0857-26-7218
**長期総合計画　計画名** 『鳥取県の将来ビジョン』みんなで創ろう「活力　あんしん　鳥取県」
～心豊かな充実生活をめざして～
2008年12月26日策定（おおむね10年後の鳥取県の目指すべきビジョン）
**鳥取県ホームページアドレス**　http://www1.pref.tottori.lg.jp/
**鳥取県観光情報**　http://yokoso.pref.tottori.jp
**フォトギャラリー**　鳥取県写真ライブラリー
**観光統計**　観光客入込動態調査
**鳥取県文化観光事典**　2002年発行

| | | |
|---|---|---|
| (社)鳥取県観光連盟 | 〒680-0831　鳥取市栄町606 まるもビル5F | ☎0857-39-2111 |
| 鳥取県立図書館 | 〒680-0017　鳥取市尚徳町101 | ☎0857-26-8155 |
| 鳥取県立博物館 | 〒680-0011　鳥取市東町2-124 | ☎0857-26-8042 |
| 鳥取砂丘砂の美術館 | 鳥取砂丘情報館サンドパルとっとり | ☎0857-20-2231 |
| 鳥取県立とっとり花回廊 | 〒683-0217　鳥取県西伯郡南部町鶴田110 | ☎0859-48-3030 |
| 因幡万葉歴史館 | 〒680-0146　鳥取市国府町町屋726 | ☎0857-26-1780 |
| 食のみやこ鳥取プラザ | 〒680-0146　東京都港区新橋2-19-4 SNTビル | ☎03-5537-0575 |
| 三徳山三佛寺 | 〒682-0132　鳥取県東伯郡三朝町三徳 | ☎0858-43-2666 |

シンクタンクせとうち総合研究機構　発行

# 島根県 〈出雲 石見 隠岐〉 Shimane Prefecture

| 面積 | 6,707.78km² |
| --- | --- |
| 人口 | 72.0万人（2009年11月現在） |
| 県庁所在地 | 松江市（人口 19.4万人）<br>（2009年11月現在） |
| 構成市町村数 | 21（8市12町1村）（2009年12月1日現在） |
| 観光条例 | しまね観光立県条例（2008年3月21日施行） |
| 観光入込客数 | 2,870万人（延人数）<br>1,199万人（実人数）（2008年） |
| | 県内客 370万人　県外客 829万人（実人数）<br>日帰客 943万人　宿泊客 256万人（実人数） |
| 観光消費額 | 1,425億円 |

## 県名の由来
島または島国の意味で、根は島に付く接尾語。古くは「出雲国風土記」に島根郡という地名が出てくる。

- 県の花：ボタン
- 県の木：クロマツ
- 県の鳥：ハクチョウ
- 県の魚：トビウオ
- 県の歌：薄紫の山脈

## 県章
「マ」を4つ組合せ、島根県の「シマ」を表わす。中心から4つの円形が伸びるのは、団結、調和、発展を象徴する。

### シンボル
- 出雲大社
- 石見神楽
- 宍道湖
- 松江城

### 世界遺産
- 石見銀山遺跡とその文化的景観

### 暫定リスト記載物件
### ポテンシャル・サイト

### 世界無形文化遺産
- 石州半紙：島根県石見地方の製紙

### ポテンシャル・サイト
- 佐陀神能

## 観光レクレーション客入込数の推移

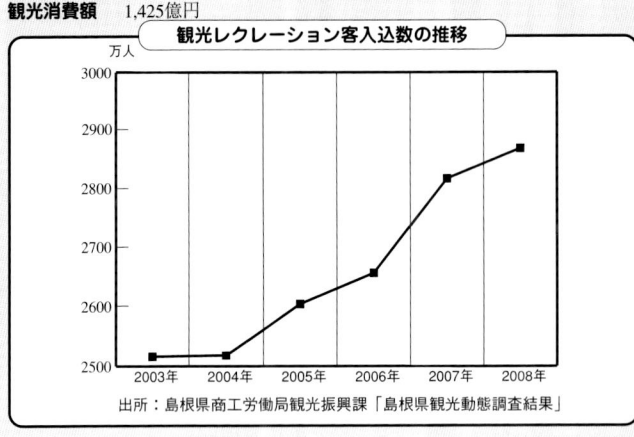

| 年 | 万人 |
| --- | --- |
| 2003年 | 約2520 |
| 2004年 | 約2520 |
| 2005年 | 約2600 |
| 2006年 | 約2660 |
| 2007年 | 約2820 |
| 2008年 | 約2870 |

出所：島根県商工労働局観光振興課「島根県観光動態調査結果」

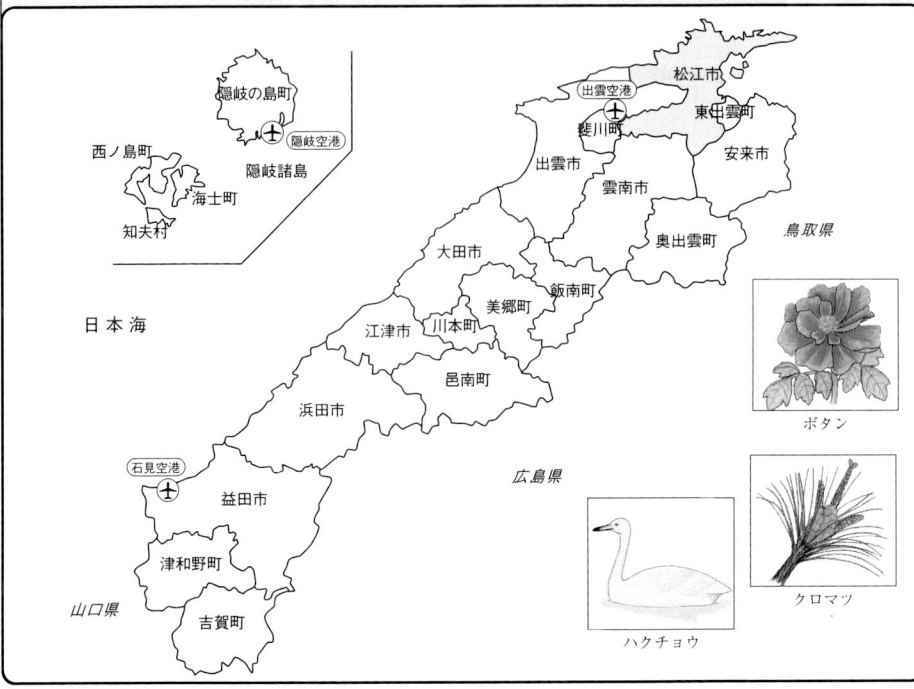

シンクタンクせとうち総合研究機構　発行

# 32 島根県 誇れる郷土ガイド—全国47都道府県の観光データ編—

## 島根県

### 自然環境
- **山岳高原** 三瓶山、冠山、阿佐山、烏帽子山、鯛ノ巣山、琴引山、安蔵寺山、恐羅漢山、燕岳、三瓶高原
- **峠** 赤名峠、野坂峠、三坂峠　**河川** 江の川、斐伊川、飯梨川、高津川、神戸川　**湖沼池** 中海・宍道湖
- **湿地湿原** 宍道湖、中海、赤名湿原、隠岐島(島後)の渓流域、隠岐島周辺沿岸、十六島周辺沿岸、地倉沼
- **渓谷滝** 匹見峡、立久恵峡、壇鏡の滝、鬼の舌震、龍頭ヶ滝　**海湾岬** 那久岬、日御碕、多古鼻、地蔵崎、屋那の松原、稲佐の浜、琴ヶ浜、浄土ヶ浦、畳ヶ浦、白見海岸、国賀海岸、日本海
- **半島** 島根半島　**灯台** 日御碕灯台、美保関灯台
- **島** 隠岐諸島(島後、島前(西ノ島、中ノ島、知夫里島))、大根島、竹島
- **温泉** 湯ノ川温泉、玉造温泉、温泉津温泉、有福温泉、匹見峡温泉、松江しんじ湖温泉、いわみ温泉
- **動物** ウミネコ、イソヒヨドリ、クロサギ、ゲンジボタル
- **植物** ツバキ、桜、チューリップ、ツツジ、シャクナゲ、ボタン、築地松、水仙、カタクリ、カキツバタ、ススキ

### 文化財
- **国宝（建造物）** 出雲大社本殿、神魂神社本殿
- **国の重要文化財（建造物）** 松江城天守、出雲大社、菅田庵及び向月亭、神魂神社末社貴布祢稲荷両神社本殿、染羽天石勝神社本殿、熊谷家住宅、清水寺本堂、雲樹寺四脚門(大門)、佐太神社、美保神社本殿、木幡家住宅、堀江家住宅、日御碕神社、旧道面家住宅、玉若酢命神社、佐々木家住宅、水若酢神社本殿、焼火神社本殿・通殿・拝殿、旧大社駅本屋、万福寺本堂、櫻井家住宅
- **国の重要伝統的建造物群保存地区** 大田市温泉津、大田市大森銀山

### 国立公園・国定公園
- 大山隠岐国立公園、比婆道後帝釈国定公園、西中国山地国定公園

### 県内観光圏域
- 出雲地方　●石見地方　●隠岐地方

### 県内広域観光ルート
- 出雲路　●石見路　●隠岐路　●神楽観光ルート
- 遊覧　●SLやまぐち号(小郡⇔津和野)　●奥出雲おろち号　●国賀海岸めぐり　●白島遊覧
- ●ローソク島遊覧　●ぐるっと松江堀川めぐり　●宍道湖遊覧　●レイクライン　●火振漁観光

### 県内主要観光地
- ●出雲大社(大社町)　●島根ワイナリー(大社町)　●石見海浜公園(浜田市)　●日御碕(大社町)
- ●太皷谷稲成神社(津和野町)　●玉造温泉(玉湯町)　●一畑薬師(平田市)　●三瓶山(大田市)
- ●道の駅キララ多伎(多伎町)　●道の駅湯の川(斐川町)

### ふるさと検定（主催者）
- 松江・観光文化検定(松江商工会議所)
- 大社文化観光試験(大社文化観光試験実行委員会、古代出雲歴史博物館を支援する会)

### トピックス
- ●2012年石見銀山遺跡・世界遺産登録5周年
- ●「石州半紙」(2009年世界無形文化遺産)
- ●山陰文化観光圏整備計画(米子市・倉吉市・境港市・三朝町・湯梨浜町・琴浦町・北栄町・日吉津村・大山町・南部町・伯耆町・日南町・江府町、島根県松江市・出雲市・大田市・安来市・雲南市・斐川町・東出雲町・奥出雲町・飯南町)

### 島根県行政データ
- **県庁所在地**　〒690-8501　島根県松江市殿町1番地　☎0852-22-5111
- **商工労働部観光振興課**　☎0852-22-5292
- **長期総合計画**　計画名　『島根総合発展計画』
　　　　　　　　　将来像　豊かな自然、文化、歴史の中で、県民誰もが誇りと自信を持てる、活力ある島根
- **しまね観光アクションプラン**　①地域の特性や魅力を生かした観光地づくり
　　　　　　　　　　　　　　　　②情報発信・誘客宣伝活動の強化
　　　　　　　　　　　　　　　　③外国人観光客の誘致推進
　　　　　　　　　　　　　　　　④広域観光の推進
　　　　　　　　　　　　　　　　⑤おもてなし気運の向上・受け入れ体制の整備
- **島根県ホームページアドレス**　http://www.pref.shimane.lg.jp/
- **しまね観光ナビ**　http://www.kankou.pref.shimane.jp/
- **フォトギャラリー**　観光写真ギャラリー
- **観光統計**　島根県観光動態調査結果

| | | |
|---|---|---|
| (社)島根県観光連盟 | 〒690-8501　松江市殿町1番地　県庁観光振興課内 | ☎0852-21-3969 |
| 島根県立古代出雲歴史博物館 | 〒699-0701　島根県出雲市大社町杵築東99-4 | ☎0853-53-8600 |
| にほんばし島根館 | 〒103-0022　東京都中央区日本橋室町1-5-3福島ビル1F | ☎03-5201-3310 |
| 石見銀山世界遺産センター | 〒694-0305　島根県大田市大森町イ1597-3 | ☎0854-89-0183 |

シンクタンクせとうち総合研究機構　発行

誇れる郷土ガイド－全国47都道府県の観光データ編－　33岡山県

# 岡山県〈備前 備中 美作〉Okayama Prefecture

| 面積 | 7,113.20km² |
|---|---|
| 人口 | 194.4万人（2009年11月現在） |
| 県庁所在地 | 岡山市（人口 70.4万人）（2009年11月現在） |
| 岡山教育の日 | 11月1日 |
| 構成市町村数 | 27（1政令指定都市14市10町2村）（2009年12月1日現在） |
| 観光入込客数 | 2,481万人（2008年） |
|  | 県内客 1,267万人　県外客 1,214万人 |
|  | 日帰客 1,573万人　宿泊客 907万人 |
| 観光消費額 | 1,463億円 |

**県名の由来：** 岡山城にあった岡山明神に由来する。

- 県の花：モモの花
- 県の木：アカマツ
- 県の鳥：キジ
- 県民愛唱歌：みんなのこころに
- 県のマスコット：ももっち

**県章**
岡山県の「岡」の文字を円形にデザインし、県民の団結と将来の飛躍発展を力強く表現する。

**シンボル**
- 後楽園
- 岡山城
- 桃太郎

**世界遺産**
—

**暫定リスト記載物件**
—

**ポテンシャル・サイト**
- 近世岡山の文化・土木遺産群

**世界無形文化遺産**
—

**ポテンシャル・サイト**
—

### 観光レクレーション客入込数の推移

出典：岡山県産業労働部観光物産課「観光客動態調査報告書」

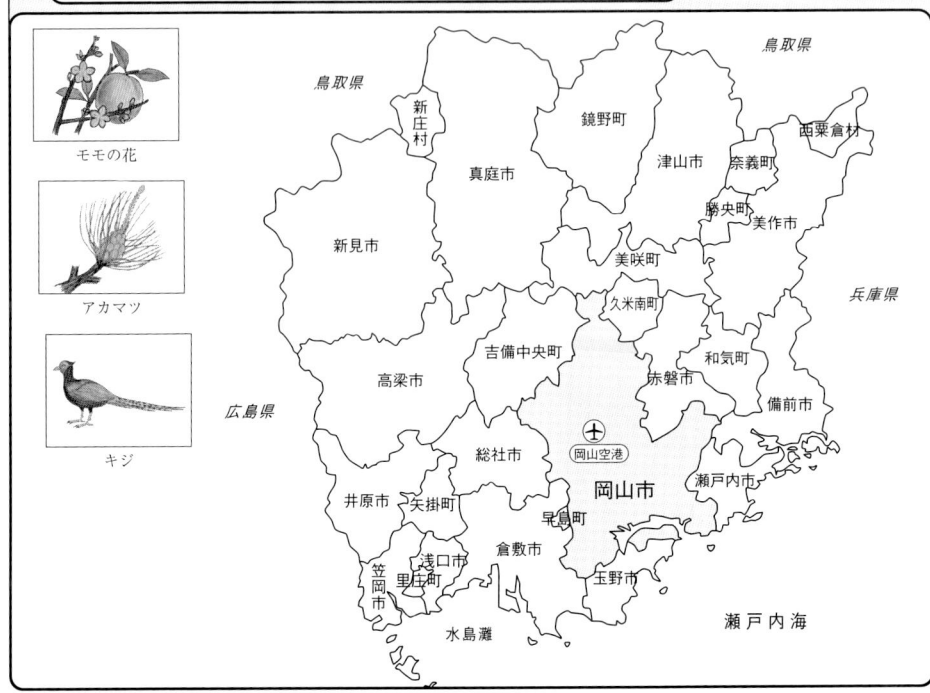

- モモの花
- アカマツ
- キジ

70　シンクタンクせとうち総合研究機構　発行

33岡山県　誇れる郷土ガイド－全国47都道府県の観光データ編－

## 自然環境

| | |
|---|---|
| 山岳高原 | 蒜山高原、大神宮原高原、恩原高原、日本原高原、鷲羽山、津黒山、後山、那岐山、星山、臥牛山 |
| 峠 | 人形峠、四十曲峠、大挾峠、明地峠、辰巳峠、物見峠、志戸坂峠、帆坂峠、船坂峠、谷田峠、田代峠 |
| 河川 | 吉井川、高梁川、旭川、小田川、宇甘川、百間川　湖沼池　児島湖　湿地湿原　錦海塩田跡、児島湖・阿部池、岡山平野のスイゲンゼニタナゴ等生息地、永江川河口、鯉々窪・おもつぼ湿原、邑久郡の塩性湿地、味野湾、玉野湾 |
| 渓谷滝 | 神庭の滝、磐窟渓、豪渓、井倉峡、満奇洞、備中鍾乳洞、磐窟渓・ダイヤモンドケイブ の滝、滝山の滝　洞穴・鍾乳洞　井倉洞、満奇洞、備中鍾乳洞、磐窟渓・ダイヤモンドケイブ |
| 海湾岬 | 沙美海岸、渋川海岸、水島灘、瀬戸内海　半島　児島半島　島　鹿久居島、笠岡諸島、日生諸島 |
| 温泉 | 湯郷温泉、奥津温泉、湯原温泉、遥照山温泉、八幡温泉、真賀温泉など |
| 動物 | オオサンショウウオ、カブトガニ、ホタル |
| 植物 | サクラ、アテツマンサク、オリーブ、カンギク、コスモス、ツツジ、ナノハナ、楠 |

## 文化財

| | |
|---|---|
| 国の特別史跡 | 旧閑谷学校附椿山石門津田永忠宅跡および黄葉亭 |
| 国宝（建造物） | 吉備津神社本殿及び拝殿、旧閑谷学校 |
| 国の重要文化財（建造物） | 井上家住宅、金山寺本堂、岡山城月見櫓、岡山城西丸西手櫓、八幡神社鳥居、鼓神社宝器、守福寺宝器、旧犬養家住宅、吉備津神社南随神門、吉備津神社北随神門、吉備津神社御釜殿、熊野神社本殿、遍照院三重塔、吉備津彦神社五柱社宝塔、本荘八幡宮鳥居、旧大原家住宅、大橋家住宅、総本殿、中山神社本殿、鶴山八幡宮本殿、岡山県立津山高校、宝福寺三重塔、備中国分寺五重塔、備中松山城、大滝山三重塔、閑谷神社(旧閑谷学校芳烈祠)、旧閑谷学校聖廟、旧閑谷学校石塀、真光寺本堂、真光寺三重塔、本蓮寺本堂、本蓮寺番神堂、本蓮寺中門、餘慶寺本堂、旧矢掛本陣石井家住宅、旧矢掛脇本陣高草家住宅、宝篋印塔、遍照院三重塔及び石塔婆、吉川八幡宮本殿、妙本寺番神堂、旧遷喬尋常小学校校舎、旧森江家住宅、林家住宅、長福寺三重塔、誕生寺、本山寺本堂、本山寺宝篋印塔、本山寺三重塔、旧旭東幼稚園園舎、旧大國家住宅、旧片山家住宅、旧野崎家住宅 |
| 国の重要伝統的建造物群保存地区 | 高梁市吹屋、倉敷市倉敷川畔 |

## 国立公園・国定公園

瀬戸内海国立公園、大山隠岐国立公園、氷ノ山後山那岐山国定公園

## 県内観光圏域

●北東部　●北西部　●南東部　●南西部

## 県内広域観光ルート

●瀬戸大橋と倉敷コース　●吉備史跡めぐり　●備前のふるさとめぐり　●夢二の里めぐり　●吉備路めぐり

## 県内主要観光地

●倉敷美観地区　●蒜山高原　●玉野・渋川　●鷲羽山　●吉備津・最上稲荷
●湯郷　●後楽園　●湯原　●高梁

## ふるさと検定（主催者）

岡山文化観光検定試験（岡山商工会議所）、検定－晴れの国おかやまの食－（岡山県食品衛生協会）
倉敷検定（倉敷商工会議所）

## トピックス

●岡山市は、2009年4月1日に全国で18番目となる政令指定都市に移行した。

## 岡山県行政データ

県庁所在地　〒700-8570　岡山市北区内山下2-4-6　☎086-224-2111
産業労働部観光物産課　☎086-226-7384
その他国内外事務所　大阪、名古屋
長期総合計画　計画名　『新おかやま夢づくりプラン』　基本目標　「快適生活県おかやま」の実現
　　　　　　　行動計画　2007年度～2011年度
　　　　　　　基本戦略　－「教育と人造りの岡山」「安全・安心の岡山」「産業と交流の岡山」の創造
岡山県観光立県戦略　－「地域発」でつくる「観光おかやま・交流拠点」を目指して－
　①交通の拠点性を活かした「地域発観光」の推進　②地域をつなぎ、滞在の魅力を高める「地域発観光」の推進　③「観光の地産地奨」を通じた人材育成　④具体的な集客につながる観光プロモーション
　⑤観光関係統計の整備充実　⑥外国人旅行者の誘致　⑦環境にやさしい観光　⑧広域連携の推進
　⑨PDCA（Plan・Do・Check・Action）の徹底
岡山県ホームページアドレス　　http://www.pref.okayama.jp/
晴れらんまん　おかやま旅ネット　http://www.okayama.kanko.jp/
フォトギャラリー　おかやま観光フォトグラフ
観光統計　岡山県観光客動態調査
(社)岡山県観光連盟　〒700-0825　岡山市北区田町1-3-1岡山県産業会館4F　☎086-233-1802
岡山県立図書館　〒700-0823　岡山市北区丸の内2-6-30　☎086-224-1288
岡山県立博物館　〒703-8257　岡山市北区後楽園1-5　☎086-272-1149

シンクタンクせとうち総合研究機構　発行

# 広島県 〈安芸　備後〉 Hiroshima Prefecture

| | |
|---|---|
| 面積 | 8,479.03km² |
| 人口 | 286.7万人（2009年11月現在） |
| 県庁所在地 | 広島市（人口　117.1万人）（2009年11月現在） |

構成市町村数　23（1政令指定都市13市9町）
　　　　　　　（2009年12月1日現在）
観光条例　ひろしま観光立県推進基本条例（2007年1月1日施行）
入込観光客数　5,632万人（2008年）
　県内客　3,301万人　県外客　2,331万人
　日帰客　4,896万人　宿泊客　　736万人
観光消費額　2,974億円

## 県名の由来
太田川河口の最も広い三角州に城郭を設けたところから。

- 県の花：モミジ
- 県の木：モミジ
- 県の鳥：アビ
- 県の魚：カキ

### 県章
広島県の「ヒ」を円形にデザインしたもので、県民の和と団結を、円の重なりは、県の躍進を表現する。

### シンボル
- 原爆ドーム
- 宮島

### 世界遺産
- 広島の平和記念碑（原爆ドーム）
- 厳島神社

### 暫定リスト記載物件
—

### ポテンシャル・サイト
- 鞆の浦

### 世界無形文化遺産
—

### ポテンシャル・サイト
- 壬生の花田植

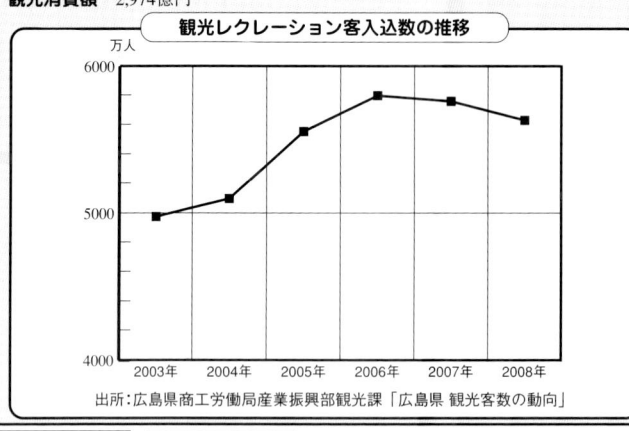

観光レクリエーション客入込数の推移

出所：広島県商工労働局産業振興部観光課「広島県 観光客数の動向」

モミジ

モミジ

アビ

島根県・鳥取県・岡山県・山口県・瀬戸内海

庄原市、三次市、神石高原町、北広島町、安芸高田市、世羅市、府中市、安芸太田町、広島市、東広島市、三原市、尾道市、福山市、廿日市市、府中町、海田町、熊野町、坂町、広島西飛行場、広島空港、竹原市、尾道市、大竹市、呉市、江田島市、大崎上島町

シンクタンクせとうち総合研究機構　発行

## 自然環境

| | |
|---|---|
| 山岳高原 | 恐羅羅山、道後山、冠山、大万木山、阿佐山、大佐山、鷹ノ巣山、観音山、野呂山、七塚原高原、芸北高原、世羅台地 |
| 峠 | 赤名峠、生山峠、三坂峠 |
| 河川 | 太田川、江の川、芦田川、小瀬川、沼田川、高梁川 |
| 湖沼池 | 八幡湿原、聖湖、神竜湖 |
| 湿地湿原 | 八幡湿原、細ノ洲、安芸湾三津口、世羅台地の湧水湿地・ため池群、賀茂台地の湧水湿地・ため池群、帝釈川、宮島、宮島湾東部（江田島、能美島、倉橋島等） |
| 渓谷滝 | 三段峡、帝釈峡、常清滝、龍頭峡、瀑雪の滝 |
| 洞穴・鍾乳洞 | 白雲洞 |
| 海湾岬 | 鞆ノ浦、下伏兎岬、桂浜、恋ヶ浜、広島湾、瀬戸内海 |
| 島 | 厳島〈宮島〉、因島、向島、大崎上島、大崎下島、上蒲刈島、下蒲刈島、豊島、大久野島、生口島、江田島、能美島、倉橋島、走島、佐木島、似島、横島、田島、大黒神島、阿多田島、加島、百島、高根島、ひょうたん島、小佐木島、小見木島、戦島、契島、三角島、宮島、沖野島、猪子島 |
| 温泉 | 湯坂温泉、鞆の浦温泉、宮浜温泉、湯来温泉、湯の山温泉、岩倉温泉、羅漢温泉、きのえ温泉 |
| 動物 | ハト、鹿、ホタル、イノシシ、ツキノワグマ、サンショウウオ、モリアオガエル |
| 植物 | 桜、菜の花、ツツジ、サツキ、バラ、アジサイ、フジ、キョウチクトウ、モミジ、ヒマワリ、除虫菊、コスモス、ランマンサク、ウメ、ツバキ |

## 文化財

**国の特別史跡** 厳島、廉塾ならびに菅茶山旧宅　**国宝（建造物）** 厳島神社、不動院金堂、浄土寺本堂、浄土寺多宝塔、明王院本堂、明王院五重塔、向上寺三重塔　**国の重要文化財（建造物）** 不動院鐘楼、不動院楼門、広島平和記念資料館、世界平和記念聖堂、厳島神社大鳥居、厳島神社摂社大国神社本殿、厳島神社摂社天神社本殿、厳島神社五重塔、厳島神社多宝塔、厳島神社末社荒胡子神社本殿、厳島神社末社豊国神社本殿（千畳閣）、厳島神社大元神社本殿、厳島神社宝蔵、旧呉鎮守府司令長官官舎（呉市入船山記念館）、本庄水源地堰堤水道施設、西国寺金堂、天寧寺塔婆、西郷寺本堂、西国寺三重塔、西郷寺山門、浄土寺、浄土寺阿弥陀堂、浄土寺納経塔、浄土寺宝篋印塔、浄土寺山門、安国寺釈迦堂、円通寺本堂、奥氏住宅、吉原家住宅、吉備津神社本殿、旧真野家住宅、旧木原家住宅、旧澤原家住宅、桂濵神社本殿、光明坊十三重塔、荒木家住宅、宗光寺山門、春風館頼家住宅、復古館頼家住宅、沼名前神社能舞台、常称寺、太田家住宅、福山城下御船宿亭、七卿落遺跡、福山城、福成寺本堂厨子及び須弥壇、仏通寺含暉院地蔵堂、米山寺宝篋印塔、堀江家住宅、竜山八幡神社本殿、林家住宅、國前寺、旛山家住宅　**国の重要伝統的建造物群保存地区** 呉市豊町御手洗、竹原市竹原地区

## 国立公園・国定公園

瀬戸内海国立公園、比婆道後帝釈国定公園、西中国山地国定公園

## 県内観光圏域

●広島湾地域　●瀬戸内海中部地域　●瀬戸内海東部地域　●備北地域　●芸北地域　●中部台地地域

## 県内広域観光ルート

●広島市内観光と安芸の宮島　●毛利元就を訪ねる　●水軍観光ルート　●世界遺産と広島の奥座敷
●広島市歴史探訪　●名橋と世界遺産　●筆の都と酒の町巡り　●三段峡ハイキング　●神楽の里とガラス工房を訪ねて　●花と果物高原の恵みと温泉　●しまなみ海道レンタサイクル　●瀬戸内・古い町並み紀行
●沼隈半島を巡る旅　●古利・古い町並みと温泉　●しまなみ海道満喫コース　●しまなみ海道フェリーの旅
●四国から車で渡るしまなみ海道　●帝釈峡紅葉見物とりんご狩り

## 県内主要観光地

●厳島神社　●平和記念資料館　●安佐動物公園　●国営備北丘陵公園　●こども文化科学館　●宮島水族館
●平山郁夫美術館　●ふくやま美術館　●千光寺山ロープウェイ　●福山市立動物園

## ふるさと検定（主催者）

ひろしま通検定試験（広島商工会議所）、宮島検定（廿日市商工会議所）、
福山知っとる検定（福山商工会議所）、鞆の浦検定（Think鞆の浦）

## トピックス

●2020年夏期オリンピックを長崎市と共に招致
●2011年原爆ドーム、厳島神社・世界遺産登録15周年
●広島・宮島・岩国地域観光圏整備計画（広島県広島市・大竹市・廿日市市、山口県岩国市・和木町）
●全国菓子大博覧会（広島市にて2013年4～5月開催）

## 広島県行政データ

**県庁所在地**　〒730-8511　広島市中区基町10-52　☎082-228-2111
**商工労働局観光課**　☎082-513-3389
**総合計画**　計画名　『元気挑戦プラン』　計画期間 2006年度～2010年度
　基本目標　活力と安心、希望のある「元気な広島県」の実現
**ひろしま観光立県推進基本計画　基本方針**
　①情報発信の強化による「ひろしまブランド」の確立　②地域の特色を活かした魅力ある観光地づくり
　③おもてなしの充実等による受入体制の整備促進　④国際観光の更なる推進
　⑤広域連携の促進と適切な役割分担
**広島県ホームページアドレス**　http://www.pref.hiroshima.lg.jp/
**広島県観光ホームページアドレス**　http://www.kankou.pref.hiroshima.jp/
**フォトギャラリー**　フォトギャラリー
**観光統計**　広島県観光客数の動向
**広島ゆめてらす**　〒151-0053　東京都渋谷区代々木2-2-1　☎03-5354-3206

誇れる郷土ガイド－全国47都道府県の観光データ編－　35山口県

# 山口県 〈周防　長門〉 Yamaguchi Prefecture

- **面積**　6,112.73km²
- **人口**　145.7万人（2009年11月現在）
- **県庁所在地**　山口市（人口　19.2万人）
  （2009年11月現在）

- **構成市町村数**　20（13市7町）（2009年12月1日現在）
- **観光入込客数**　2,451.4万人（2008年）
  - 県内客　1,281万人　県外客　1,171万人
  - 日帰客　2,104万人　宿泊客　347万人

### 県名の由来：
阿武郡の奥山の入口の意味。
- 県の花：夏ミカンの花
- 県の木：アカマツ
- 県の鳥：ナベヅル
- 県の魚：フク
- 県の獣：本州シカ
- 県の歌：山口県民の歌

### 県章
「山口」の文字を組合せ図案化。県民の団結と飛躍を太陽に向かってはばたく鳥にかたどったもの。

### シンボル
- 秋吉台・秋芳洞
- 錦帯橋
- ザヴィエル記念天主堂

### 世界遺産
―

### 暫定リスト記載物件
- 九州・山口の近代化産業遺産群

### ポテンシャル・サイト
- 錦帯橋と岩国の町割
- 萩
- 山口に花開いた大内文化の遺産

### 世界無形文化遺産
―

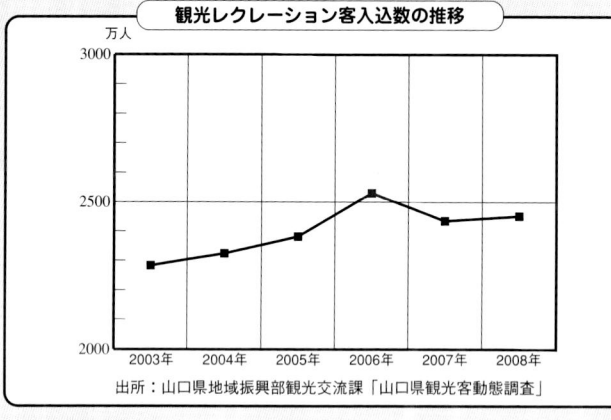

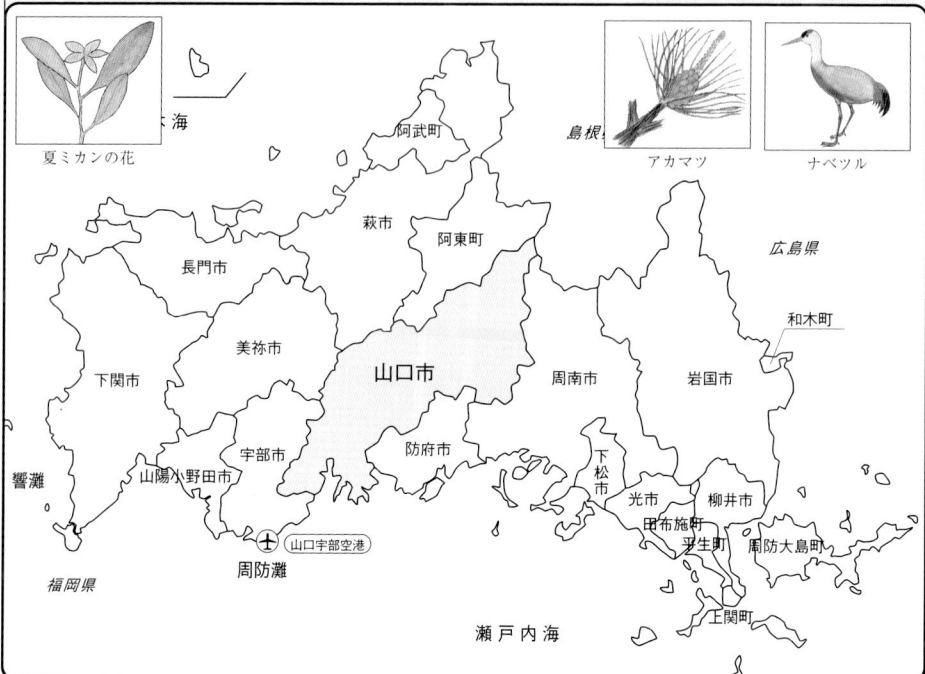

### ポテンシャル・サイト

## 観光レクレーション客入込数の推移

| 年 | 万人 |
|---|---|
| 2003年 | 約2280 |
| 2004年 | 約2300 |
| 2005年 | 約2360 |
| 2006年 | 約2530 |
| 2007年 | 約2420 |
| 2008年 | 約2440 |

出所：山口県地域振興部観光交流課「山口県観光客動態調査」

夏ミカンの花　　アカマツ　　ナベヅル

シンクタンクせとうち総合研究機構　発行

# 35 山口県 誇れる郷土ガイド－全国47都道府県の観光データ編－

## 自然環境

**山岳高原** 寂地山、羅漢山、鬼ヶ城山、権現山、十種ヶ峰、平家岳、羅漢高原　**峠** 野坂峠
**カルスト台地** 秋吉台　**河川** 錦川、門前川、今津川、佐波川、小瀬川、一の坂川、阿武川、寂地川
**湖沼池** 菅野湖、弁天池　**湿地湿原** 阿知須干拓、八代、佐波川河口、広島湾西部(屋代島等)、秋穂湾～山口湾(椹野川河口)、厚東川・有帆川・厚狭川の河口、厚狭川下流農業用水系、秋芳洞の地下水系、山口県 油谷湾、青海島周辺沿岸　**渓谷滝** 長門峡、寂地峡、五竜の滝、石柱渓、徳仙の滝
**洞穴・鍾乳洞** 秋芳洞、大正洞、景清洞
**海湾岬** 室積・虹ヶ浜海岸、象鼻ヶ岬、高山岬、川尻岬、神田岬、須佐湾、仙崎湾、響灘、瀬戸内海、日本海
**海峡** 関門海峡　**半島** 室積大島　**島** 屋代島、青海島、笠戸島、厳流島、祝島、長島、八島、萩大島、青島、見島、相島、角島　**温泉** 湯田温泉、湯本温泉、俵山温泉、湯野温泉、川棚温泉、阿知須温泉、湯免温泉など
**動物** ナベヅル、カワラヒワ、ツグミ、キジバト、ホンシュウジカ、ゲンジボタル
**植物** 夏みかん、サクラ、ヤブツバキ、ウメ、ツツジ、ひまわり、アカマツ、アジサイ

## 文化財

**国宝(建造物)** 功山寺仏殿、住吉神社本殿、瑠璃光寺五重塔
**国の重要文化財(建造物)** 大照院、旧下関英国領事館、住吉神社拝殿、今八幡宮本殿、今八幡宮拝殿、今八幡宮楼門、平清水八幡宮本殿、古熊神社本殿、古熊神社拝殿、洞春寺観音堂、洞春寺山門、八坂神社本殿、竜福寺本堂、山口県旧県庁舎及び県会議事堂、常念寺表門、旧厚狭毛利家萩屋敷長屋、東光寺、菊屋家住宅、熊谷家住宅、口羽家住宅、国分寺金堂、閼伽井坊多宝塔、旧田加田家住宅、早川家住宅、国森家住宅、石城神社本殿、月輪寺薬師堂、正八幡宮、森田家住宅、宇部市渡辺翁記念館、吉香神社、旧小野田セメント製造株式会社堅窯、四階楼
**国の重要伝統的建造物群保存地区** 萩市浜崎、萩市平安古地区、萩市堀内地区、柳井市古市金屋

## 国立公園・国定公園

瀬戸内海国立公園、秋吉台国定公園、北長門海岸国定公園、西中国山地国定公園

## 県内観光地域

● 東部地域　● 中部地域　● 北部地域　● 西部地域

## 県内広域観光ルート

● たっぷり歴史浪慢(西部)　● ゆうゆう日本海(北部)　● ゆっくり小京都(中部)　● ときめきロマン瀬戸内(サザンセット)　● きらきら海岸線(周南)　● のんびり城下町(東部)　遊覧船　● 青海島観光

## 県内主要観光地(域)

● 防府天満宮　● 下関水族館　● 道の駅「萩しまーと」　● 秋芳洞・秋吉　● 湯田温泉　● 湯本温泉　● 松陰神社　● 錦帯橋　● 香山公園・洞春寺　● 長門峡　● 道の駅「二保の郷」　● 山口市博物館等　● 青海島　● 土井ヶ浜弥生パーク・景勝地等　● 川棚温泉

## ふるさと検定(主催者)

やまぐち歴史・文化・自然検定(山口商工会議所)、「萩ものしり博士」検定(山口商工会議所)
関門海峡歴史文化検定(下関商工会議所)

## トピックス

● 第66回国民体育大会おいでませ！山口国体(2011年10月1日～11日)
● 広島・宮島・岩国地域観光圏整備計画(広島県広島市・大竹市・廿日市市、山口県岩国市・和木町)
● 2015年第23回世界スカウトジャンボリー(山口県きらら浜)

## 山口県行政データ

**県庁所在地** 〒753-8501　山口市滝町1-1　☎083-922-3111
**地域振興部観光交流課** ☎083-933-3170
**長期総合計画** 計画名『やまぐち未来デザイン21』　目標年次 2010年
　基本目標　21世紀に自活できるたくましい山口県の創造
**山口県年間観光客3千万人構想実現アクション・プラン**　10の戦略
　①訪れたくなる情報発信　②ネットワークを活用した情報発信　③来訪者の滞在時間を延ばす取組の推進　④リピーターの増加を図る取組の推進　⑤広域連携の強化による来訪の促進　⑥旅行会社等とのタイアップ　⑦東アジアからの観光客の誘致　⑧県民参加の促進　⑨観光を支える人づくり　⑩幅広い主体の連携強化
**山口県ホームページアドレス** http://www.pref.yamaguchi.lg.jp/
**おいでませ山口ヘ** http://www.oidemase.or.jp/
**フォトギャラリー** おいでませ山口写真館
**観光統計** 山口県観光客動態調査
㈱山口県観光連盟　〒753-8501　山口市滝町1-1県政資料館内　☎083-924-0462
山口県立山口図書館　〒753-0083　山口市大字後河原字松柄150-1　☎083-924-2111
山口県立山口博物館　〒753-0073　山口市春日町8-2　☎083-922-0294
山口県児童センター・プラネタリウム　〒753-0811　山口市吉敷4376-1　☎083-923-4633
山口県立きらら浜自然観察公園　〒754-1277　山口市阿知須きらら浜509-53　☎0836-66-2030
おいでませ山口館(山口県観光物産センター)　〒103-0027　東京都中央区日本橋2-3-4-1F　☎03-3231-1863

シンクタンクせとうち総合研究機構　発行

## 徳島県 〈阿　波〉Tokushima Prefecture

| 面積 | 4,145.90km² |
|---|---|
| 人口 | 78.9万人（2009年11月現在） |
| 県庁所在地 | 徳島市（人口　26.5万人）<br>（2009年11月現在） |

構成市町村数　24（8市15町1村）（2009年12月1日現在）
観光条例　もてなしの阿波とくしま観光基本条例（2009年6月25日施行）
観光入込客数　1,370万人（2008年）
　県内客　631万人　県外客　739万人
　日帰客　1,205万人　宿泊客　165万人
観光消費額　545億円

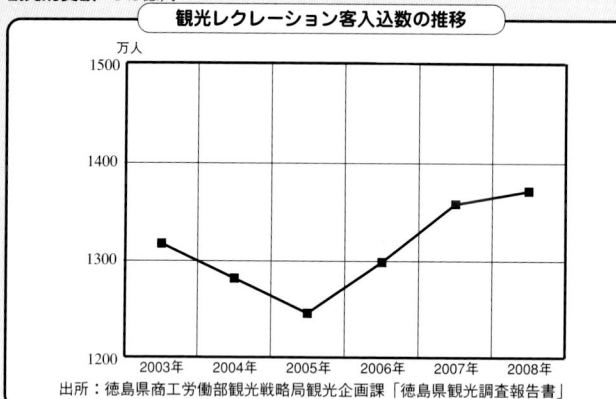

**県名の由来：**
吉野川の三角州の島の名前に由来する。

県の花：スダチの花
県の木：ヤマモモ
県の鳥：シラサギ
県の歌：徳島県民の歌

### 県章
徳島県の「とく」を鳥にデザインしたもので、融和、団結、雄飛発展の県勢を簡明に表現する。

### シンボル
● 吉野川
● 剣山

### 世界遺産
—

### 暫定リスト記載物件
—

### ポテンシャル・サイト
● 四国八十八箇所霊場と遍路道

### 世界無形文化遺産
—

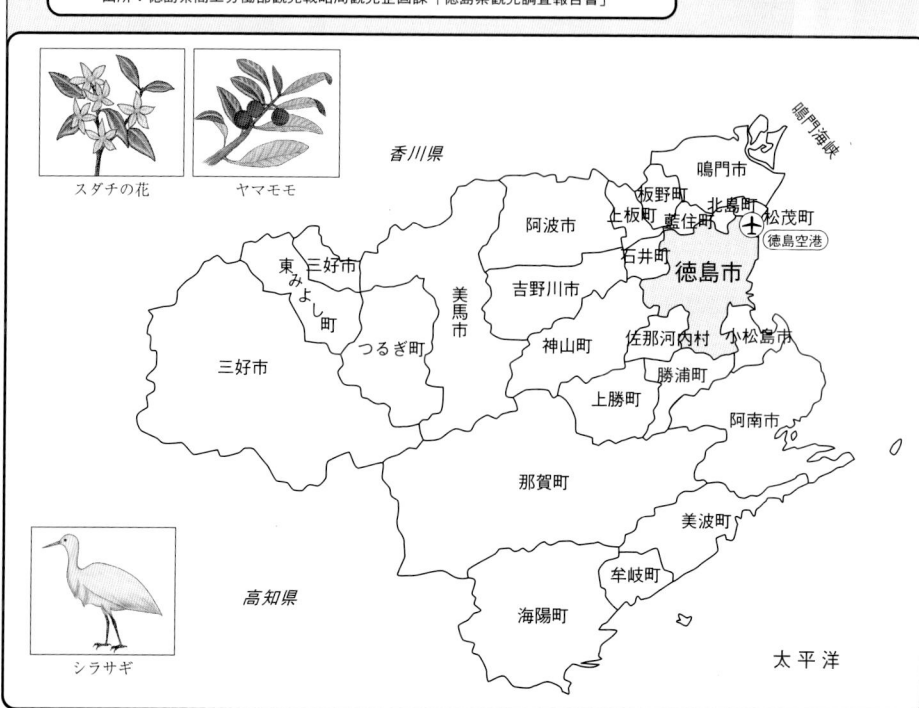

### ポテンシャル・サイト
—

**観光レクレーション客入込数の推移**

出所：徳島県商工労働部観光戦略局観光企画課「徳島県観光調査報告書」

スダチの花
ヤマモモ
シラサギ

76

36徳島県　誇れる郷土ガイド－全国47都道府県の観光データ編－

## 自然環境

**山岳高原** 塩塚高原、大川原高原、中尾山高原、剣山、高丸山、大麻山、天神丸、権田山、眉山、烏帽子山、高越山、中津峰山、平家平　**峠** 大坂峠、桟敷峠、吹越峠、猪ノ鼻峠、四ツ足堂峠　**河川** 吉野川、那賀川、坂州木頭川、鷲敷ライン　**湖沼池** 出羽島大池、海老ヶ池　**湿地湿原** 吉野川河口、ジョガロマ池、勝浦川河口、大津田川流域の用水路網、蒲生田海岸、伊島および周辺沿岸、橘湾、日和佐大浜海岸、牟岐大島周辺沿岸、出羽島の大池、宍喰地先沿岸、黒沢湿原、鳴門湿原
**渓谷滝** 祖谷渓、大歩危・小歩危、嵯峨峡、高ノ瀬峡、轟の滝、大釜の滝、雨乞の滝、八多五滝、美濃田の淵
**海湾岬** 蒲生田岬、孫崎、北の脇海岸、大浜海岸、鳴門（渦潮）、阿波の土柱（風化風食）、千羽海崖、橘湾、小松島湾、水床湾、瀬戸内海、太平洋　**海峡** 鳴門海峡　**島** 大毛島・島田島、伊島、出羽島、竹ヶ島
**温泉** 八万温泉、鳴門温泉、遊湯館、あせび温泉、古宝井温泉、御所温泉、大歩危温泉、奥大歩危温泉、祖谷秘境の湯温泉、一宇村温泉、穴吹温泉、紅葉温泉、美濃田の湯、祖谷温泉、大歩危温泉、奥大歩危温泉、祖谷秘境の湯
**動物** オオウナギ、アカウミガメ、阿波尾鶏、ツキノワグマ　**植物** サクラ、シャクナゲ、オンツツジ、ブナ林、エノキ

## 文化財

**国宝（建造物）** －　**国の重要文化財（建造物）** 宇志比古神社本殿、一宮神社本殿、丈六寺本堂（元方丈）、丈六寺観音堂、丈六寺三門、丈六寺経蔵（旧僧堂）、福永家住宅、田中家住宅（上勝町）、田中家住宅（石井町）、粟飯原家住宅、切幡寺大塔、旧長岡家住宅、三木家住宅、小采家住宅、木村家住宅、三河家住宅、箸蔵寺
**国の史跡** 阿波国分寺跡、郡里廃寺跡、渋野丸山古墳、勝瑞城館跡、丹田古墳、徳島城跡、徳島藩主蜂須賀家墓所、段の塚穴
**国の重要伝統的建造物群保存地区** 三好市東祖谷山村落合、美馬市脇町南町

## 国立公園・国定公園

瀬戸内海国立公園、剣山国定公園、室戸阿南海岸国定公園

## 県内観光エリア

●鳴門・板野エリア　●徳島エリア　●日和佐・下灘エリア　●大歩危・祖谷・剣山エリア

## 県内広域観光ルート

●四国遍路八十八か所（23か所）　●大鳴門橋・観潮船　●四国へそめぐり
　遊覧船　●鳴門海峡（観潮、水中観潮）

## 県内主要観光地域

●鳴門周辺　●徳島周辺　●剣山・祖谷　●四国霊場　●日和佐など　●土柱など　●阿南周辺

## ふるさと検定（主催者）

四国観光検定（四国観光検定運営事務局）

## トピックス

●にし阿波観光圏整備計画（美馬市・三好市・つるぎ町・東みよし町）
●ふるさと納税＜ふるさとOURとくしま応援事業～宝の島「とくしま魅力アップ大作戦～＞（徳島の「豊かな自然」を守り、継承するための事業、徳島の「多様な文化」を継承・発展させるための事業など）

## 徳島県行政データ

県庁所在地　〒770-8570　徳島市万代町1-1　☎088-621-2500
商工労働部観光戦略局観光企画課　☎088-621-2339
長期総合計画　　計画名『とくしま未来創造プラン』　　推進期間　2007年度～2010年度
　　　　　　　　基本理念　「オンリーワン徳島」の実現に向けた「新たな県政のかたち」づくり
　　　　　　　　重点項目　1.「持続可能な財政構造」づくり　2.「スピードと成果重視の経営体」づくり
　　　　　　　　　　　　　3.「公共空間の担い手」づくり　4.「開かれた県政」づくり
　　　　　　　　　　　　　5.「能率の高い職場環境」づくり　6.「飛躍する能力発揮の場」づくり
徳島県観光振興基本計画　基本的施策
　①将来の観光を担う人材の育成　②「阿波とくしま」の魅力あふれる観光地づくり　③新たな観光分野の開拓と滞在型観光の促進　④情報発信の強化による「観光とくしまブランド」の確立　⑤国際観光の推進　⑥広域観光の推進　⑦「阿波とくしま」らしいにぎわいの創出
徳島県ホームページアドレス　　　　　　　　　http://www.pref.tokushima.jp/
徳島県観光情報提供システム（阿波ナビ）　　http://www.awanavi.jp/
フォトギャラリー　徳島写真集
観光統計　徳島県観光調査報告書
(財)徳島県観光協会　〒770-8055　徳島市山城町東浜傍示1　☎088-652-8787
徳島県立図書館　〒770-8070　徳島市八万町向寺山文化の森総合公園　☎088-668-3500
徳島県立博物館　〒770-8070　徳島市八万町向寺山文化の森総合公園　☎088-668-3636
徳島県立近代美術館　〒770-8070　徳島市八万町向寺山文化の森総合公園　☎088-668-1088
阿波おどり会館　〒770-0904　徳島市新町橋二丁目20　☎088-611-1611
とくしま動物園　〒771-4267　徳島市渋野町入道22-1　☎088-636-3215
日和佐うみがめ博物館カレッタ　〒779-2304　海部郡美波町大浜海岸　☎0884-77-1110
とくしま藍あいプラザ　〒105-0001　東京都港区虎ノ門1-22-1徳島県虎ノ門ビル2F　☎03-3502-6910

シンクタンクせとうち総合研究機構　発行

誇れる郷土ガイド-全国47都道府県の観光データ編- 37香川県　　かがやくけん、かがわけん。

# 香川県 〈讃　岐〉 Kagawa Prefecture

| 面積 | 1,876.51km$^2$ |
|---|---|
| 人口 | 100.1万人（2009年11月現在） |
| 県庁所在地 | 高松市（人口　41.9万人）（2009年11月現在） |

構成市町村数　17（8市9町）（2009年12月1日現在）
県外観光客入込客数　814.4万人（2008年）
　宿泊客　140.8万人
　観光消費額　932億円

**県名の由来：**
毛川、香り立つ川など諸説がある。

- 県の花：オリーブ
- 県の木：オリーブ
- 県の鳥：ホトトギス
- 県の魚：ハマチ
- 県の獣：シカ
- 県の歌：香川県民歌

### 県章

香川県の「カ」をデザインし、県花のオリーブの葉を表現。恵まれた風土に育まれ、向上発展する県の姿を象徴。

### シンボル
- 瀬戸大橋
- 讃岐うどん
- 讃岐富士（飯野山）
- 栗林公園

### 世界遺産
—

### 暫定リスト記載物件
—

### ポテンシャル・サイト
- 四国八十八箇所霊場と遍路道

### 世界無形文化遺産

### ポテンシャル・サイト
- 綾子踊

**県外観光客入込数の推移**

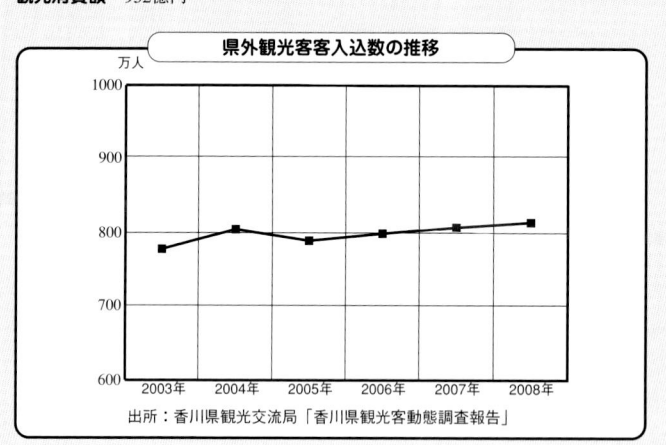

出所：香川県観光交流局「香川県観光客動態調査報告」

オリーブの花

オリーブ

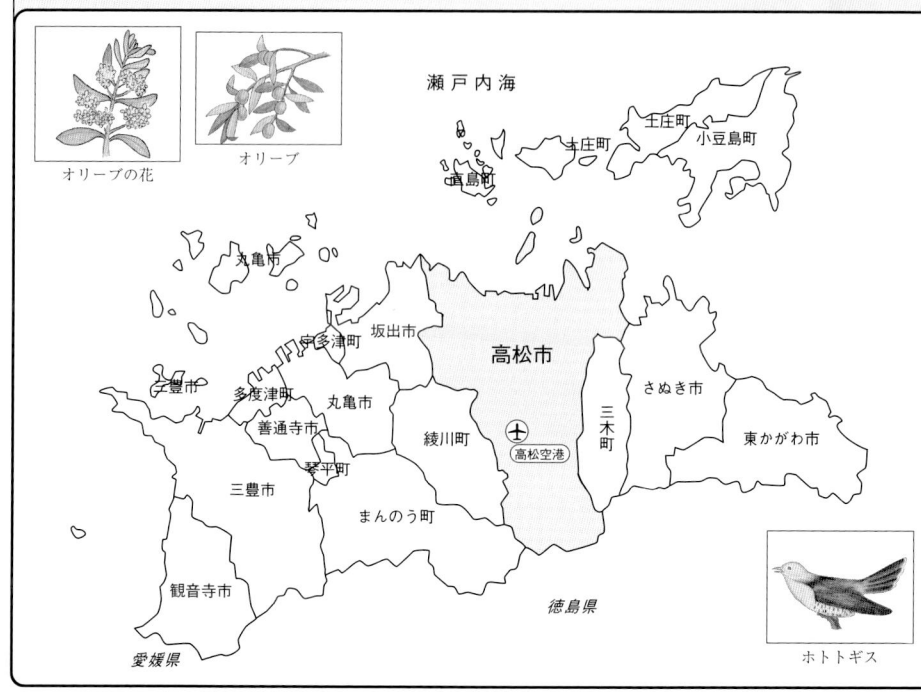

瀬戸内海

土庄町
土庄町
小豆島町
直島町

丸亀市
宇多津町
坂出市
高松市
さぬき市
三木町
東かがわ市
観音寺市
三豊市
善通寺市
多度津町
丸亀市
綾川町
高松空港
琴平町
まんのう町

愛媛県
徳島県

ホトトギス

シンクタンクせとうち総合研究機構　発行

## 37香川県 誇れる郷土ガイド－全国47都道府県の観光データ編－

### 自然環境

**山岳高原** 大滝山、竜王山、雨滝山、飯野山 **峠** 大坂峠、猪ノ鼻峠 **熔岩台地** 屋島、五色台（黄峰、黒峰、青峰、白峰、赤峰） **河川** 綾川、津田川、土器川、香東川 **湖沼池** 内場池、満濃池、逆瀬池 **湿地** 香川県低地の水田、ため池などの湿地、豊島ため池群、満濃池周辺のため池群 **渓谷滝** 寒霞渓、銚子渓、柏原渓谷 **海湾岬** 馬ヶ鼻、大串岬、大角鼻、釈迦ヶ鼻、大崎ノ鼻、津田の松原、津田湾、志度湾、有明海岸、播磨灘、瀬戸内海 **島** 高松島、小豊島、豊島、沖之島、本島、屏風島、向島、大島、男木島、女木島、櫃石島、岩黒島、与島、小与島、本島、牛島、広島、手島、小手島、佐柳島、高見島、粟島、志々島、伊吹島
**温泉** 塩江温泉、五郷渓温泉、庵治温泉など
**動物** オオルリ、サンコウチョウ、シジュウカラ、ムササビ、ミソサザイ
**植物** オリーブ、サクラ、フジ、ツツジ、ショウブ、孔雀藤、ハギ、イタヤカエデ

### 文化財

**国の特別史跡** 讃岐国分寺跡 **国の史跡** 塩飽勤番所跡、屋島、快天山古墳、丸亀城跡、喜兵衛島製塩遺跡、高松城跡、讃岐国分尼寺跡、久米山、宗吉瓦窯跡、石清尾山古墳群、大坂城石垣石切丁場跡、中寺廃寺跡、天霧城跡、二ノ宮窯跡、富田茶臼山古墳、府中・山内瓦窯跡、有岡古墳群
**国宝（建造物）** 神谷神社本殿、本山寺本堂
**国の重要文化財（建造物）** 旧善通寺偕行社、高松城、屋島寺本堂、小比賀家住宅、旧下木家住宅、旧河野家住宅、丸亀城、丸亀城天守、白峯寺十三重塔、観音寺金堂、旧恵利家住宅、志度寺、尾尾寺経幢、細川家住宅、明王寺釈迦堂、国分寺本堂、旧金毘羅大芝居、金刀比羅宮奥書院、金刀比羅宮旭社、金刀比羅宮表書院及び四脚門、本山寺二王門、覚城院鐘楼、常徳寺円通殿、豊稔池堰堤
**国の重要伝統的建造物群保存地区** 丸亀市塩飽本島町笠島

### 国立公園・国定公園

瀬戸内海国立公園

### 県内観光地区

●高松 ●東讃 ●小豆島 ●中讃 ●西讃

### 県内広域観光

●四国遍路八十八か所（23か所） ●さぬきめぐり ●小豆島めぐり ●瀬戸大橋広域観光

### 県内主要観光地（域）

●琴平 ●小豆島 ●屋島 ●栗林公園 ●金比羅宮 ●瀬戸大橋

### 県内おすすめポイント

●さぬきこどもの国 ●香川県立東山魁夷せとうち美術館 ●丸亀市猪熊弦一郎現代美術館
●香川県立ミュージアム

### ふるさと検定（主催者）

四国観光検定（四国観光検定運営事務局）
小豆島オリーブマイスター検定（小豆島オリーブ百年祭）

### トピックス

●ふるさと納税制度 ガンバレさぬき応援寄付（さぬきうどん用の小麦「さぬきの夢2000」の作付け面積拡大、瀬戸内国際芸術祭など）
●2008年、日本のオリーブ発祥の地、小豆島は、オリーブ植栽100周年を迎えた。
●2010年瀬戸内国際芸術祭（2010年7月19日～10月31日）於：瀬戸内海の7つの島（直島、豊島、女木島、男木島、小豆島、大島、犬島）＋高松

### 香川県行政データ

| | | |
|---|---|---|
| 県庁所在地 | 〒760-8570　高松市番町4-1-10 | ☎087-831-1111 |
| 観光交流局観光振興課 | ☎087-832-3361 | |
| 長期総合計画 | 計画名『香川県新世紀基本構想』　目標年次 2010年 | |
| | 基本目標　みどり・うるおい・にぎわいの創造 | |
| 香川県ホームページアドレス | http://www.pref.kagawa.jp/ | |
| マイ・トリップカガワ | http://www.my-kagawa.jp | |
| フォトギャラリー | 香川の観光写真集 | |
| 観光統計 | 香川県観光客動態調査報告 | |
| ㈱香川県観光協会 | 〒760-8570　高松市番町4-1-10 | ☎087-832-3360 |
| 香川県立図書館 | 〒761-0301　高松市林町2217-19　香川インテリジェントパーク内 | ☎087-868-0567 |
| 香川県立歴史博物館 | 〒760-0030　高松市玉藻町5-5 | ☎087-822-0002 |
| 香川・愛媛せとうち旬彩館 | 〒105-0004　東京都港区新橋2-19-10新橋マリンビル | ☎03-3574-7792 |
| ベネッセアートサイト直島 | 〒761-3110　香川郡直島町琴弾地 | ☎087-892-2030 |

シンクタンクせとうち総合研究機構　発行

# 愛媛県 〈伊予〉 Ehime Prefecture

| 面積 | 5,677.55km² |
|---|---|
| 人口 | 143.7万人（2009年11月現在） |
| 県庁所在地 | 松山市（人口　51.6万人）<br>（2009年11月現在） |

県政発足記念日　2月20日
構成市町村数　20（11市9町）（2009年12月1日現在）
観光入込客数　2,413万人（2008年）
　県内客　1,591万人　県外客　822万人
観光消費額　996億円

**県名の由来：**
古事記に伊予を愛比売というとあり、長女、姉の意味。

- 県の花：ミカンの花
- 県の木：マツ
- 県の鳥：コマドリ
- 県の魚：マダイ
- 県の獣：日本カワウソ
- 県の歌：愛媛県の歌

### 県章

瀬戸内海の恩恵と、県民の明るい未来をデザイン。赤は太陽とみかん、緑は石鎚山などの自然、青は海を表わす。

### シンボル
- しまなみ海道
- 道後温泉

### 世界遺産
—

### 暫定リスト記載物件
—

### ポテンシャル・サイト
- 四国八十八箇所霊場と遍路道

### 世界無形文化遺産
—

### ポテンシャル・サイト

## 観光レクレーション客入込数の推移

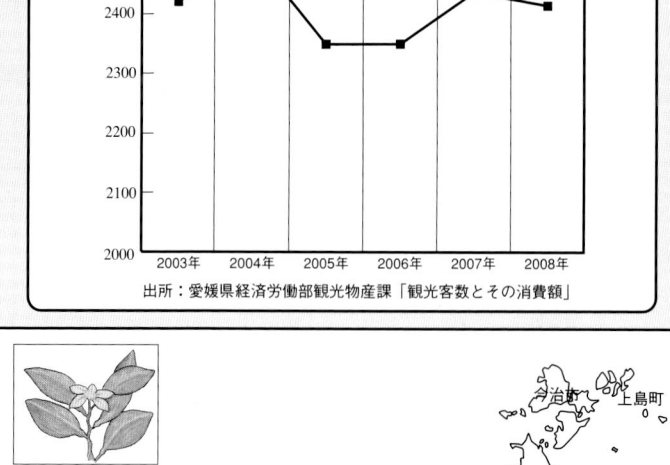

| 年 | 万人 |
|---|---|
| 2003年 | 2420 |
| 2004年 | 2500 |
| 2005年 | 2350 |
| 2006年 | 2350 |
| 2007年 | 2435 |
| 2008年 | 2415 |

出所：愛媛県経済労働部観光物産課「観光客数とその消費額」

- ミカンの花
- マツ
- コマドリ

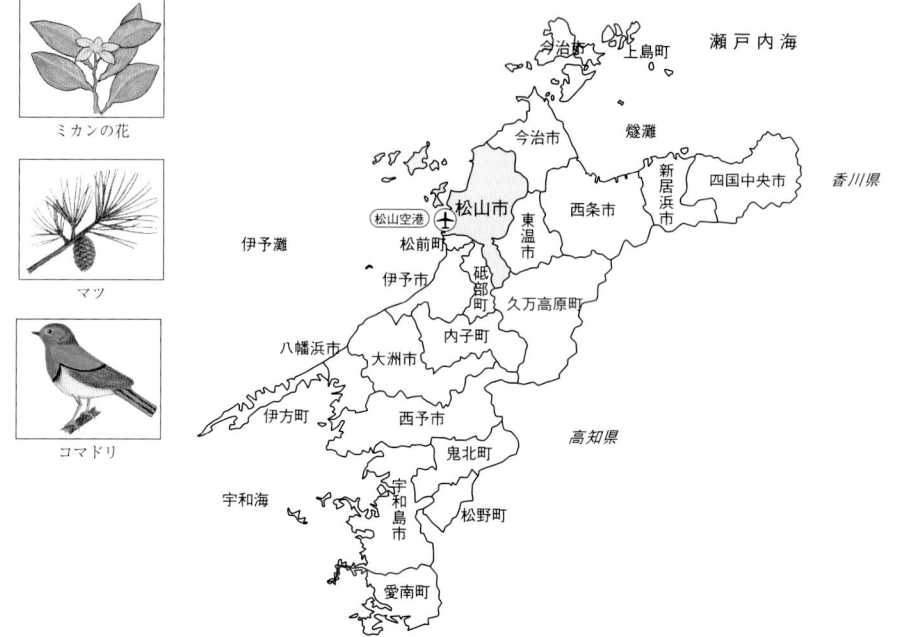

シンクタンクせとうち総合研究機構　発行

# 38愛媛県　誇れる郷土ガイド－全国47都道府県の観光データ編－

## 自然環境

| | |
|---|---|
| 山岳高原 | 石鎚山、八幡山、伊予富士、笠取山、壺神山、笹ヶ峰、東赤石山、東三方ヶ森、高縄山、久万高原、翠波高原、瓶ヶ森、明神山　峠　三坂峠、法華津峠、地芳峠、桧皮峠 |
| 河川 | 肱川、加茂川、重信川、石手川、面河川、仁淀川、別子ライン、八釜甌穴群（河食） |
| 湖沼池 | 鹿野川湖　湿地草原　加茂川河口、黒瀬ダム、皿ヶ嶺湿地、重信川河口、肱川下流域の農業用水系、伊方町地先沿岸、宇和海島嶼部周辺沿岸 |
| 渓谷滝 | 面河渓、滑床渓谷、成川渓谷、富郷渓谷、夫婦滝　洞穴・鍾乳洞　穴神鍾乳洞 |
| 海湾岬 | 佐田岬、由良岬、波止浜、志島ヶ鼻、桜井海岸、須ノ川海岸、御荘湾、宇和島湾、宇和海、伊予灘、燧灘、豊後水道、瀬戸内海　海峡　豊予海峡、来島海峡、釣島海峡　半島　佐田岬半島、高縄半島 |
| 島 | 越智諸島（大三島等）、上島諸島（岩城島等）、来島諸島、関前諸島、魚島諸島、宇和諸島 |
| 温泉 | 道後温泉、奥道後温泉、湯ノ浦温泉、鈍川温泉、鹿島鉱泉温泉、別子温泉など |
| 動物 | コマドリ、クマタカ、ミソサザイ、シジュウカラ、ヒガラ |
| 植物 | サクラ、ツツジ、ハマユウ、フジ、キンモクセイ |

## 文化財

| | |
|---|---|
| 国宝（建造物） | 太山寺本堂、大宝寺本堂、石手寺二王門 |
| 国の重要文化財（建造物） | 石手寺本堂、石手寺三重塔、石手寺鐘楼、石手寺五輪塔、石手寺訶梨帝母天堂、石手寺護摩堂、松山城、浄土寺本堂、伊佐爾波神社、豊島家住宅、渡部家住宅、太山寺二王門、道後温泉本館、宝篋印塔、野間神社宝篋印塔、乗禅寺石塔、五輪塔、五輪塔、宇和島城天守、大洲城、大洲城三の丸南隅櫓、如法寺仏殿、真鍋家住宅、興隆寺本堂、興隆寺宝篋印塔、宝篋印塔、亀井八幡神社宝篋印塔、定光寺観音堂、祥雲寺観音堂、大山祇神社本殿（宝殿）、大山祇神社拝殿、医王寺本堂内厨子、三島神社本殿、旧山中家住宅、上芳我家住宅、本芳我家住宅、大村家住宅、旧開明学校校舎、善光寺薬師堂、岩屋寺太師堂、旧広瀬家住宅 |
| 国の史跡 | 伊予国分寺塔跡、宇和島城、永納山城跡、河後森城跡、松山城跡、上黒岩岩陰遺跡、湯築城跡、等妙寺旧境内、能島城跡、法安寺跡、久米官がい遺跡群　久米官がい遺跡　来住廃寺跡 |
| 国の重要伝統的建造物群保存地区 | 内子町八日市護国 |
| 国の重要文化的景観 | 遊子水荷浦の段畑（宇和島市） |

## 国立公園・国定公園

瀬戸内海国立公園、足摺宇和海国立公園、石鎚国定公園

## 県内観光地区

- 東予地方西条以東地区　● 四国山脈石鎚面河地区　● 東予今治地方瀬戸内海地区
- 松山地方道後温泉郷地区　● 肱川流域大洲肱川地区　● 南予地方宇和海地区

## 県内広域観光ルート

- 四国遍路八十八か所（26か所）　● 花風街道　● かもめ海道　● アンティーク街道　● 森林街道
- メロディー街道　● 奥伊予街道　● パール海道

## 県内主要観光地（域）

- 道後温泉　● 松山城ロープウェイ　● 伯方・大島大橋　● 県立とべ動物園　● マイントピア別子
- 大三島橋　● 南楽園

## ふるさと検定（主催者）

四国観光検定（四国観光検定運営事務局）、松山観光文化コンシェルジュ検定（松山商工会議所）、宇和島「通」歴史・文化検定（宇和島商工会議所）、タオルソムリエ検定（今治商工会議所）、とっておきの新居浜検定（新居浜商工会議所）、四国鉄道ぽっぽや検定（JR四国）

## トピックス

- 司馬遼太郎の小説「坂の上の雲」を原作としたNHKスペシャルドラマが2009年11月から3年にわたり放映中

## 愛媛県行政データ

| | |
|---|---|
| 県庁所在地 | 〒790-8570　松山市一番町4-4-2　☎089-941-2111 |
| | 経済労働部観光国際局観光物産課　☎089-912-2491 |
| 長期総合計画 | 計画名　『第五次愛媛県長期計画』　目標年次　2010年 |
| | 基本理念　共に創ろう　誇れる愛媛 |
| 愛媛県新観光振興計画 | 基本テーマ　こころ　あたたか　観光愛媛 |
| | 重点施策　高速交通時代のルート形成、重点ゾーンと重点テーマの設定 |
| 愛媛県ホームページアドレス | http://www.pref.ehime.jp |
| 愛媛県観光情報＜いよ観ネット＞ | http://www.pref.ehime.jp/izanai/kankou.html |
| フォトギャラリー | 写真イラスト素材集 |
| 観光統計 | 観光客数とその消費額 |
| 愛媛県立図書館 | 〒790-0007　松山市堀之内　☎089-941-1441 |
| 愛媛県歴史文化博物館 | 〒797-8511　東宇和郡宇和町卯之町4-11-2　☎0894-62-6222 |
| 坂の上の雲ミュージアム | 〒790-0001　松山市一番町3-20　☎089-915-2600 |
| マイントピア別子 | 〒792-0846　新居浜市立川町707-3　☎0897-43-1801 |
| 香川・愛媛せとうち旬彩館 | 〒105-0004　東京都港区新橋2-19-10新橋マリンビル　☎03-3574-7792 |

シンクタンクせとうち総合研究機構　発行

# 高知県 〈土　佐〉 Kochi Prefecture

| | |
|---|---|
| 面積 | 7,105.04km² |
| 人口 | 77.6万人（2009年11月現在） |
| 県庁所在地 | 高知市（人口　34.1万人）（2009年11月現在） |

構成市町村数　34（11市17町6村）（2009年12月1日現在）
観光条例　あったか高知観光条例（2004年8月6日施行）
県外観光客入込数　305万人（2008年）
観光総消費額　777億円（県外観光客）　経済波及効果　1,257億円（県外観光客）

**県名の由来：**
川に挟まれた土地の意味で河中山と名付けたところから。

県の花：ヤマモモ
県の木：ヤナセスギ
県の鳥：ヤイロチョウ
県の魚：カツオ
県の歌：高知県民の歌
県のマスコット：くろしおくん

### 県章
土佐の「とさ」を図案化。白い部分は高知の「コ」を表わす。たてのけん先は、向上を、円は平和、協力を表現。

### シンボル
- 四万十川
- よさこい祭
- 高知城
- 坂本龍馬

### 世界遺産
―

### 暫定リスト記載物件
―

### ポテンシャル・サイト
- 四国八十八箇所霊場と遍路道

### 世界無形文化遺産
―

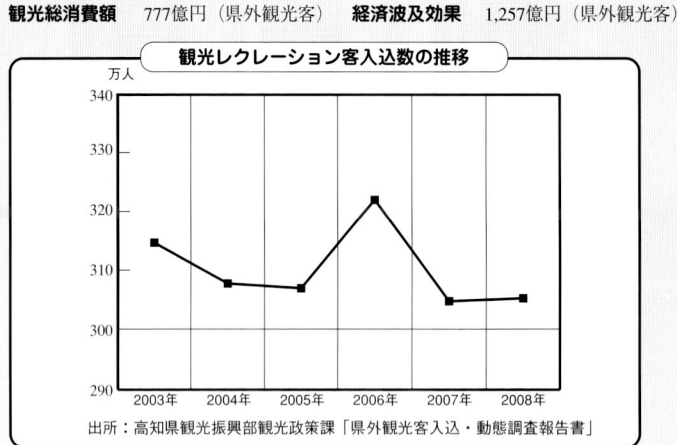

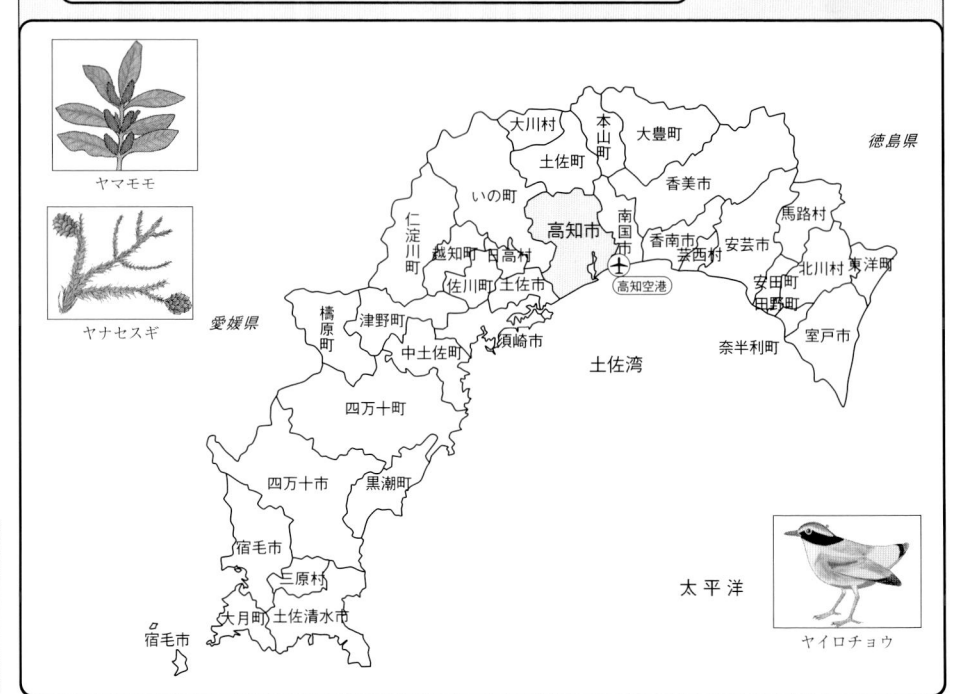

### ポテンシャル・サイト

## 観光レクレーション客入込数の推移

出所：高知県観光振興部観光政策課「県外観光客入込・動態調査報告書」

# 39 高知県　誇れる郷土ガイド－全国47都道府県の観光データ編－

## 自然環境

**山岳高原**　天狗高原、笹ヶ峰、烏帽子ヶ森、鳥杉山、手箱山、雨ヶ森、鶴松森、梶ヶ森、五位ヶ山
**峠**　吹越峠、根曳峠、地芳峠、四ツ足堂峠
**カルスト**　四国カルスト（葉山村、東津野村、檮原町）　**河川**　四万十川、鏡川、西の川、東の川、仁淀川
**湖沼池**　魚梁瀬貯水池　**湿地湿原**　宿毛湾、松山地区のオオイタサンショウウオの生息地、四万十川下流・河口域、中村市トンボ自然公園、土佐清水鵜灘、平碆、見残し周辺沿岸、龍河洞の地下水系、横碆周辺沿岸、浦ノ内湾、室戸岬周辺沿岸、夜須町地先沿岸　**渓谷滝**　安居渓谷、龍王の滝、轟の滝、大樽の滝
**洞穴・鍾乳洞**　龍河洞　**海湾**　桂浜、入野海岸、大堂海岸、土佐湾、浦戸湾、太平洋　**半島**　幡多半島
**岬**　足摺岬、室戸岬、羽根岬、行当岬　**島**　咸陽島、中ノ島、戸島、大島、沖の島、鵜来島、柏島
**温泉**　若宮温泉、横浪温泉、円行寺温泉、猪野沢温泉、蘇鶴温泉、馬路温泉など
**動物**　鯨、トンボ、土佐闘犬、土佐長尾鶏、ミカドアゲハ
**植物**　サクラ、ツツジ、ヤブツバキ、アケボノツツジ、大杉、コスモス

## 文化財

**国宝（建造物）**　豊楽寺薬師堂
**国の重要文化財（建造物）**　金林寺薬師堂、土佐神社本殿・幣殿及び拝殿、土佐神社鼓楼、土佐神社楼門、竹林寺本堂、高知城、朝倉神社本殿、旧関川家住宅、旧山内家下屋敷長屋、国分寺金堂、鳴無神社、不破八幡宮本殿、吉福家住宅、旧立川番所書院、山中家住宅、旧竹内家住宅、安岡家住宅、竹村家住宅
**国の史跡**　岡豊城跡、高知城跡、宿毛貝塚、谷重遠墓、土佐国分寺跡、土佐藩砲台跡、比江廃寺塔跡、龍河洞、不動ガ岩屋洞窟、武市半平太旧宅および墓
**国の重要伝統的建造物群保存地区**　室戸市吉良川町
**国の重要文化的景観**　四万十川流域の文化的景観（高岡郡津野町、高岡郡檮原町、高岡郡中土佐町、高岡郡四万十町、四万十市）

## 国立公園・国定公園

足摺宇和海国立公園、室戸阿南海岸国定公園、剣山国定公園、石鎚国定公園

## 県内観光エリア

●室戸エリア　●安芸エリア　●南国市・高知市エリア　●中西部エリア　●西部エリア

## 県内広域観光ルート

●四国遍路八十八か所（16か所）　●四万十路　●黒潮体感足摺・大堂　●安芸・室戸路　●吉野川源流
●四国カルスト　●黒潮ライン

## 県内主要観光施設

●アンパンマンミュージアム（香美市）　●高知城懐徳館（高知市）　●モネの庭マルモッタン（北川村）
●龍河洞（香美市）　●高知県立のいち動物公園（香南市）

## ふるさと検定（主催者）

四国観光検定（四国観光検定運営事務局）、江戸時代検定（土佐山内家宝物資料館）
坂本龍馬検定（高知県坂本龍馬記念館）

## トピックス

● 2010年NHK大河ドラマ「龍馬伝」
● ふるさと納税制度　こうちふるさと寄付金（こうちの「山」「川」「海」の環境を守り育てる、文化遺産の継承とその保存普及や調査研究活動の推進など）

## 高知県行政データ

県庁所在地　〒780-8570　高知市丸の内1-2-20　☎088-823-1111
観光振興部観光政策課　☎088-823-9606
高知県ホームページアドレス　http://www.pref.kochi.jp/
高知県観光ビジョン　基本方針と取組み
①観光資源の保護・発掘・育成の取組み　②食文化の伝承、食の魅力を生かした取組み　③地域の産業と連携する取組み　④観光施設、観光サービス施設、交通基盤等の整備を促進する取組み　⑤生活環境の美化、景観保全の取組み　⑥観光ボランティア等の育成、確保の取組み　⑦学校教育、社会教育における学習機会の確保の取組み　⑧すべての人にやさしい観光地づくりへの取組み　⑨観光情報の発信、国内外からの誘客を促進する取組み　⑩四国4県の連携を促進する取組み
高知県観光情報　　　　　　　http://www.pref.kochi.jp/kankou/
高知県観光ガイド　よさこいネット　http://www.attaka.or.jp/
フォトギャラリー　土佐観光写真集
観光統計　県外観光客入込調査結果
高知県立図書館　　　　〒780-0850　高知市丸の内1-1-10　　☎088-872-6307
高知県立美術館　　　　〒781-8123　高知市高須353-2　　　　☎088-866-8000
高知県立歴史民俗資料館　〒780-0044　南国市岡豊町八幡1099-1　☎088-862-2211
高知県立坂本龍馬記念館　〒781-0262　高知市浦戸城山830　　☎088-841-0001
（財）四万十財団　　　〒786-0013　高岡郡四万十町琴平町　　☎0880-29-0200
高知屋　　　　　　　　〒180-0004　東京都武蔵野市吉祥寺本町2-25-7　☎0422-23-7450

シンクタンクせとうち総合研究機構　発行

誇れる郷土ガイド－全国47都道府県の観光データ編－　40福岡県

# 福岡県 〈豊前 筑前 筑後〉 Fukuoka Prefecture

| 面積 | 4,976.59km² |
|---|---|
| 人口 | 504.2万人（2009年11月現在） |
| 県庁所在地 | 福岡市（人口　139.4万人）（2009年11月現在） |
| 構成市町村数 | 66（2政令指定都市26市34町 4村）（2009年12月1日現在） |
| 観光入込客数 | 9,924万人（2007年） |
|  | 県内客　6,860万人　県外客　3,065万人 |
|  | 日帰客　9,052万人　宿泊客　　873万人 |
| 観光消費額 | 4,593億円 |

**県名の由来：**
黒田長政が祖先の地、備前邑久郡福岡庄の名をとって名付けた。

- 県の花：ウメ
- 県の木：ツツジ
- 県の鳥：ウグイス
- 県の歌：希望の光

**県章**

福岡県の「フ」、「ク」を県花のウメの花にデザインし、躍進する福岡県の姿を力強く表現したもの。

**シンボル**
● 太宰府

**世界遺産**
—

**暫定リスト記載物件**
● 九州・山口の近代化産業遺産群
● 宗像・沖ノ島と関連遺産群

**ポテンシャル・サイト**
—

**世界無形文化遺産**
—

**ポテンシャル・サイト**
—

### 観光レクレーション客入込数の推移

出所：福岡県商工部国際経済観光課「福岡県観光入込客推計調査」

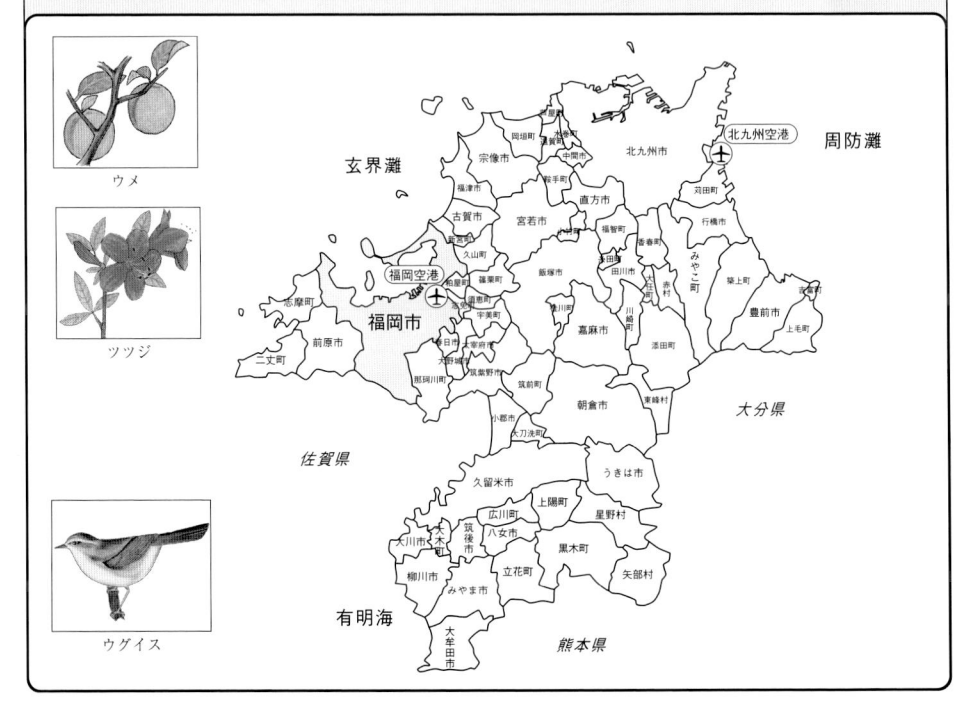

ウメ

ツツジ

ウグイス

玄界灘　周防灘　大分県　佐賀県　有明海　熊本県

北九州空港　福岡空港　福岡市

84　シンクタンクせとうち総合研究機構　発行

# 40 福岡県 誇れる郷土ガイド－全国47都道府県の観光データ編－

## 福岡県

### 自然環境

**山岳高原** 釈迦岳、御前岳、英彦山、三郡山、宝満山、犬ヶ岳、求菩提山、背振山、雷山、可也山　**峠** 冷水峠、三瀬峠、竹原峠、小栗峠　**台地** 平尾台＜カルスト＞　**河川** 筑後川、遠賀川、矢部川、山国川、今川、彦山川、那珂川　**湿地湿原** 今津・博多湾、お糸池、曽根干潟、筑前大島・地ノ島周辺沿岸、長井浜～西角田漁港周辺干潟、千鳥が池、福岡湾（和白干潟・今津干潟）、田主丸町の農業用水系、筑紫平野の河川・水路など、有明海　**渓谷滝** 上野峡、筑紫耶馬渓、篠栗耶馬渓、十津川渓谷、深倉峡、龍門峡、白糸の滝、千寿院の滝、安宅の滝、日向神峡、蛇淵の滝　**洞穴・鍾乳洞** 千仏洞、牡鹿洞、目白洞、岩屋鍾乳洞　**海湾岬** 恋の浦、二見ヶ浦、芥屋大門、幣の松原、海の中道、三里松原、豊前海岸、姉子の浜、博多湾、有明海、瀬戸内海、日本海　**海峡** 関門海峡　**島** 能古島、志賀島、相島、玄海島、大島、烏帽子島、沖ノ島　**温泉** 博多温泉、脇田温泉、船小屋温泉、新船小屋温泉、筑後川温泉、原鶴温泉など　**動物** カッコウ、キジ、フクロウ、ホオジロ、マガモ、ヒバリ、シギ、ノウサギ　**植物** ウメ、ボタン、フジ、臥竜梅、はまゆう

### 文化財

**国の特別史跡** 王塚古墳、水城跡、大宰府跡、大野城跡　**国の史跡** 宗像神社境内、屋形古墳群、釜塚古墳、観世音寺境内および子院跡、金隈遺跡、浦山古墳、下馬場古墳、古月横穴、御所山古墳、五郎山古墳、高山彦九郎墓、国分瓦窯跡、高良山神籠石、女山神籠石、元寇防塁、今宿古墳群、桜京古墳、新町支石墓群、志登支石墓群、石神山古墳、石塚山古墳、聖福寺境内、須玖岡本遺跡、曽根遺跡群、相島積石塚群、太宰府学校院跡、大分廃寺跡、津屋崎古墳群、銚子塚古墳、八女古墳群、福岡城跡、野方遺跡、雷山神籠石 など
**国の重要文化財（建造物）** 宗像神社辺津宮本殿、宗像神社辺津宮拝殿、英彦山神社奉幣殿、英彦山神社銅鳥居、門司港駅（旧門司駅）本屋、旧門司三井倶楽部、旧伊藤家住宅、香椎宮本殿、筥崎宮本殿、筥崎宮本殿、筥崎宮拝殿、筥崎宮鳥居、住吉神社本殿、日本生命保険株式会社九州支店、旧福岡県公会堂貴賓館、福岡城南丸多聞櫓、早鐘眼鏡橋、三井石炭鉱業株式会社三池炭鉱宮原坑施設、高良大社、善導寺、旧吉原家住宅、風浪神社本殿、風浪神社五重塔、七重塔、太宰府天満宮本殿、太宰府天満宮末社志賀社本殿、横大路家住宅、普門院本堂、岩屋神社、平川家住宅、松延家住宅、中島家住宅、旧数山家住宅、永沼家住宅、旧筑後川橋梁（筑後川昇開橋）、多宝千仏石幢、南河内楠
**国の重要伝統的建造物群保存地区** うきは市筑後吉井、朝倉市秋月、八女市八女福島

### 国立公園・国定公園

瀬戸内海国立公園、玄海国定公園、北九州国定公園、耶馬日田英彦山国定公園

### 県内観光地区

●福岡地区　●筑後地区　●筑豊地区　●北九州地区

### 県内広域観光ルート

●古代史の謎を探る歴史探訪コース　●光と風の海峡 古墳を探るいにしえコース
●土と炎を訪ねるクラフトコース　●詩情ただよう川下りくつろぎの温泉郷コース

### 県内主要観光地（域）

●ホークスタウン（福岡市）　●キャナルシティ博多（福岡市）　●博多リバレイン（福岡市）
●マリノアシティピアウォーク（福岡市）　●ベイサイドプレイス博多埠頭（福岡市）
●スペースワールド地区（北九州市）　●門司港レトロ地区（北九州市）

### ふるさと検定（主催者）

九州観光マスター検定試験（福岡商工会議所）、博多っ子検定（日本文化普及交流機構）
久留米ほとめき人検定（久留米観光コンベンション国際交流協会）、伊都検定（NPO法人環境創造舎ほか）

### 福岡県行政データ

| | | |
|---|---|---|
| 県庁所在地 | 〒812-8577　福岡市博多区東公園7-7　☎092-651-1111 | |
| 商工部国際経済観光課 | ☎092-643-3429 | |
| 長期総合計画 | 計画名　『ふくおか新世紀計画』　目標年次　2009年度 | |
| | 基本目標　「躍動する県づくり」（新しいふくおかのダイナミズム） | |
| | 6つの施策の柱 | |
| | 「いきいきと暮らせる安全・安心な社会づくり」「多様性と創造力に富んだ力強い産業づくり」 | |
| | 「活気あふれるアジアの交流拠点ふくおかづくり」「未来を担う多様な人・豊かな文化づくり」 | |
| | 「快適で潤いのある循環型社会づくり」「地方分権新時代を担う行財政システムづくり」 | |
| 福岡県ホームページアドレス | | http://www.pref.fukuoka.lg.jp/ |
| 福岡県観光情報　クロスロードふくおか | | http://www.crossroad-fukuoka.jp/ |
| フォトギャラリー | 画像ライブラリ | |
| 観光統計 | 福岡県観光入込客推計調査 | |
| 九州国立博物館 | 〒818-0118　太宰府市石坂4-7-2 | ☎050-5542-8600 |
| 九州歴史資料館 | 〒818-0118　太宰府市石坂4-7-1 | ☎092-923-0404 |
| 福岡県立図書館 | 〒812-0053　福岡市東区箱崎1-41-12 | ☎092-641-1123 |
| 福岡県立美術館 | 〒810-0001　福岡市中央区天神5-2-1 | ☎092-715-3551 |
| 福岡市博物館 | 〒814-0001　福岡市早良区百道浜3-1-1 | ☎092-845-5011 |
| ホテルふくおか会館 | 〒102-0083　東京都千代田区麹町1-12 | ☎03-3265-3171 |

シンクタンクせとうち総合研究機構　発行

誇れる郷土ガイド－全国47都道府県の観光データ編－ 41佐賀県

# 佐賀県 〈肥　前〉Saga Prefecture

**面積** 2,439.58km²
**人口** 85.3万人（2009年11月現在）
**県庁所在地** 佐賀市（人口 23.8万人）
　　　　　　　（2009年11月現在）

**構成市町村数** 20（10市10町）（2009年12月1日現在）
**観光入込客数** 3,082万人（2008年）
　日帰客　2,847万人　宿泊客　235万人
**観光消費額** 973億円

### 県名の由来：
洲処の転化、険、嵯峨などの諸説がある。

**県の花**：クスの花
**県の木**：クスノキ
**県の鳥**：カササギ
**県の歌**：佐賀県民の歌
**さが・ふるさとの歌**：栄の国から
**準県歌**：風はみらい色

### 県章
円形は協和を意味し、1つの力より3つの力で「三カ（さか）」える姿と「三カ（さが）」を表現する。

### シンボル
- 吉野ヶ里遺跡
- 有明海
- むつごろう
- 有田焼

### 世界遺産
—

### 暫定リスト記載物件
- 九州・山口の近代化産業遺産群

ポテンシャル・サイト

### 世界無形文化遺産
—

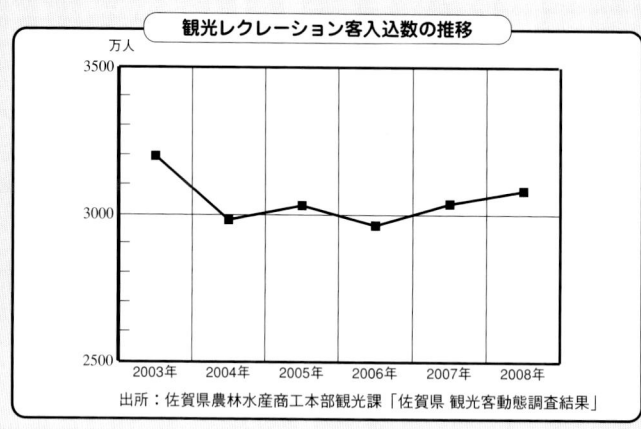

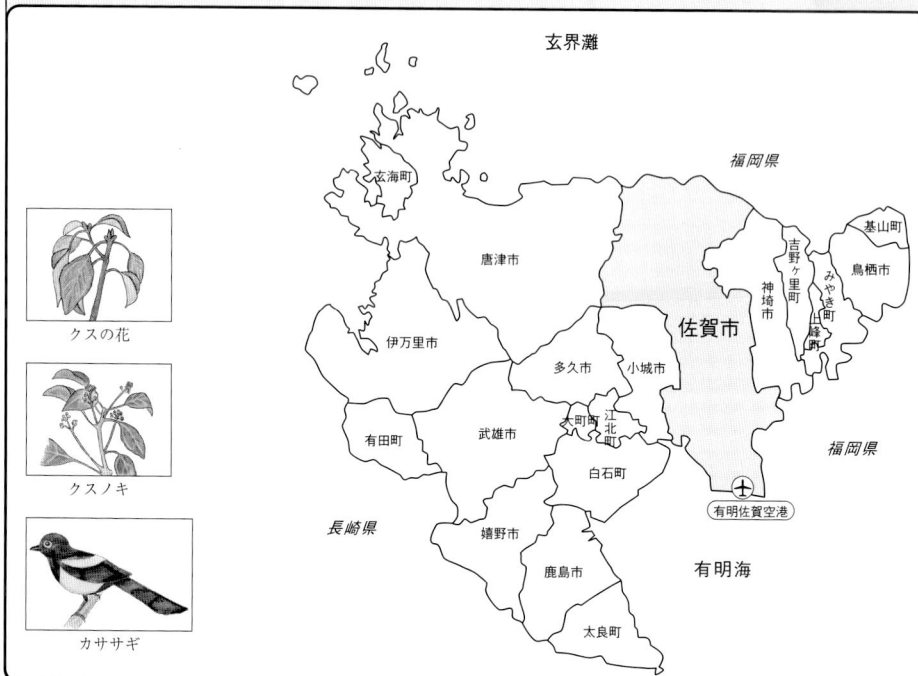

ポテンシャル・サイト

観光レクレーション客入込数の推移（万人）

| 年 | 2003 | 2004 | 2005 | 2006 | 2007 | 2008 |
|---|---|---|---|---|---|---|

出所：佐賀県農林水産商工本部観光課「佐賀県 観光客動態調査結果」

クスの花
クスノキ
カササギ

シンクタンクせとうち総合研究機構　発行

# 41 佐賀県　誇れる郷土ガイドー全国47都道府県の観光データ編ー

## 自然環境

**山岳高原**　背振山、黒髪山、天山、八幡岳、大野原高原　**峠**　三瀬峠、小栗峠
**河川**　筑後川、松浦川、嘉瀬川、六角川、塩田川　**湖沼池**　北山湖
**湿地湿原**　樫原湿原、有明海、筑紫平野の河川・水路など、星賀塩生湿地、イロハ島一帯、伊万里湾、東松浦半島北部（小川島、神集島を含む）沿岸　**渓谷滝**　川上峡、雄淵雌淵渓谷、竜門峡、清水の滝、見帰りの滝、観音の滝、御手洗の滝、男滝、轟の滝　**海湾岬**　有明海、玄界灘、唐津湾、伊万里湾、波戸岬、虹の松原、杉の原、七ツ釜、久多良海岸、日本海　**半島**　東松浦、北松浦　**島**　神集島、高島、加部島、小川島、加唐島、松島、馬渡島、向島、いろは島
**温泉**　嬉野温泉、武雄温泉、玄海温泉、野田温泉、玄海温泉、川上峡温泉、佐里温泉など
**動物**　ムツゴロウ、カササギ（カチガラス）、カブトガニ、エツ、ヤマノカミ、アカショウビン、サンコウチョウ、源氏ボタル
**植物**　ボタン、藤、花菖蒲、ツツジ、アジサイ、シャクナゲ、シチメンソウ、コスモス

## 文化財

**国の特別史跡**　吉野ヶ里遺跡、名護屋城跡並陣跡
**国の史跡**　安永田遺跡、柿右衛門窯跡、横田下古墳、菜畑遺跡、西隈古墳、多久聖廟、大隈重信旧宅など
**国の重要文化財（建造物）**　佐賀城鯱の門及び続櫓、与賀神社楼門、与賀神社三の鳥居及び石橋、旧高取家住宅、多久聖廟、川打家住宅、田嶋神社本殿、山口家住宅、吉村家住宅、土井家住宅、西岡家住宅、武雄温泉新館及び楼門
**国の重要伝統的建造物群保存地区**　嬉野市塩田津、鹿島市浜庄津町浜金屋町、鹿島市浜中町八本木宿、有田町有田内山　**国の重要文化的景観**　蕨野の棚田（唐津市）

## 国立公園・国定公園

玄海国定公園

## 県内観光圏域

● 中部地区　● 東部地区　● 西北部地区　● 南部地区

## 県内広域観光ルート

● 吉野ヶ里遺跡　● 有田・武雄・嬉野　● 玄界灘ドライブコース
● 焼き物を訪ねてセラミックロードを行くコース　● 佐賀市の城下町を訪ねるコース
● 有明海の静かな夕日をながめるコース　● 焼き物と触れてあとは温泉でひと汗流すコース
● 佐賀の味覚を存分に味わうコース　● 日本のルーツを探る歴史ロマンのコース　● さが三大窯元めぐり
● 歴史浪漫の温泉紀行　● さがの味覚満喫の旅
遊覧船　● 七ツ釜遊覧船　● 半潜水型海中展望船

## 県内主要観光市町村

● 佐賀市　● 唐津市　● 鹿島市　● 浜玉町　● 伊万里市　● 有田町　● 嬉野町　● 武雄市　● 呼子町　● 鎮西町

## 佐賀県遺産

● 秘窯の里　● 大川内山　● 江里山の棚田　● 旧久富家住宅　● 旧美野分教場　● 池田家住宅　● 旧中尾家住宅　● 田中酒造合資会社　● 山口亮一旧宅　● 旧唐津銀行本店　● 釘町家住宅　● 野中烏犀圓　● 馬場家住宅　● 旧犬塚家住宅　● 前田家住宅　● 中島酒造場　● 光武酒造場　● 牛津赤れんが館　● 牛津町会館　● 小柳酒造　● 天山酒造　● 日本福音ルーテル小城教会　● 深川家住宅　● 村岡総本舗小城本店・村岡総本舗羊羹資料館　● 仁比山神社の仁王門　● ひのはしら一里塚　● 志田焼の里博物館

## ふるさと検定（主催者）

唐津・呼子イカ検定（佐賀県唐津市）、　シュガーロード検定（佐賀商工会議所）
吉野ヶ里検定（佐賀県神埼市吉野ヶ里町）、佐賀県検定（NBCラジオ佐賀）、小城市民学芸員認定試験（小城市）

## トピックス

● ふるさと納税制度（守り継ぐ新緑と紅葉の色彩美～名勝九年庵の保全～など）
● 九州新幹線西九州ルート（長崎ルート）平成29年度完成見通し

## 佐賀県行政データ

県庁所在地　〒840-8570　佐賀市城内1-1-59　　☎0952-24-2111
農林水産商工本部観光課　☎0952-25-7098
長期総合計画　計画名　『佐賀県総合計画』　　目標年次　2010年度
　　　　　　　基本目標　夢・輝く「人財"有"県生活"悠"県」のさがづくり
佐賀県ホームページアドレス　http://www.pref.saga.lg.jp/
あそぼーさが　　　　　　　　http://www.asobo-saga.jp/
フォトギャラリー　フォトランド
観光統計　佐賀県観光客動態調査
佐賀県立図書館　　　　〒840-0041　佐賀市城内2-1-41　　　　　☎0952-24-2900
佐賀県立博物館　　　　〒840-0041　佐賀市城内1-15-23　　　　☎0952-24-3947
佐賀県立九州陶磁文化館　〒844-0001　西松浦郡有田町中部3100-1　☎0955-43-3681

シンクタンクせとうち総合研究機構　発行

誇れる郷土ガイド−全国47都道府県の観光データ編− 42長崎県

# 長崎県 〈壱岐 対馬 肥前〉 Nagasaki Prefecture

| 面積 | 4,095.55km² |
|---|---|
| 人口 | 143.2万人（2009年11月現在） |
| 県庁所在地 | 長崎市（人口 44.4万人）（2009年11月現在） |

**構成市町村数** 23（13市10町）（2009年12月1日現在）
**観光条例** 長崎県観光振興条例（2006年10月13日施行）
**観光入込客数** 2,824万人（2008年）
　日帰客　1,709万人　宿泊客　1,115万人
**観光消費額** 2,508億円

**県名の由来：**
岬が長く突き出た土地を表す。

- 県の花：雲仙ツツジ
- 県の木：ヒノキ・ツバキ
- 県の鳥：オシドリ
- 県の獣：九州シカ
- 県の歌：南の風

**県章**
長崎県の「N」と平和の象徴ハトをデザインし、未来へ力強く前進する県の姿を表現。

**シンボル**
● ハウステンボス

**世界遺産**
—

**暫定リスト記載物件**
● 九州・山口の近代化産業遺産群
● 長崎の教会群とキリスト教関連遺産

**ポテンシャル・サイト**

**世界無形文化遺産**
—

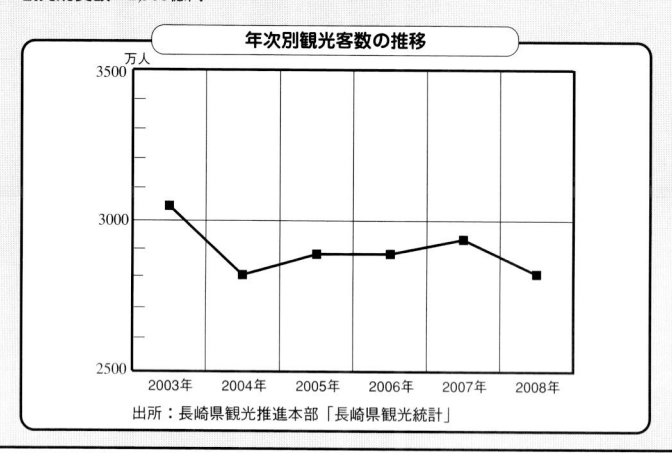

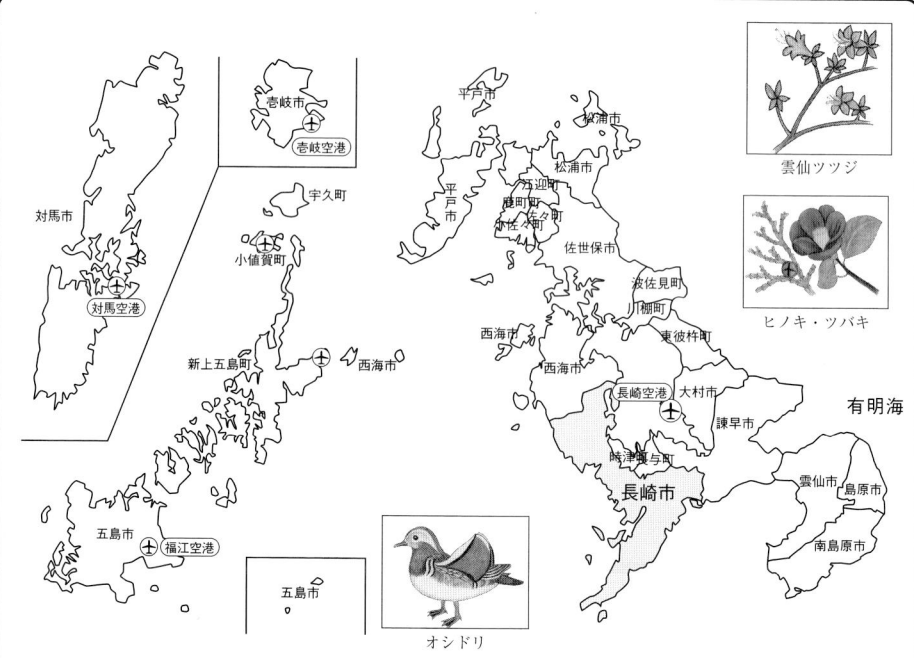

**ポテンシャル・サイト**

年次別観光客数の推移
出所：長崎県観光推進本部「長崎県観光統計」

雲仙ツツジ

ヒノキ・ツバキ

オシドリ

88　　シンクタンクせとうち総合研究機構　発行

# 42 長崎県　誇れる郷土ガイド－全国47都道府県の観光データ編－

## 自然環境

**山岳高原**　経ヶ岳、温泉岳、多良岳、雲仙岳、平成新山（雲仙・普賢岳）、白木峰高原　**峠**　仁田峠、川内峠
**河川**　本明川、浦上川　**湿地湿原**　有明海、志々伎湾、平戸海峡、南九十九島周辺沿岸、壱岐島の河川、壱岐島石影浦、対馬渓流域、対馬・浅芽湾および綱浦、対馬・田ノ浜、七ツ釜鍾乳洞の地下水系、神代川、島原半島南部沿岸、平尾免地先沿岸　渓谷滝　轟の滝、つがね落しの滝、龍王の滝　**洞穴・鍾乳洞**　七ツ釜鍾乳洞
**海湾岬**　千々岩海岸、浅芽湾、大村湾、橘湾、長崎湾、有明海、玄海灘、五島灘、天草灘、東シナ海、黄海、日本海
**半島**　西彼杵半島、北松浦半島、長崎半島
**島**　対馬、五島列島、福江島、中通島、平戸島、端島、阿値賀島、壱岐、出島（人工島）、九十九島、伊王島
**温泉**　雲仙温泉、小浜温泉、島原温泉、田の浦温泉、千里ヶ浜温泉など
**動物**　ツシマヤマネコ、ツシマジカ、ツシマサンショウウオ
**植物**　桜、つつじ、スイセン、ハナショウブ、ミヤマキリシマ、シロドウダン、ハマユウ

## 文化財

**国の特別史跡**　金田城跡、原の辻遺跡
**国の史跡**　出島和蘭商館跡、シーボルト宅跡、小菅修船場跡、ホゲット石鍋製作遺跡、原城跡、日野江城跡など
**国宝（建造物）**　大浦天主堂、崇福寺大雄宝殿、崇福寺第一峰門
**国の重要文化財（建造物）**　青砂ヶ浦天主堂、頭ヶ島天主堂、興福寺本堂（大雄宝殿）、眼鏡橋、旧羅典神学校、旧唐人屋敷門、旧グラバー住宅、旧日本銀行住宅、旧オルト住宅、旧長崎英国領事館、旧長崎税関下り松派出所、旧香港上海銀行長崎支店、東山手十二番館、黒島天主堂、江上天主堂、旧五輪教会堂、幸橋、主藤家住宅、旧出津救助院、旧鍋島家住宅、大野教会堂、田平天主堂
**国の重要伝統的建造物群保存地区**　雲仙市神代小路、長崎市東山手、長崎市南山手、平戸市大島村神浦

## 国立公園・国定公園

雲仙天草国立公園、西海国立公園、壱岐対馬国定公園、玄海国定公園

## 県内観光ブロック

- 長崎市・長崎半島ブロック　●佐世保市　●平戸市　●島原半島ブロック　●五島列島ブロック
- 壱岐ブロック　●対馬ブロック　●西彼杵郡ブロック　●諫早市・大村市・東彼杵・北高来郡ブロック
- 松浦市・北松浦郡ブロック

## 県内広域観光ルート

- 異国情緒にふれる（温泉と異国情緒、オランダ街道ロマン、南山手めぐり、南山手から平和公園まで市内電車で移動、鎖国の窓をしのぶ、長崎港と南山手洋館群、ぶらり長崎・洋館とお寺を求めて）
- 史跡を訪ねる（長崎街道ロマン、遣唐使大陸への出発、城と城下町（中世から近世まで）、元寇・松浦水軍・夢のあと、"幻のキリシタン王国"をゆく（南蛮文化のふるさと）、島原の乱殉教哀史、古代への誘い・まほろしの邪馬台国、古城にたたずみ、しまばら半島伝説行脚、島原半島文学散歩、北村西望芸術の足跡、島原半島一周サイクリング、ルイス・フロイスの道（歴史と史跡探訪ゾーン）
- 教会を巡る（キリシタン殉教「沈黙」の旅、長崎駅周辺から中島川周辺の散歩、西海レクイエム）
- 中国文化を辿る（朱寺と唐文化）　●平和と原爆を考える（南山手から平和公園まで市内電車で移動）
- 橋を眺める（長崎県・石橋めぐり、中島川石橋群と寺町めぐり）

## 県内主要観光地

- ハウステンボス　●グラバー園　●長崎原爆資料館　●西海パールシーリゾート　●島原城

## ふるさと検定（主催者）

長崎歴史文化観光検定（長崎商工会議所）、佐世保検定（長崎県佐世保市）

## トピックス

- 2020年夏期オリンピックを広島市と共に招致
- 「島原半島」（世界地質遺産「ジオ・パーク」）
- ふるさと納税（長崎の教会群を世界遺産にするための取組み、しまや半島の癒し溢れる自然景観の保全や地域振興の支援、郷土の歴史・文化資源の発掘活用を芸術文化を活かしたまちづくりの推進など）

## 長崎県行政データ

**県庁所在地**　〒850-8570　長崎市江戸町2-13　☎095-824-1111
**観光振興推進本部**　☎095-822-9690
**長崎県地域振興部観光課**　〒850-0057　長崎県長崎市大黒町3-1 交通産業ビル2F　☎095-822-9690
**長期総合計画**　計画名『長崎県長期総合計画』　目標年次　2010年度
　　　　　　　　基本理念　"豊かな地域力を活かし、自立・共生する長崎づくり"
**長崎県観光振興基本計画**　新しいNAGASAKIが、はじまる。
**長崎県ホームページアドレス**　http://www.pref.nagasaki.jp/
**長崎観光ポータルサイト　ながさき旅ネット**　http://www.nagasaki-tabineto.com/
**フォトギャラリー**　長崎写真館
**観光統計**　長崎県観光統計
**長崎県観光物産センター**　〒102-0093　東京都千代田区平河町2-6-3都道府県会館14F　☎03-5212-9176

長崎県

# 熊本県 〈肥後〉 Kumamoto Prefecture

| | |
|---|---|
| 面積 | 7,405.69km² |
| 人口 | 182.2万人（2008年11月現在） |
| 県庁所在地 | 熊本市（人口 68.0万人）（2008年11月現在） |

**県名の由来：** 隈本を加藤清正が熊本に改称。

- 県の花：リンドウ
- 県の木：クスノキ
- 県の鳥：ヒバリ
- 県の魚：クルマエビ

### 県章
熊本県の「ク」を図案化し、九州をかたどったもので、中央の白い円は熊本を表わす。伸びゆく県勢を表現。

- 構成市町村数　47（14市25町8村）（2009年12月1日現在）
- 観光条例　ようこそくまもと観光立県条例（2008年12月22日施行）
- 観光入込客数　5,812万人（2008年）
  - 日帰客　5,131万人　宿泊客　680万人
- 観光消費額　2,694億円

### 総観光客数の推移

出所：熊本県商工観光労働部（観光経済交流局）観光交流国際課「熊本県観光統計表」

### シンボル
- 阿蘇山
- 熊本城
- 天草

### 世界遺産
—

### 暫定リスト記載物件
- 九州・山口の近代化産業遺産群

### ポテンシャル・サイト
- 阿蘇―火山との共生とその文化的景観―
- 阿蘇山

### 世界無形文化遺産
—

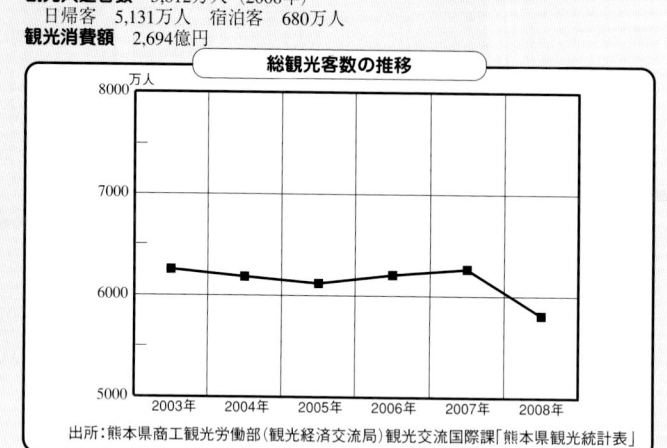

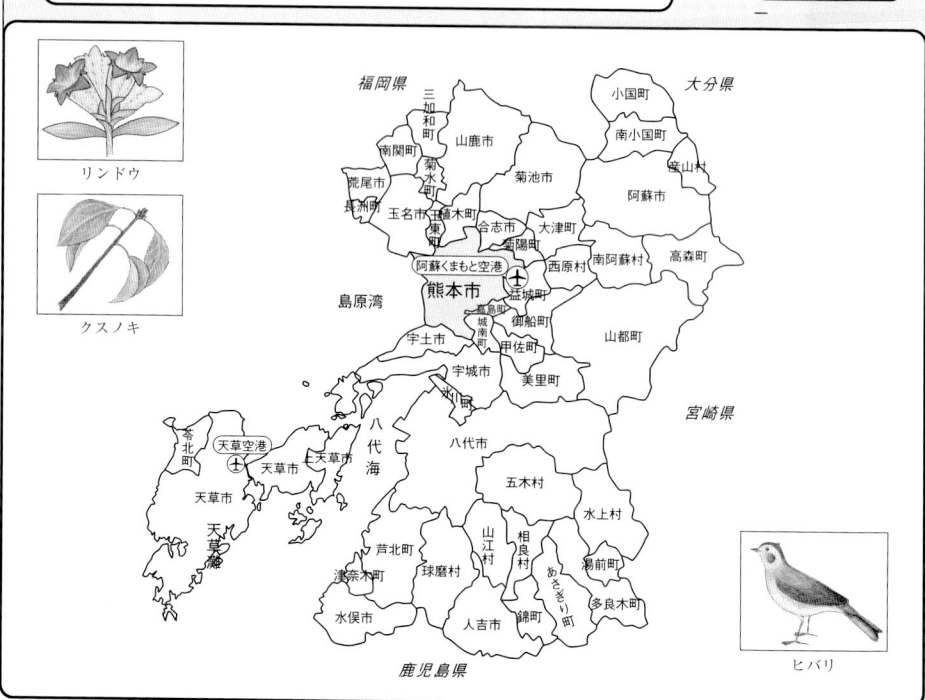

### ポテンシャル・サイト

90

## 自然環境

**山岳高原** 阿蘇山、市房山、白髪岳、草千里、大観峰、瀬の本高原　**峠** 二重峠、久七峠、小栗峠、高森峠、日ノ尾峠、湯山峠　**河川** 筑後川、球磨川、緑川、白川、菊池川　**湖沼池** 江津湖　**湿地湿原** 有明海、志津川、江津湖・上江津湖水系、菊池川・白川・緑川河口、不知火干潟周辺、球磨川河口、天草・大矢野島周辺沿岸、天草灘通詞島周辺沿岸、苓北町富岡地先沿岸、天草牛深(片島、大島、桑島)周辺沿岸　**渓谷滝** 菊池渓谷、岳間渓谷、マゼノ渓谷、蘇陽峡、万江渓谷、せんだん轟の滝、五老ヶ滝　**洞穴・鍾乳洞** 球泉洞
**海湾岬** 天草灘、八代海、湯の児海岸、妙見浦、有明海
**半島** 宇土天草　**島** 天草下島、天草上島、天草松島、竜仙島(片島)
**温泉** 阿蘇内牧温泉、杖立温泉、日奈久温泉、栃木温泉、山鹿温泉、不知火温泉、火の鳥温泉など
**動物** 牛、オオウナギ、ムツゴロウ、トビハゼ
**植物** 梅、しゃくやく、はなしょうぶ、さざんか、あさがお、きく、つばき、つつじ、ヒゴタイ

## 文化財

**国の特別史跡** 熊本城跡　**国の史跡** 宇土城跡、岩原古墳群、熊本藩主細川家墓所、堅志田城跡、隈部氏館跡、永安寺東古墳・永安寺西古墳、水前寺成趣園、石貫ナギノ横穴群、石貫穴観音横穴、小田良古墳、大村横穴群、野津古墳群、豊前街道、富岡吉利支丹供養塔、田中城跡、二子山石器製作遺跡、弁慶ヶ穴古墳　など
**国宝(建造物)** 青井阿蘇神社
**国の重要文化財(建造物)** 熊本城、細川家舟屋形、旧第五高等中学校、熊本大学工学部(旧熊本高等工業学校)旧機械実験工場、十三重塔、老神社、三井三池鉱業株式会社三池鉱旧万田坑施設、祇園橋、八千代座、六殿神社楼門、霊台橋、旧境家住宅、通潤橋、桑原家住宅、青蓮寺阿弥陀堂、太田家住宅、明導寺阿弥陀堂、明導寺九重石塔、明導寺七重石塔、生善院観音堂、十島菅原神社、山田大王神社、阿蘇神社、岩屋熊野座神社、旧郡築新地甲号樋門、江藤家住宅、三角旧港(三角西港)施設、八勝寺阿弥陀堂
**国の重要文化的景観** 通潤用水と白糸台地の棚田景観(上益城郡山都町)

## 国立公園・国定公園

阿蘇くじゅう国立公園、雲仙天草国立公園、耶馬日田英彦山国定公園、九州中央山地国定公園

## 県内観光圏域

●阿蘇　●天草　●荒尾・玉名　●宇土・益城　●菊池・山鹿　●熊本　●人吉・球磨　●八代・芦北・水俣

## 県内主要観光地域

●阿蘇地域　●玉名・荒尾地域　●菊池地域　●天草地域　●山鹿・鹿本地域　●宇城地域
●熊本市圏　●人吉・球磨地域　●小国郷地域　●水俣・芦北地域　●八代地域　●五木・五家荘地域

## 県内観光スポット

●熊本城　●阿蘇山　●菊池渓谷　●通潤橋　●五木・五家荘　●遊覧船　球磨川下り　●球泉洞　●松浜軒
●不知火海　●天草諸島　●佐敷城　●青井阿蘇神社　●田原坂

## ふるさと検定(主催者)

熊本観光・文化検定(熊本商工会議所)、阿蘇まるごと検定(阿蘇まるごと検定事務局)、
くまもと「水」検定(熊本市環境保全局環境保全部)、人吉球磨検定(人吉商工会議所)

## トピックス

●阿蘇くじゅう観光圏整備計画(熊本県阿蘇市・南小国町・小国町・産山村・高森町・西原村・南阿蘇村・山都町、大分県竹田市)

## 熊本県行政データ

**県庁所在地**　〒862-8570　熊本市水前寺6-18-1　☎096-383-1111
商工観光労働部観光経済交流局観光交流国際課　☎096-333-2335
**長期総合計画**　計画名　『熊本県総合計画　パートナーシップ21くまもと』　目標年次　2010年
　　　　　　　　基本目標　「創造にあふれ、"生命が脈うつ"くまもと」
**ようこそくまもと観光立県推進計画**
　　①歴史と文化の薫り高い観光地熊本を形成する戦略
　　②訪ねてよし住んでよしの熊本おもてなし戦略
　　③発信力を強化し国内各地から熊本に人を招く戦略
　　④外国から熊本に人を招く戦略
**熊本県ホームページアドレス**　http://www.pref.kumamoto.jp/
**熊本県観光サイト　なごみ紀行**　http://kumanago.jp/
**フォトギャラリー**　くまもと写真館
**観光統計**　熊本県観光統計

| 熊本県立図書館 | 〒860-0007 | 熊本市古京町3-2 | ☎096-324-3500 |
|---|---|---|---|
| 熊本県立美術館 | 〒860-0008 | 熊本市二の丸2 | ☎096-352-2111 |
| 熊本県伝統工芸館 | 〒860-0001 | 熊本市千葉城町3-35 | ☎096-324-4930 |
| 熊本県立装飾古墳館 | 〒861-0561 | 山鹿市鹿央町岩原3085 | ☎0968-36-2151 |
| 熊本市立熊本博物館 | 〒862-0941 | 熊本市出水2-5-1 | ☎096-384-5000 |
| 熊本県立劇場 | 〒862-0971 | 熊本市大江2-7-1 | ☎096-363-2233 |

誇れる郷土ガイド－全国47都道府県の観光データ編－ 44大分県

# 大分県 〈豊前　豊後〉 Oita Prefecture

| 面積 | 6,339.34km² |
|---|---|
| 人口 | 119.7万人（2009年11月現在） |
| 県庁所在地 | 大分市（人口　47.1万人）（2009年11月現在） |

県民の日　11月14日
構成市町村数　18（14市3町1村）（2009年12月1日現在）
宿泊客数　392万人（2008年）

**県名の由来：** 大きな田、或は、河川によって地形が様々に分けられた土地の意。

- 県の花：ブンゴウメ
- 県の木：ブンゴウメ
- 県の鳥：メジロ
- 県のマスコット：めじろん

## 県章

大分県の「大」を円形にデザインし、県民の融和と県勢の発展を表徴したもの。

### シンボル
- 久住山
- 別府温泉
- 由布院温泉

### 世界遺産
—

### 暫定リスト記載物件
—

### ポテンシャル・サイト
- 宇佐・国東―「神仏習合」の原風景
- 祖母山・傾山・大崩山

### 世界無形文化遺産
—

### ポテンシャル・サイト
—

## 観光客数の推移・宿泊者数の推移

出所：大分県企画振興部観光・地域振興局「大分県観光統計調査」

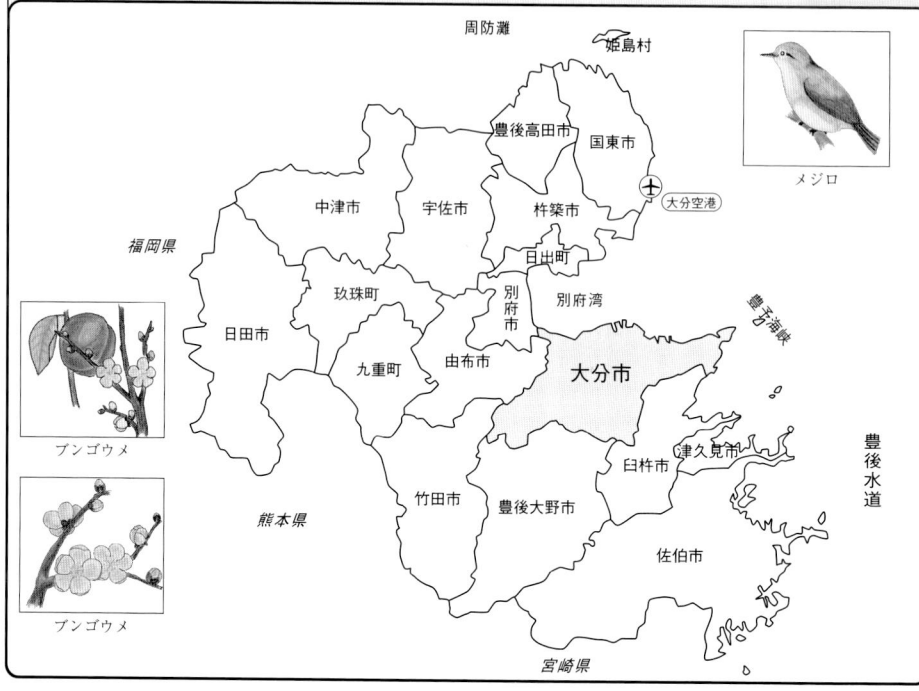

※2005年より観光客総数の発表を行っていない。

92

シンクタンクせとうち総合研究機構　発行

## 自然環境

**山岳高原** 中岳、黒岳、久住山、大船山、祖母山、万年山、由布岳、鶴見岳、城島高原、飯田高原
**峠** 牧ノ戸峠、鉾立峠、三国峠、竹原峠、水分峠 **河川** 山国川、大分川、大野川、番匠川、玖珠川、駅館川、大山川、三隈川 **湖沼池** 山下池、小倉の池、小田の池、志高湖、蜂の巣湖 **湿地湿原** 自見川河、姫島周辺沿岸、野依新池、中津海岸・宇佐海岸、安心院町のため池群、守江湾、小深江漁港周辺干潟、小田の池、金鱗湖周辺の温泉水路、九重火山群湿原、松岡・敷内のため池群 **渓谷滝** 耶馬渓、裏耶馬渓、九酔渓、大江釜峡、兵戸渓谷、原尻の滝、東椎屋の滝、西椎屋の滝、白水の滝 **洞穴・鍾乳洞** 稲積水中鍾乳洞、風連鍾乳洞、小半鍾乳洞
**海湾岬** 黒ヶ浜、元猿海岸、別府湾、佐伯湾、周防灘、豊後水道、豊予海峡、瀬戸内海、太平洋
**海峡** 豊予海峡 **半島** 国東半島、鶴見半島 **島** 姫島、屋形島、黒島、津久見島、地無垢島、保戸島、大入島、大島、深島、高島
**温泉** 別府温泉、鉄輪温泉、明礬温泉、柴石温泉、日田温泉、佐伯温泉、六ヶ迫鉱泉、直川温泉、出光温泉、真玉温泉、赤根温泉、姫島温泉、真那井温泉、陣屋村温泉、阿蘇野温泉、庄内温泉、由布院温泉、湯平温泉など
**動物** サル、オオサンショウウオ、ニホンカモシカ、ニホンザル、ニホンツキノワグマ、シラサギ、オオムラサキ、海猫
**植物** 梅、サクラ、チューリップ、ツツジ、シャクナゲ、ハナショウブ、ミヤマキリシマ、大スギ、ブンゴボダイジュ

## 文化財

**国の特別史跡** 臼杵磨崖仏附日吉塔、嘉応二年在銘五輪塔、承安二年在銘五輪塔
**国の史跡** 宇佐神宮境内、ガランドヤ古墳、安国寺集落遺跡、横尾貝塚、岩戸遺跡、蔦原古墳、下山古墳、小岳古墳、穴観音古墳、亀塚古墳、犬飼石仏、緒方宮迫東石仏、緒方宮迫西石仏、菅尾石仏、高瀬石仏、千代丸古墳、福沢諭吉旧居、築山古墳、大分元町石仏、法恩寺山古墳群、豊後国分寺跡、咸宜園跡　など
**国宝（建造物）** 宇佐神宮本殿、富貴寺大堂 **国の重要文化財（建造物）** 泉福寺仏殿、泉福寺開山堂、鷹神社神門、行徳家住宅、宝篋印塔、五輪塔、願成院本堂（愛染堂）、白水溜池堰堤水利施設、善光寺本堂、宝塔、財前家宝塔、田原家五重塔、岩戸寺宝塔、観音寺宝塔、照恩寺宝塔、後藤家住宅、旧日野医院、九重塔、五輪塔、虹潤橋、神角寺本堂、大野老松天満社旧本殿、旧矢羽田家住宅、神尾家住宅、龍岩寺奥院礼堂、三井石炭鉱業株式会社三池炭坑旧万田坑施設、長福寺本堂、宝塔
**国の重要伝統的建造物群保存地区** 日田市豆田町
**国の重要文化的景観** 小鹿田焼の里（日田市）

## 国立公園・国定公園

阿蘇くじゅう国立公園、瀬戸内海国立公園、日豊海岸国定公園、祖母傾国定公園、耶馬日田英彦山国定公園

## 県内観光地区

- 大分地区 ● 別府地区 ● 中津・耶馬渓地区 ● 日田地区 ● 佐伯地区 ● 臼杵地区 ● 竹田地区
- 宇佐地区 ● 湯布院地区 ● 天瀬地区

## 県内広域観光ルート

- 別府地獄めぐり ● 国東半島めぐり ● 耶馬渓めぐり ● 湯布院めぐり

## 県内主要観光地（域）

- 別府市 ● 九重町 ● 湯布院町 ● 日田市 ● 天瀬町 ● 大分市 ● 宇佐市 ● 久住町 ● 本耶馬渓町
- 安心院町

## ふるさと検定（主催者）

高崎山サル博士検定（国立公園高崎山自然動物園）、昭和の町タイムスリップ検定（豊後高田商工会議所）

## トピックス

- 阿蘇くじゅう観光圏整備計画（熊本県阿蘇市・南小国町・小国町・産山村・高森町・西原村・南阿蘇村・山都町、大分県竹田市）
- 新東九州観光圏整備計画（大分県大分市・別府市・佐伯市・臼杵市・津久見市・由布市、宮崎県延岡市）

## 大分県行政データ

| | | |
|---|---|---|
| 県庁所在地 | 〒870-8501 大分市大手町3-1-1 | ☎097-536-1111 |
| 企画振興部観光・地域振興局 | ☎097-506-2120 | |
| 長期総合計画 | 計画名 『安心・活力・発展プラン～ともに築こう大分の未来～』 | |
| 大分県ホームページアドレス | http://www.pref.oita.jp/ | |
| ツーリズムおおいた | http://www.we-love-oita.or.jp | |
| フォトギャラリー | 大分の風景写真集 | |
| 観光統計 | 大分県観光統計調査 | |
| 大分県立図書館 | 〒870-0814 大分市大字駄原587-1 | ☎097-546-9972 |
| 大分県立歴史博物館 | 〒872-0101 宇佐市大字高森字京塚 | ☎0978-37-2100 |
| 大分県立芸術会館 | 〒870-0152 大分市牧緑町1-61 | ☎097-552-0077 |
| 大分香りの博物館 | 〒874-0915 別府市北石垣48-1 | ☎0977-27-7272 |
| 高崎山自然動物園 | 〒870-0802 大分市神崎3098-1 | ☎097-532-5010 |
| 坐来（大分レストラン・物販） | 〒104-0061 東京都中央区銀座2-2-2-8F | ☎03-3563-0322 |

シンクタンクせとうち総合研究機構　発行

# 宮崎県 〈日　向〉 Miyazaki Prefecture

- **面積** 7,734.78km²
- **人口** 113.2万人（2009年11月現在）
- **県庁所在地** 宮崎市（人口 37.0万人）
  （2009年11月現在）
- **県民の日** 5月9日
- **構成市町村数** 28（9市16町3村）（2009年12月1日現在）
- **観光入込客実数** 1,235万人（2007年）
  - 県内客 778万人　県外客 457万人
- **観光消費額** 933億円

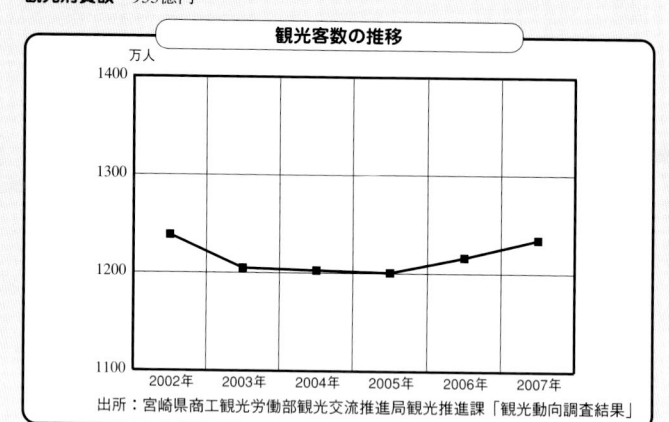

**県名の由来：** 宮前の意味で、神武天皇の宮所があったという伝承がある。

- **県の花：** ハマユウ
- **県の木：** フェニックス、ヤマザクラ、オビスギ
- **県の鳥：** コシジロヤマドリ
- **県の歌：** 宮崎県民歌

### 県章
県の古名「日向」の文字をデザインし、「日」を中心に「向」が三方に伸び、躍進する県の姿を表現するシンボル。

### シンボル
- 宮崎県総合運動公園

### 世界遺産
—

### 暫定リスト記載物件
—

### ポテンシャル・サイト
- 九州中央山地周辺の照葉樹林
- 霧島山

### 世界無形文化遺産
—

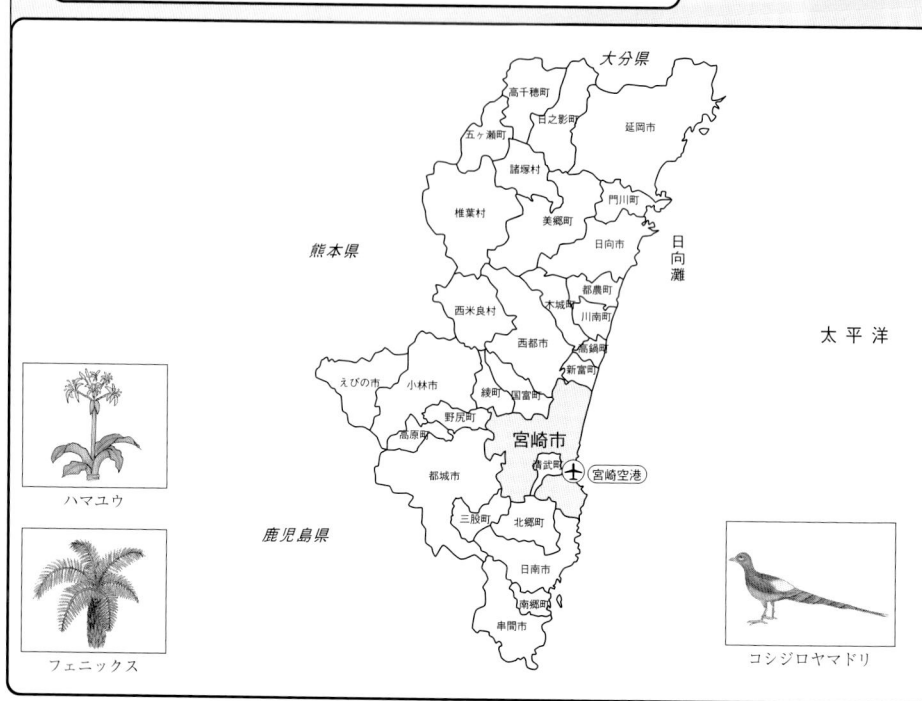

### ポテンシャル・サイト
—

## 観光客数の推移（万人）

| 年 | 2002 | 2003 | 2004 | 2005 | 2006 | 2007 |
|---|---|---|---|---|---|---|
| 観光客数 | 約1240 | 約1200 | 約1200 | 約1195 | 約1210 | 約1230 |

出所：宮崎県商工観光労働部観光交流推進局観光推進課「観光動向調査結果」

ハマユウ

フェニックス

コシジロヤマドリ

94　シンクタンクせとうち総合研究機構　発行

# 45宮崎県　誇れる郷土ガイド－全国47都道府県の観光データ編－

## 自然環境

| | |
|---|---|
| **山岳高原** | 韓国岳、祖母山、霧島山、傾山、市房山、高千穂峰、国見岳、白岩山、尾鈴山、えびの高原、生駒高原、矢岳高原、大崩山、鏡山、わにつか山 |
| **峠** | 堀切峠、湯山峠、矢立峠 |
| **河川** | 五ヶ瀬川、一ツ瀬川、大淀川、川内川、切原川 |
| **湖沼池** | 御池、大浪池 |
| **湿地湿原** | 御池、一ノ瀬川河口、家田(エダ)・川坂湿原、門川湾・御鉾ヶ浦(細島港)、島浦島周辺沿岸、宮崎市周辺の砂浜海岸、五ヶ瀬川、祝子(ホオリ)川、北川の感潮域、日南市~南郷町ため池群、大淀川水系岩瀬川オオヨドカワゴロモ自生地、宮崎市湧水地帯のオオイタサンショウウオ生息地、青島周辺沿岸、本城川河口~千野川河口、都井岬周辺沿岸、栄松地先沿岸 |
| **渓谷滝** | 高千穂峡、加江田渓谷、関之尾滝、綾川渓谷、浜の瀬渓谷、祝子川渓谷、矢研の滝、行藤の滝、真名井の滝、玉垂れの滝 |
| **海湾岬** | 都井岬、馬ヶ瀬、小倉ヶ浜、日向岬、日南海岸、日豊海岸、日向灘、太平洋 |
| **半島** | 大隅半島 |
| **島** | 青島、島浦島、幸島、美々津御舟出の地 |
| **温泉** | 京町温泉郷、日南温泉、北郷温泉、えびの高原温泉、白鳥温泉、吉田温泉など |
| **動物** | 猿、野生馬 |
| **植物** | サボテン、ポインセチア、ハイビスカス、サルスベリ、ハマユウ、コバノセンナ、ミヤマキリシマ、コスモス |

## 文化財

| | |
|---|---|
| **国の特別史跡** | 西都原古墳群 |
| **国の史跡** | 安井息軒旧宅、佐土原城跡、茶臼原古墳群、都於郡城跡、南方古墳群、日向国府跡、中ノ尾供養塔、本野原遺跡、千畑古墳、大島畠田遺跡、川南古墳群、持田古墳群　など |
| **国の重要文化財(建造物)** | 神門神社本殿、旧黒木家住宅、旧藤田家住宅、興玉神社内神殿、巨田神社本殿、那須家住宅、高千穂神社本殿、赤木家住宅 |
| **国の重要伝統的建造物群保存地区** | 椎葉村十根川、日向市美々津、日南市飫肥 |

## 国立公園・国定公園

- 霧島屋久国立公園、日南海岸国定公園、祖母傾国定公園、日豊海岸国定公園、九州中央山地国定公園

## 県内観光圏域

- ●県北エリア　●県央エリア　●県西エリア　●県南エリア

## 県内広域観光ルート

- ●日南海岸ルート　●霧島えびの高原ルート　●関之尾・霧島ルート　●東部霧島ルート
- ●西都・一ツ瀬ダムルート　●椎葉ルート　●高千穂ルート　●宮崎市ルート　●綾ルート
- ●日南海岸と飫肥ルート　●日豊海岸ルート　●高鍋・尾鈴ルート　●児湯・入郷歴史探訪ルート

## 選定宮崎観光遺産

- ●阿波岐原のみそぎ池(宮崎市)　●記紀の道(西都市)　●霧島周辺神社群(都城市、小林市、高原町)
- ●三ヶ所神社(五ヶ瀬町)　●御崎神社(串間市)　●陰陽石(小林市)　●高鍋大師と持田古墳群(高鍋町)
- ●大根やぐら(宮崎市)　●チキン南蛮(県全域)　●旭化成の工業遺産群(延岡市)

## 県内主要観光地・観光施設

- ●高千穂峡ほか(高千穂町)　●酒泉の杜(綾町)　●西都原古墳群(西都市)　●えびの高原(えびの市)
- ●高千穂牧場(都城市)　●青島(青島神社)(宮崎市)　●鵜戸神宮(日南市)　●平和台公園(宮崎市)
- ●京町温泉(えびの市)　●こどものくに(宮崎市)　●宮崎神宮(宮崎市)　●平和台公園(宮崎市)
- ●都農ワイナリー(都農町)　●農業科学公園ルピナスパーク(高鍋町)　●生駒高原(小林市)
- ●宮崎市フェニックス自然動物園(宮崎市)

## ふるさと検定(主催者)

- みやざき観光・文化検定(宮崎商工会議所)

## トピックス

- ●新東九州観光圏整備計画(大分県大分市・別府市・佐伯市・臼杵市・津久見市・由布市、宮崎県延岡市)
- ●全国高等学校総合文化祭2010(2010年8月開催)

## 宮崎県行政データ

| | | | |
|---|---|---|---|
| 県庁所在地 | 〒880-8501 | 宮崎市橘通東2-10-1 | ☎0985-24-1111 |
| 商工観光労働部観光交流推進局観光推進課 | | | ☎0985-26-7104 |
| 長期総合計画 | 計画名『新みやざき創造計画』 | | |
| | 基本目標「日本の原点　時代の起点　創造みやざき」 | | |
| 宮崎県ホームページアドレス | http://www.pref.miyazaki.lg.jp/ | | |
| みやざき観光情報 | http://www.kanko-miyazaki.jp/ | | |
| フォトギャラリー | フリー観光写真(デジタル・ライブラリー) | | |
| 観光統計 | 観光動向調査 | | |
| (財)みやざき観光コンベンション協会 | 〒880-0804 | 宮崎市宮田町3-46 県庁9F | ☎0985-25-4676 |
| (社)宮崎県観光協会 | 〒880-8505 | 宮崎市橘通西1-1-1宮崎市役所内 | ☎0985-20-8658 |
| 宮崎県立図書館 | 〒880-0031 | 宮崎市船塚3-210 | ☎0985-29-2911 |
| 宮崎県総合博物館 | 〒880-0053 | 宮崎市神宮2-4-4 | ☎0985-24-2071 |
| 宮崎県立芸術劇場 | 〒880-8557 | 宮崎市船塚3-210 | ☎0985-28-3210 |
| 新宿みやざき館KONNE | 〒151-8583 | 東京都渋谷区代々木2-2-1新宿サザンテラス内 | ☎03-5333-7764 |

シンクタンクせとうち総合研究機構　発行

誇れる郷土ガイド-全国47都道府県の観光データ編- 46鹿児島県

# 鹿児島県 〈薩摩 大隅〉Kagoshima Prefecture

| 面積 | 9,188.41km² |
| --- | --- |
| 人口 | 171.1万人（2009年11月現在） |
| 県庁所在地 | 鹿児島市（人口60.6万人）（2009年11月現在） |

鹿児島畜産の日　2月9日と毎月29日
構成市町村数　45（18市23町4村）（2009年12月1日現在）
観光条例　観光立県かごしま県民条例（2009年4月1日施行）
観光入込客数　5,206万人（2008年）
　日帰客　4,188万人　宿泊客　1,018万人
観光消費額　2,497億円

**県名の由来：**
険しい島、火島など、火山の噴火に因る諸説がある。

- 県の花：ミヤマキリシマ
- 県の木：クス・カイコウズ
- 県の鳥：ルリカケス
- 県の歌：鹿児島県民の歌

### 県章
「風」と「波」をモチーフに、鹿児島の「K」をデザインし、未来をめざす、飛躍的な鹿児島県を表現する。

### シンボル
- 桜島
- 開聞岳（薩摩富士）
- 錦江湾

### 世界遺産
- 屋久島

### 暫定リスト記載物件
- 九州・山口の近代化産業遺産群

### ポテンシャル・サイト
- 奄美・琉球諸島
- 霧島山

### 世界無形文化遺産
- 甑島のトシドン

### ポテンシャル・サイト
- 諸鈍芝居

### 観光レクレーション客入込数の推移

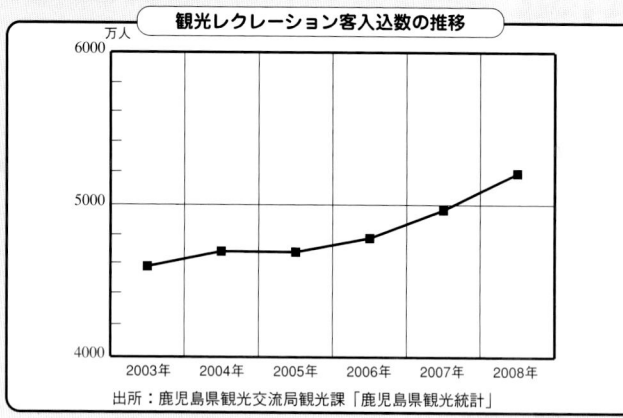

出所：鹿児島県観光交流局観光課「鹿児島県観光統計」

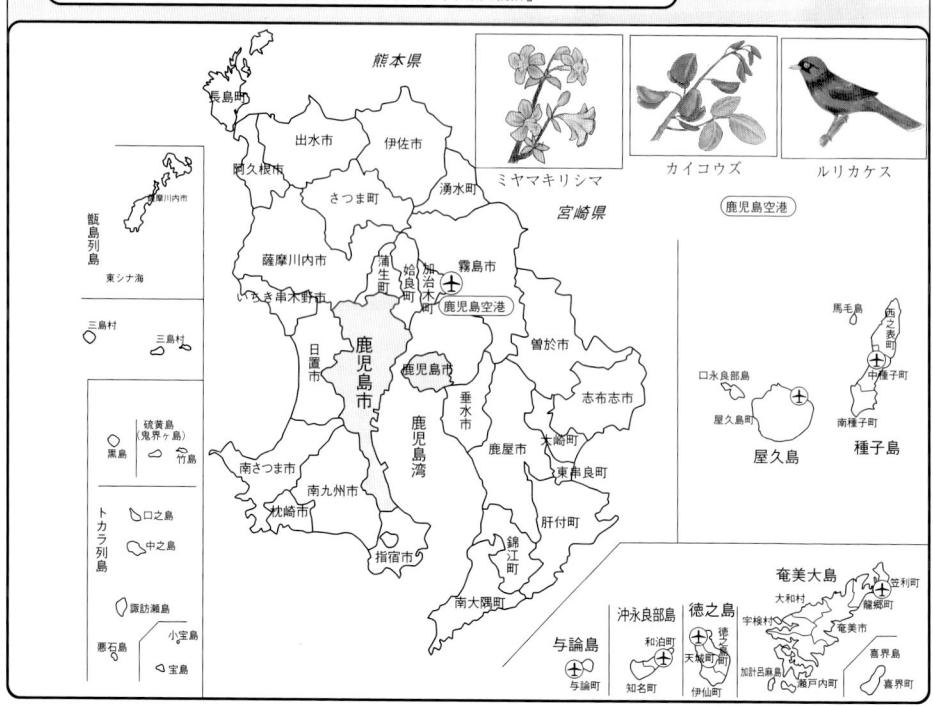

ミヤマキリシマ　カイコウズ　ルリカケス

シンクタンクせとうち総合研究機構　発行

# 46鹿児島県　誇れる郷土ガイド－全国47都道府県の観光データ編－

## 自然環境

**山岳高原** 稲尾岳、海底火山、開聞岳、冠岳、霧島連山、金峰山、栗野岳、桜島、紫尾山、高隈山系、永田岳、宮之浦岳、湯湾岳、えびの高原　**峠** 久七峠　**河川** 天降川、安楽川、雄川、神之川、肝属川、甲突川、川内川、菱田川、万之瀬川、役勝川　**湖沼池** 池田湖、藺牟田池、鰻池、大隅湖、大浪池、なまこ池

**湿地湿原** 出水、志布志町のカワゴケソウ類自生地、大隈半島のカワゴケソウ類自生地、薩摩半島のカワゴケソウ類自生地、山内川のカワゴケソウ類およびチスジノリ生育地、長島周辺沿岸、阿久根地先沿岸、出水干拓地、串木野市羽島地先沿岸、藺牟田池、志布志湾沿岸、鰻池、万之瀬川河口・吹上浜海岸、大浦川河口、種子島の砂浜海岸とサンゴ礁、種子島のマングローブ林、一湊川のカワゴケソウ類自生地、屋久島花之江河周辺、甑島周辺沿岸、奄美大島南部の渓流域、住用湾流入河川および河口域、住用村の止水域、笠利湾、勝浦川下流域の農業用水系、徳之島山地水域、徳之島神之嶺、カンニシ港など　**渓谷滝** 猿ヶ城渓谷、新川渓谷、新湯渓谷、高隈渓谷、大川の滝、神川大滝、千尋滝、千里ノ滝、曽木の滝、丸尾の滝、龍門滝

**洞穴・鍾乳洞** 昇龍洞、水蓮洞　**海湾岬** 佐多岬、長崎鼻、坊ノ岬、門倉岬、吹上浜、長目の浜、大浜海浜公園、錦江湾、鹿児島湾、太平洋、東シナ海

**半島** 薩摩半島、大隅半島　**島** 奄美大島、硫黄島、黒島、竹島、宇治・草垣群島、沖永良部島、喜界島、甑島、種子島、諏訪之瀬島、種子島、トカラ列島、徳之島、中ノ島、屋久島、与論島

**温泉** 指宿温泉、霧島神宮温泉郷、栗野岳温泉、平内海中温泉、吹上温泉など

**動物** アカウミガメ、アカヒゲ、アマミノクロウサギ、アマミトゲネズミ、出水のツル、ウシウマ、エラブオオコウモリ、オーストンオオアカゲラ、オオトラツグミ、ケナガネズミ、薩摩鶏、トカラウマ、トカラハブ、トビウオ、ハブ、マゲシカ、ヤクザル、ヤクシカ、リュウキュウアユ、ルリカケス

**植物** アコウ、アダン、エドヒガンザクラ、カイコウズ、ガジュマル、クスノキ、桜島大根、シャクナゲ、ソテツ、ハイビスカス、ビロウ、フリージア、マングローブ、ミヤマキリシマ、屋久杉、ユリ全般、ルーピン

## 文化財

**国宝（建造物）** －　**国の史跡** 旧集成館、住吉貝塚、横瀬貝塚、広田井関、高山城跡、薩摩国分寺跡など
**国の重要文化財（建造物）** 旧鹿児島紡績所技師館、旧集成館機械工場、八幡神社本殿、祁答院家住宅、箱崎神社本殿、霧島神宮、二階堂家住宅、古市家住宅、泉家住宅、鹿児島旧港施設
**国の重要伝統的建造物群保存地区** 薩摩川内市入来麓、出水市出水麓、知覧町知覧

## 国立公園・国定公園

霧島屋久国立公園、雲仙天草国立公園、日南海岸国定公園、奄美群島国定公園

## 県内観光圏域

●鹿児島地域　●南薩地域　●北薩地域　●姶良・伊佐地域　●大隅地域　●熊毛地域　●奄美地域

## 県内広域観光ルート

- ●自然・連山縦走スニーカーライン　●華・水・木紀行　●甑島・夕日とウミネコの街道
- ●素朴な大隅とふれあい路　●世界遺産やくしま実感街道　●鹿児島産業ルート
- ●鹿児島エキゾチック街道　●指宿・南薩初めての旅ルート　●悠・遊サンセットライン
- ●古墳・歴史の散歩道　●トカラ列島南下海の紀行　●種子島・宇宙へのアプローチ
- ●珊瑚礁の海紀行　●闘牛・トライアスロン熱血の島海道　●花と鍾乳洞の島めぐり海道

## 県内主要観光地（域）

●鹿児島・桜島　●指宿・佐多　●霧島　●奄美　●種子・屋久

## ふるさと検定（主催者）

かごしま検定～鹿児島観光・文化検定～（鹿児島商工会議所）、奄美大島検定（奄美市）

## トピックス

- ●2013年屋久島・世界遺産登録20周年
- ●「甑島のトシドン」（2009年世界無形文化遺産）
- ●奄美語、ユネスコの「消滅の危機にさらされている言語調査」で、「危険な状態にある言語」に分類される。

## 鹿児島県行政データ

**県庁所在地** 〒890-8577　鹿児島市鴨池新町10-1　☎099-286-2111
**商工労働部観光交流局観光課** ☎099-286-2994
**長期総合計画** 計画名　21世紀新かごしま総合計画　　目標年次　2010年度
　　　　　　　基本理念　『共生ネットワークで築く　心豊かで活力あふれる「かごしま」』
**鹿児島県ホームページアドレス** http://www.pref.kagoshima.jp/
**ゆっくり悠・遊観光かごしま** http://www3.pref.kagoshima.jp/kankou
**フォトギャラリー** フォトギャラリー
**観光統計** 鹿児島県観光動向調査報告書

| 鹿児島県立図書館 | 〒892-0853 | 鹿児島市城山町5-1 | ☎099-224-9511 |
| 鹿児島県立奄美分館 | 〒894-0012 | 名瀬市小俣町20-1 | ☎0997-52-0244 |
| 鹿児島県立博物館 | 〒892-0853 | 鹿児島市城山町1-1 | ☎099-223-6050 |
| 尚古集成館 | 〒892-0871 | 鹿児島市吉野町9698-1 | ☎099-247-1511 |
| かごしま遊楽館 | 〒100-0006 | 東京都千代田区有楽町1-6-4千代田ビル | ☎03-3506-9177 |

シンクタンクせとうち総合研究機構　発行

## 沖縄県 〈琉球王国〉 Okinawa Prefecture

**面積** 2,275.71km² （日本で4番目に小さい県）
**人口** 138.7万人（2009年11月現在）
**県庁所在地** 那覇市（人口31.8万人）
（2009年11月現在）

**本土復帰記念日** 5月15日
**構成市町村数** 41（11市11町19村）（2009年12月1日現在）
**観光条例** 沖縄県観光振興条例（1980年3月1日施行）
**入域観光客数** 593万人（2008年度）
　国内客 570万人　国外客 23.7万人
**観光収入** 4,299億円

### 県名の由来：
沖魚場、浮縄など漁業と関係した諸説がある。

- 県の花：デイゴ
- 県の木：琉球マツ
- 県の鳥：ノグチゲラ
- 県の魚：たかさご（グルクン）
- 県の歌：沖縄県民の歌

### 県章
外円は海洋、白い部分は沖縄の「O」で、人の和を中央の円は発展を表現する。海洋・平和・発展のシンボル。

### シンボル
- 首里城公園
- シーサー

### 世界遺産
- 琉球王国のグスク及び関連遺産群

### 暫定リスト記載物件
—

### ポテンシャル・サイト
- 竹富島・波照間島の文化的景観
- 奄美・琉球諸島

### 世界無形文化遺産

### ポテンシャル・サイト
- 組踊
- 多良間の豊年祭

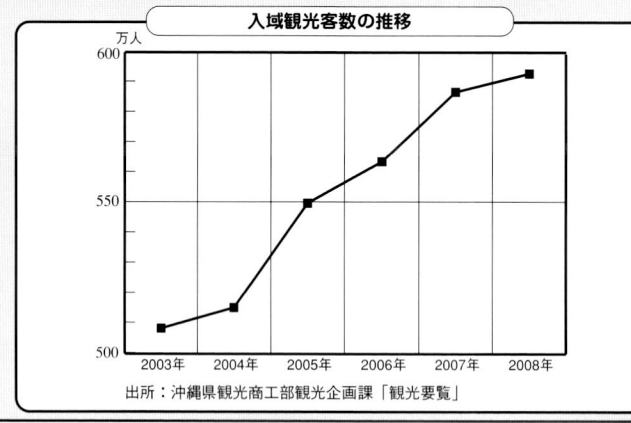

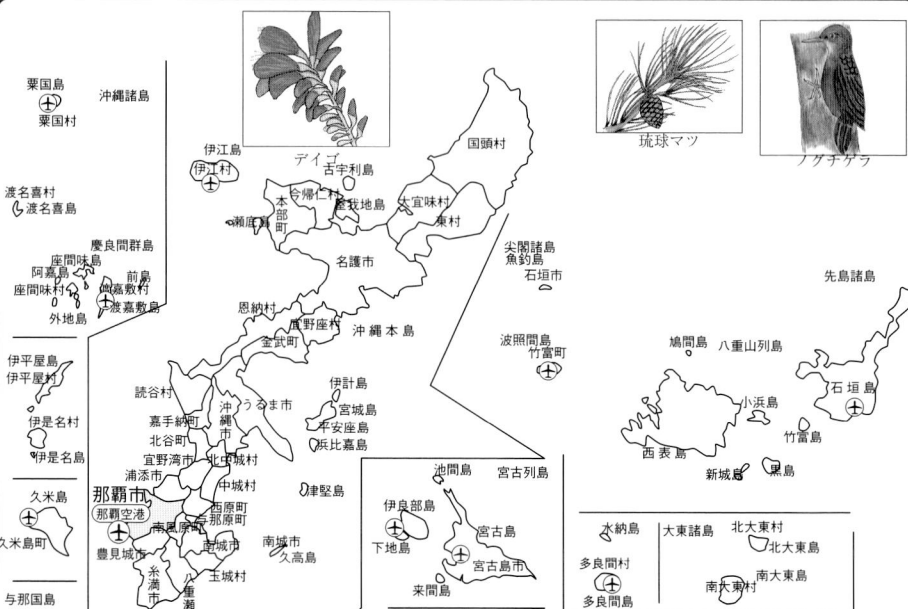

**入域観光客数の推移**（万人）

| 年 | 2003 | 2004 | 2005 | 2006 | 2007 | 2008 |
|---|---|---|---|---|---|---|
| 約 | 510 | 520 | 550 | 565 | 590 | 595 |

出所：沖縄県観光商工部観光企画課「観光要覧」

シンクタンクせとうち総合研究機構　発行

あったか、感動、沖縄。　　　　　47沖縄県　誇れる郷土ガイド－全国47都道府県の観光データ編－

## 自然環境

**山岳丘陵**　八重山・摩文仁ノ丘　**河川**　比謝川、浦内川、仲間川
**湿地湿原**　漫湖、網張、塩屋湾、与那覇湾、屋嘉田潟原、億首川流域、ヤンバル河川群、沖縄本島東沿岸(辺野古〜漢那)、慶武原川、東村の慶佐次マングローブと流入河川、喜如嘉(水田地帯)、大浦湾および大浦川、屋我地(羽地内海を含む)、アミスガー・ハマサ、水納島周辺沿岸、残波岬先沿岸、藪地島周辺沿岸、中城湾、具志与那〜大嶺岬周辺沿岸、屋富祖井、与根干潟、瀬底島の小湿地および周辺沿岸、塩川、斎場御嶽、渡名喜島周辺沿岸、南大東島の池と沼窪群、慶良間諸島渡嘉敷島内の山地水域、慶良間諸島周辺沿岸、久米島の渓流・湿地、八重干瀬、宮古島中北部の湿地、宮古島の洞窟群と湧泉群、池間島湿原と周辺サンゴ礁、島尻入江、宮古島東部(東平安名崎)沿岸、嘉手入江、与那覇湾およびその周辺、伊良部島の入江、平久保半島北東沿岸、嘉良川、吹通川河口域及びその沿岸、川平湾、米原先沿岸、カビラ湧水および川平の水田、御神崎〜石崎地先および名蔵川集水域、宮良湾、宮良川河口域、白保海岸とその沿岸、石西礁湖、西表島山地水域および平地部天然陸水域、大正池付近、仲間川、後良川・相良川・前良川、由布島および干潟、小浜島(細崎-アカヤ崎)、船浦湾と流入河川、浦内川、西表島南西部海域および河口域、与那国島の湿地・河川
**渓谷滝**　マリュドの滝　**洞穴・鍾乳洞**　玉泉洞
**海湾岬**　金武湾、名護湾、大浦湾、中城湾、名蔵湾、川平湾、崎山湾、太平洋、東シナ海　**鍾乳洞**　竜宮城鍾乳洞、玉泉洞　**島**　沖縄本島、西表島、石垣島、宮古島、与那国島、久米島、竹富島、慶良間諸島
**温泉**　山田温泉など
**動物**　マンタ(巨大エイ)、アホウドリ、カンムリワシ、ノグチゲラ、イリオモテヤマネコ、ヤンバルクイナ、鯨
**植物**　ヤエヤマヤシ、アダン、ディゴ、マングローブ、ガジュマル、サボテン、テッポウユリ、イタジイ

## 文化財

**国宝(建造物)－　国の重要文化財(建造物)**　旧和宇慶家墓、旧円覚寺放生橋、天女橋、旧崇元寺第一門及び石牆、伊江御殿墓、園比屋武御嶽石門、玉陵、喜友名泉、豊見親墓、旧宮古殿内、権現堂、瀬底土帝君、中村家住宅、仲村渠樋川、旧仲里間切蔵元石牆、上江洲家住宅、高良家住宅、銘苅家住宅、旧与那国家住宅、新垣家住宅
**国の重要伝統的建造物群保存地区**　竹富町竹富島、渡名喜村渡名喜島

## 国立公園・国定公園

西表国立公園、沖縄海岸国定公園、沖縄戦跡国定公園

## 県内観光圏域

●北部圏域　●中部圏域　●南部圏域　●宮古圏域　●八重山圏域

## 県内広域観光ルート

●首里城コース　●グスク群コース　●戦跡コース　●海洋博記念公園コース　●国営沖縄記念公園コース
●やんばるエコツアーコース　●琉球ガラス村など伝統工芸品見学コース　●宮古諸島コース
●八重山諸島コース

## 県内主要観光地(域)

●国営沖縄記念公園　●首里城公園　●沖縄美ら海水族館　●万座毛　●辺戸岬　●残波岬　●知念岬公園
●琉球村　●ビオスの丘　●名護自然動植物公園　●おきなわワールド　●海洋博公園

## ふるさと検定(主催者)

沖縄大好き検定(沖縄大好き検定運営事務局)

## トピックス

●2010年「琉球王国のグスク及び関連遺産群」世界遺産登録10周年
●八重山語、与那国語、ユネスコの「消滅の危機にさらされている言語調査」で、「重大な危険な状態にある言語」に、沖縄語、国頭語、宮古語は、「危険な状態にある言語」に分類される。

## 沖縄県行政データ

**県庁所在地**　〒900-8570　那覇市泉崎1-2-2　☎098-866-2333
**観光商工部観光企画課**　☎098-866-2764
**長期総合計画**　計画名　沖縄振興推進計画
**沖縄県ホームページアドレス**　http://www.pref.okinawa.jp/
**沖縄観光情報WEBサイト**　http://www.ocvb.or.jp/
**フォトギャラリー**　沖縄フォトギャラリー
**観光統計**　入域観光客統計概況
**沖縄県観光まちづくり指針**　①地域が主体となった活力あるまちづくり
　　②地域らしさを守り、育てることによる魅力あるまちづくり
**沖縄県観光振興基本計画**　基本方向
　①多様なニーズに対応した質の高い滞在型観光・リゾートづくり
　②人、環境に優しいホスピタリティあふれる受入体制づくり
　③国際的に通用する美しく快適な観光・リゾートづくり
　④アジア・太平洋地域を中心とした国際観光の振興、コンベンションの推進
　⑤地域経済活性化の牽引力となる観光・リゾート産業の育成
**沖縄県立博物館**　〒900-0006　那覇市おもろまち3-1-1　☎098-941-8200
**美ら海水族館**　〒905-0206　沖縄県国頭郡本部町字石川424　☎0980-48-2741

# 全国47都道府県の観光関連データ

石見銀山遺跡とその文化的景観
(島根県大田市)

## 2008年　都道府県別　観光入込客数・観光消費額

| 都道府県 | 観光入込客数（単位：万人） 県内客 | 県外客 | 日帰客 | 宿泊客 | 合計 | 観光消費額（単位：億円） |
|---|---|---|---|---|---|---|
| 北海道 | 4,079 | 628 | 3,300 | 1,407 | 4,707 ※1 | — |
| 青森県 | 3,363 | 1,277 | 4,238 | 402 | 4,639 | 1,603 |
| 岩手県 | 2,167 | 1,549 | 3,280 | 436 | 3,717 | 4,234 |
| 宮城県 | — | — | — | 804 | 5,679 | 5,751 |
| 秋田県 | 2,720 | 1,579 | 3,948 | 352 | 4,299 | — |
| 山形県 | 2,081 | 1,851 | — | — | 3,932 ※1 | — |
| 福島県 | — | — | — | — | 5,533 | — |
| 茨城県 | 2,370 | 1,862 | 3,312 | 585 | 4,789 ※1 | 3,270 |
| 栃木県 | — | — | — | 820 | 8,041 | — |
| 群馬県 | 3,576 | 2,722 | 5,540 | 758 | 6,298 ※1 | 2,010 |
| 埼玉県 | 6,655 | 1,881 | 8,341 | 195 | 11,148 ※2 | 1,115 |
| 千葉県 | — | — | 13,164 | 1,630 | 14,793 | 4,964 |
| 東京都 | 22,152 | 20,369 | 40,202 | 2,852 | 43,054 | 44,843 |
| 神奈川県 | — | — | 15,725 | 1,394 | 17,119 | — |
| 新潟県 | 4,681 | 2,415 | — | — | 7,096 ※1 | — |
| 富山県 | 1,979 | 944 | 2,426 | 497 | 2,923 | — |
| 石川県 | 948 | 1,129 | 1,373 | 704 | 2,077 | 2,606 |
| 福井県 | 554 | 472 | 771 | 255 | 1,026 | — |
| 山梨県 | 1,578 | 3,175 | 4,122 | 631 | 4,753 | 4,219 |
| 長野県 | 2,993 | 5,683 | 5,818 | 2,858 | 8,676 | 3,217 |
| 岐阜県 | 3,039 | 2,390 | 5,013 | 416 | 5,429 ※2 | 2,863 |
| 静岡県 | — | — | — | 1,922 | 13,671 ※1,2 | — |
| 愛知県 | — | — | — | — | 14,763 | — |
| 三重県 | — | — | — | — | 3,356 | — |
| 滋賀県 | — | — | 4,350 | 317 | 4,666 ※1 | — |
| 京都府 | — | — | — | — | 7,799 | 7,063 |
| 大阪府 | 8,036 | 6,330 | — | 1,325 | 14,366 ※1 | 20,353 |
| 兵庫県 | 7,210 | 6,246 | 11,565 | 1,892 | 13,456 | — |
| 奈良県 | — | — | — | 342 | 3,530 ※1 | 2,206 |
| 和歌山県 | — | — | 2,589 | 546 | 3,134 | — |
| 鳥取県 | 443 | 463 | 639 | 266 | 905 ※1 | — |
| 島根県 | 370 | 829 | 943 | 256 | 1,199 | 1,425 |
| 岡山県 | 1,267 | 1,214 | 1,573 | 907 | 2,481 | 1,463 |
| 広島県 | 3,301 | 2,331 | 4,896 | 736 | 5,632 | 2,974 |
| 山口県 | 1,281 | 1,171 | 2,104 | 347 | 2,451 | — |
| 徳島県 | 631 | 739 | 1,205 | 165 | 1,370 | 545 |
| 香川県 | — | 814 | — | 141 | — | 932 |
| 愛媛県 | 1,591 | 822 | — | — | 2,413 | 996 |
| 高知県 | — | 305 | — | — | — | 777 |
| 福岡県 | 6,860 | 3,065 | 9,052 | 873 | 9,924 ※1 | 4,593 |
| 佐賀県 | — | — | 2,847 | 235 | 3,082 | 973 |
| 長崎県 | — | — | 1,709 | 1,115 | 2,824 | 2,508 |
| 熊本県 | — | — | 5,131 | 680 | 5,812 | 2,694 |
| 大分県 | — | — | — | 392 | — | — |
| 宮崎県 | 778 | 457 | — | — | 1,235 ※1 | 933 |
| 鹿児島県 | — | — | 4,188 | 1,018 | 5,206 | 2,497 |
| 沖縄県 | — | — | — | — | 593 | 4,299 |

（出所）各都道府県資料
※1　年度（3月～4月）資料
※2　2007年資料

シンクタンクせとうち総合研究機構　発行

## 都道府県別　主要観光地

| 都道府県 | 名　称 |
|---|---|
| 北海道 | 道央、道北、道南、オホーツク、釧路根室、十勝 |
| 青森県 | 津軽藩ねぷた村、青森県観光物産館アスパム、こどもの国、古牧温泉渋沢公園 |
| 岩手県 | 陸中海岸、八幡平、平泉、花巻温泉郷、安比高原 |
| 宮城県 | 仙台市、松島海岸、秋穂温泉、定義如来、塩竈神社、鳴子温泉、遠刈田温泉 |
| 秋田県 | 田沢湖抱返り、男鹿、八幡平、鳥海、十和田、栗駒、きみまち阪藤里峡 |
| 山形県 | 松押公園と上杉家御廟、蔵王温泉、羽黒山、蔵王エコーライン、上山温泉、天童温泉 |
| 福島県 | ら・らミュウ、アクアマリン、磐梯高原、若松市街、スパリゾートハワイアンズ |
| 新潟県 | 湯沢、新潟ふるさと村、塩沢、弥彦神社、妙高高原、高田公園 |
| 茨城県 | 大洗・那珂湊海岸周辺地域、霞ヶ浦周辺地域、笠間・御前山周辺地域、水戸周辺地域 |
| 栃木県 | 日光市、那須町、藤原町、塩原町、佐野市、宇都宮市、足利市 |
| 群馬県 | 前橋市、高崎市、太田市、草津町、嬬恋村、勢多郡東村、伊勢崎市 |
| 埼玉県 | 中央広域圏、西部第一広域圏、大里広域圏、利根広域圏、秩父広域圏、東部広域圏 |
| 千葉県 | 東京ディズニーランド、成田山新勝寺、幕張メッセ、海ほたるパーキングエリア |
| 東京都 | 東京駅周辺・丸の内、銀座、お台場、六本木、渋谷・原宿、新宿、池袋、浅草 |
| 神奈川県 | 横浜市、箱根町、鎌倉市、川崎市、藤沢市、横須賀市、平塚市、三浦市 |
| 山梨県 | 富士吉田・河口湖・三つ峠周辺、本栖湖・精進湖・西湖周辺、山中湖・忍野周辺 |
| 長野県 | 軽井沢高原、善光寺、志賀高原・北志賀高原、上諏訪温泉・諏訪湖、白馬山麓 |
| 岐阜県 | 長良川の鵜飼、飛騨高山、下呂温泉 |
| 静岡県 | 伊豆、駿河、富士、西遠、中東遠、西駿河 |
| 愛知県 | 名古屋・尾張北部地域、豊橋・三河湾地域、岡崎・西三河内陸地域 |
| 三重県 | 伊勢神宮内宮、長島温泉、鈴鹿サーキット、二見浦、伊勢神宮外宮、志摩スペイン村 |
| 富山県 | 立山黒部アルペンルート、高岡古城公園、海王丸パーク、平・上平村 |
| 石川県 | 能登地域、加賀地域、金沢地域、白山地域 |
| 福井県 | 敦賀・若狭周辺、芦原・三国周辺、福井市周辺、武生・鯖江周辺、奥越周辺 |
| 滋賀県 | 多賀神社、黒壁ガラス館、びわ湖タワー、長浜オルゴール堂、比叡山ドライブウェイ |
| 京都府 | 京都市、宇治市、宮津市、八幡市、舞鶴市、加悦市、長岡京市 |
| 大阪府 | 大阪市、北大阪、泉州、東部大阪、南河内 |
| 兵庫県 | 県立明石公園、阪神甲子園球場、王子動物園、六甲・摩耶地区 |
| 奈良県 | 吉野山、法隆寺、奈良国立博物館、長谷寺、石舞台古墳、ミタライ渓谷 |
| 和歌山県 | 和歌山（和歌浦・紀三井寺・和歌山城ほか）、白浜温泉・椿温泉、紀仙峡 |
| 鳥取県 | 大山、鳥取砂丘、皆生温泉、三朝温泉、浦富海岸、羽合温泉、鳥取温泉 |
| 島根県 | 出雲大社、島根ワイナリー、石見海浜公園、日御碕、太皷谷稲成神社、玉造温泉 |
| 岡山県 | 倉敷美観地区、蒜山高高原、玉野・渋川、鷲羽山、吉備津・最上稲荷 |
| 広島県 | 厳島神社、平和記念資料館、安佐動物公園、国営備北丘陵公園、こども文化科学館 |
| 山口県 | 防府天満宮、下関水族館、道の駅「萩しまーと」、秋芳洞・秋吉、湯田温泉、湯本温泉 |
| 徳島県 | 鳴門周辺、徳島周辺、剣山・祖谷、四国霊場、日和佐、土柱 |
| 香川県 | 琴平、小豆島、屋島、栗林公園、金比羅宮、瀬戸大橋 |
| 愛媛県 | 道後温泉、松山城ロープウェイ、伯方・大島大橋、県立とべ動物園、マイントピア別子 |
| 高知県 | アンパンマンミュージアム、高知城壊徳館、モネの庭マルモッタン、龍河洞 |
| 福岡県 | キャナルシティ博多、ホークスタウン、博多リバレイン、ベイサイドプレイス博多埠頭 |
| 佐賀県 | 佐賀市、唐津市、鹿島市、浜玉町、伊万里市、有田町 |
| 長崎県 | ハウステンボス、グラバー園、長崎原爆資料館、西海パールシーリゾート |
| 熊本県 | 阿蘇地域、玉名・荒尾地域、菊池地域、天草地域、山鹿・鹿本地域、宇城地域 |
| 大分県 | 別府市、九重町、湯布院町、日田市、天瀬町、大分市、宇佐市、久住町、本耶馬渓町 |
| 宮崎県 | 高千穂峡ほか、酒泉の杜、西都原古墳群、えびの高原、高千穂牧場、オーシャンドーム |
| 鹿児島県 | 鹿児島・桜島、指宿・佐多、霧島、奄美、種子・屋久 |
| 沖縄県 | 国営沖縄記念公園、首里城公園、沖縄美ら海水族館、万座毛、琉球村、残波岬 |

## 都道府県別　主要観光資源

| 都道府県 | 名　称 |
|---|---|
| 北　海　道 | 札幌、さっぽろ雪まつり、小樽運河、洞爺湖、利尻・礼文・サロベツ原野、大雪山、富良野、釧路湿原、摩周湖・屈斜路湖・阿寒湖、知床、オホーツク海の流氷、日高山脈・襟裳、アイヌ古式舞踊 |
| 青　森　県 | 十和田湖および奥入瀬渓流、白神山地のブナ原生林、青函トンネル、ねぶた祭 |
| 岩　手　県 | 中尊寺、毛越寺庭園、北山崎、早池峰山、陸中海岸 |
| 宮　城　県 | 松島、蔵王 |
| 秋　田　県 | 十和田湖および奥入瀬渓流、白神山地のブナ原生林、秋田ふるさと村、男鹿 |
| 山　形　県 | 松押公園と上杉家御廟、出羽三山」、蔵王温泉、蔵王エコーライン、飯豊・朝日連峰 |
| 福　島　県 | 尾瀬ヶ原、東北サファリパーク、奥只見 |
| 新　潟　県 | 佐渡、尾瀬ヶ原、奥只見 |
| 茨　城　県 | 大洗・那珂湊海岸、霞ヶ浦、水戸、つくば |
| 栃　木　県 | 華厳滝、日光杉並木街道、東照宮、二荒山神社、輪王寺、奥日光 |
| 群　馬　県 | 尾瀬ヶ原、草津温泉、奥利根 |
| 埼　玉　県 | 秩父・長瀞、川越、東武動物公園、武蔵丘陵森林公園 |
| 千　葉　県 | 東京ディズニーランド、東京ディズニーシー、国立歴史民俗博物館 |
| 東　京　都 | 皇居と隣接公園群、浅草、秋葉原、お台場、サンリオピューロランド、伊豆七島、小笠原諸島 |
| 神奈川県 | 古都鎌倉、横浜、箱根、八景島シーパラダイス |
| 山　梨　県 | 富士山、御岳昇仙峡、南アルプス、勝沼 |
| 長　野　県 | 志賀高原、上高地、穂高連峰、木曽、善光寺、松本城 |
| 岐　阜　県 | 飛騨高山、長良川、白川郷の合掌造り集落、白山 |
| 静　岡　県 | 富士山、日本平、奥大井・南アルプス |
| 愛　知　県 | 野外民族博物館リトルワールド、犬山城、博物館明治村 |
| 三　重　県 | 伊勢神宮、志摩スペイン村、瀞八丁、熊野古道、大台ケ原山・大峯山 |
| 富　山　県 | 五箇山の合掌造り集落、立山・黒部、白山 |
| 石　川　県 | 金沢・兼六園、白山 |
| 福　井　県 | 一乗谷朝倉氏庭園、永平寺、白山 |
| 滋　賀　県 | 琵琶湖、延暦寺、彦根城 |
| 京　都　府 | 天橋立、西芳寺庭園、龍安寺、清水寺、鹿苑寺、慈照寺、二条城、修学院離宮庭園、桂離宮庭園、祇園祭、京都国立博物館、東映大奏映画村、祇園祭・時代祭 |
| 大　阪　府 | ユニバーサル・スタジオ・ジャパン、道頓堀、千里、仁徳天皇陵 |
| 兵　庫　県 | 神戸、姫路城、明石海峡大橋 |
| 奈　良　県 | 法隆寺地域の仏教建造物、古都奈良の文化財、キトラ古墳、吉野、大台ケ原山・大峯山 |
| 和歌山県 | 熊野古道、瀞八丁 |
| 鳥　取　県 | 大山、鳥取砂丘 |
| 島　根　県 | 出雲大社、石見銀山遺跡、津和野、隠岐諸島 |
| 岡　山　県 | 岡山後楽園、瀬戸大橋 |
| 広　島　県 | 厳島神社、原爆ドーム、広島平和記念資料館、三段峡、しまなみ海道 |
| 山　口　県 | 秋芳洞・秋吉台、萩、錦帯橋 |
| 徳　島　県 | 四国霊場と遍路道、鳴門の渦潮、大鳴門橋、阿波踊り |
| 香　川　県 | 四国霊場と遍路道、レオマワールド、栗林公園、瀬戸大橋 |
| 愛　媛　県 | 四国霊場と遍路道、しまなみ海道、四万十川 |
| 高　知　県 | 四国霊場と遍路道、四万十川、アンパンマンミュージアム、高知城壊徳館 |
| 福　岡　県 | スペースワールド、博多、柳川・久留米 |
| 佐　賀　県 | 吉野ヶ里、虹の松原 |
| 長　崎　県 | ハウステンボス、長崎・教会群、温泉岳 |
| 熊　本　県 | 阿蘇山と外輪山、石橋群 |
| 大　分　県 | 別府温泉、湯布院、宇佐・国東、祖母傾 |
| 宮　崎　県 | 霧島山、シーガイア・オーシャンドーム、日南・青島、祖母傾 |
| 鹿児島県 | 屋久島、屋久杉の原始林、霧島山、桜島、奄美諸島 |
| 沖　縄　県 | 琉球王国のグスクと遺産群、沖縄の珊瑚礁、琉球舞踊・組踊り、石垣島、西表島、与那国島 |

## 訪日外国人旅行者数並びに日本人海外旅行者数の推移

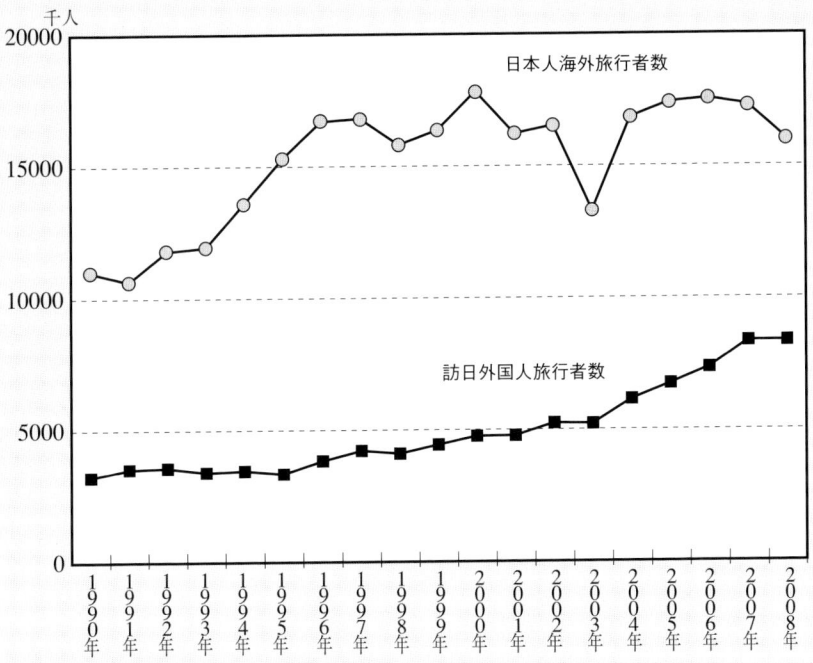

| 単位：千人<br>年 | 訪日外国人旅行者数<br>(A) | 日本人海外旅行者数<br>(B) | 旅行者格差<br>(B)−(A) |
|---|---|---|---|
| 2008年 | 8,351 | 15,987 | 7,636 |
| 2007年 | 8,349 | 17,295 | 8,946 |
| 2006年 | 7,334 | 17,535 | 10,201 |
| 2005年 | 6,728 | 17,404 | 10,676 |
| 2004年 | 6,138 | 16,831 | 10,693 |
| 2003年 | 5,212 | 13,296 | 8,084 |
| 2002年 | 5,239 | 16,523 | 11,284 |
| 2001年 | 4,772 | 16,216 | 11,444 |
| 2000年 | 4,757 | 17,819 | 13,062 |
| 1999年 | 4,438 | 16,358 | 11,920 |
| 1998年 | 4,106 | 15,806 | 11,700 |
| 1997年 | 4,218 | 16,803 | 12,585 |
| 1996年 | 3,837 | 16,695 | 12,858 |
| 1995年 | 3,345 | 15,298 | 11,953 |
| 1994年 | 3,468 | 13,579 | 10,111 |
| 1993年 | 3,410 | 11,934 | 8,524 |
| 1992年 | 3,582 | 11,791 | 8,209 |
| 1991年 | 3,533 | 10,634 | 7,101 |
| 1990年 | 3,236 | 10,997 | 7,761 |

（出所）国土交通省 観光庁「出入国者数」

## 2008年　訪日外国人旅行者数

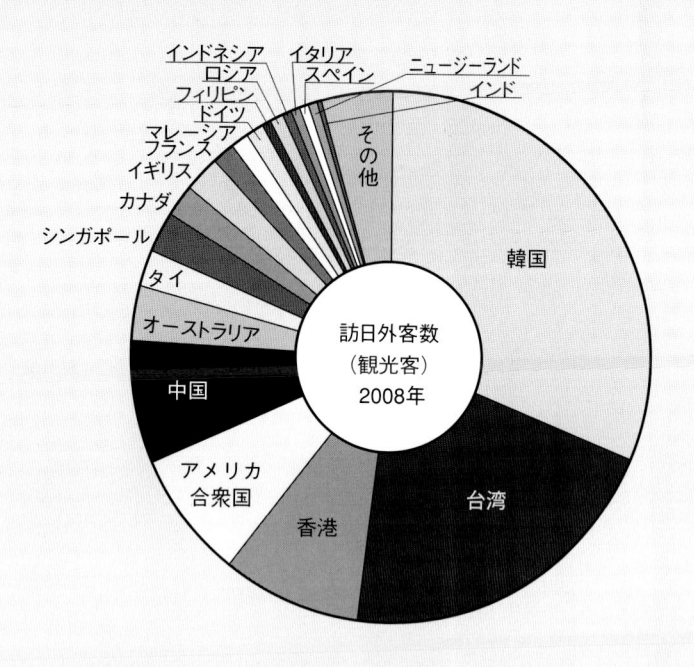

|  | 国名 | 訪日外客数 |  | 国名 | 訪日外客数 |
|---|---|---|---|---|---|
| 1 | 韓国 | 1,892,654 | 11 | フランス | 90,689 |
| 2 | 台湾 | 1,264,425 | 12 | マレーシア | 70,355 |
| 3 | 香港 | 513,185 | 13 | ドイツ | 55,090 |
| 4 | アメリカ合衆国 | 474,137 | 14 | フィリピン | 42,515 |
| 5 | 中国 | 455,728 | 15 | ロシア連邦 | 42,066 |
| 6 | オーストラリア | 195,136 | 16 | インドネシア | 40,494 |
| 7 | タイ | 143,541 | 17 | イタリア | 34,808 |
| 8 | シンガポール | 137,222 | 18 | スペイン | 32,383 |
| 9 | カナダ | 131,504 | 19 | ニュージーランド | 23,404 |
| 10 | イギリス | 123,957 | 20 | インド | 22,441 |

単位：人

（出典）日本政府観光局（JNTO）

## 2007年　日本人海外旅行者　各国別訪問者数

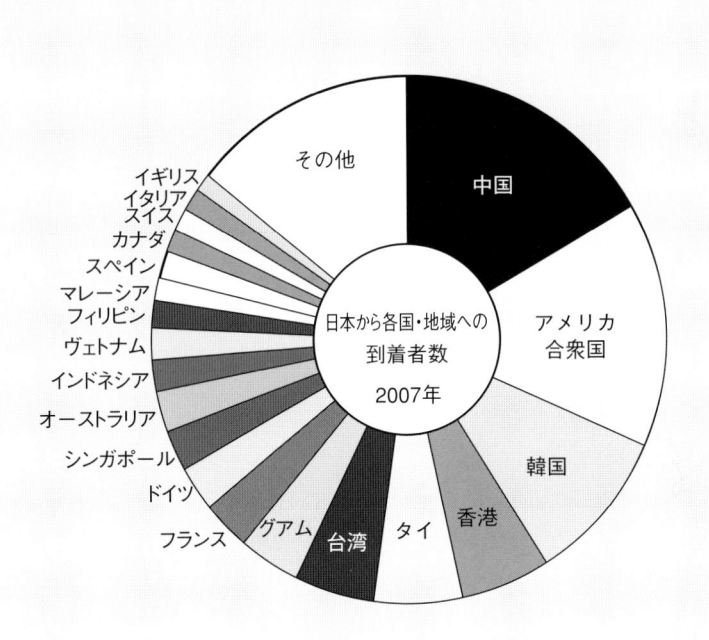

日本から各国・地域への到着者数 2007年

| | 国　名 | 日本人訪問者数 | | 国　名 | 日本人訪問者数 |
|---|---|---|---|---|---|
| 1 | 中国 | 3,977,479 | 11 | オーストラリア | 573,045 |
| 2 | アメリカ合衆国 | 3,531,489 | 12 | インドネシア | 508,820 |
| 3 | 韓国 | 2,235,963 | 13 | ヴェトナム | 417,291 |
| 4 | 香港 | 1,324,336 | 14 | フィリピン | 395,012 |
| 5 | タイ | 1,277,638 | 15 | マレーシア | 367,567 |
| 6 | 台湾 | 1,166,380 | 16 | スペイン | 346,047 |
| 7 | グアム | 932,175 | 17 | カナダ | 343,451 |
| 8 | フランス | 707,500 | 18 | スイス | 324,554 |
| 9 | ドイツ | 661,792 | 19 | イタリア | 320,681 |
| 10 | シンガポール | 594,514 | 20 | イギリス | 307,633 |

単位：人

（出典）UNWTO, PATA, 各国政府観光局、各国統計局

## 日本の主要旅行業者の旅行取扱状況（2008年4月〜2009年3月）

観光関連データ

| 会社名 | 海外旅行 | 外国人旅行 | 国内旅行 | 合計<br>金額単位：百万円 |
|---|---:|---:|---:|---:|
| ❶ジェイティービー | 14,099 | 8 | 790,679 | 804,786 |
| ❷近畿日本ツーリスト | 162,275 | 7,753 | 287,103 | 457,130 |
| ❸日本旅行 | 131,235 | 8,456 | 284,080 | 423,770 |
| ❹JTB首都圏 | 138,452 | 439 | 215,665 | 354,557 |
| ❺阪急交通社 | 214,697 | 1,386 | 135,431 | 351,514 |
| ❻エイチ・アイ・エス | 305,790 | 0 | 17,125 | 322,915 |
| ❼JTBトラベランド | 66,078 | 0 | 185,684 | 251,762 |
| ❽JTBワールドバケーションズ | 238,773 | 0 | 0 | 238,773 |
| ❾ANAセールス | 33,475 | 1,174 | 198,146 | 232,796 |
| ❿JTB西日本 | 79,703 | 3,420 | 128,626 | 211,749 |
| ⓫クラブツーリズム | 46,239 | 5 | 93,458 | 139,702 |
| ⓬トップツアー | 38,308 | 4,551 | 92,772 | 135,632 |
| ⓭ジャルツアーズ | 0 | 0 | 134,960 | 134,960 |
| ⓮KNTツーリスト | 35,982 | 0 | 98,614 | 134,596 |
| ⓯JTB中部 | 52,369 | 879 | 81,031 | 134,279 |
| ⓰名鉄観光サービス | 18,118 | 535 | 83,205 | 101,858 |
| ⓱日本通運 | 79,670 | 1,207 | 17,794 | 98,671 |
| ⓲JTB九州 | 29,371 | 524 | 65,214 | 95,108 |
| ⓳農協観光 | 12,847 | 643 | 78,066 | 91,556 |
| ⓴ジェイアール東海ツアーズ | 1,783 | 0 | 84,981 | 86,763 |
| ㉑ジャルパック | 82,682 | 0 | 0 | 82,682 |
| ㉒JTB法人東京 | 35,323 | 1,507 | 45,788 | 82,617 |
| ㉓読売旅行 | 10,603 | 0 | 69,428 | 80,031 |
| ㉔i.JTB | 7,446 | 0 | 70,743 | 78,189 |
| ㉕JTB中国四国 | 23,692 | 132 | 47,482 | 71,306 |
| ㉖PTS | 26,239 | 178 | 41,423 | 67,840 |
| ㉗ジェイティービービジネストラベルソリューウション | 47,605 | 159 | 17,247 | 65,010 |
| ㉘ジャルセールス | 19,178 | 0 | 42,151 | 61,330 |
| ㉙ビッグホリデー | 10,234 | 0 | 47,959 | 58,193 |
| ㉚トラベルプラザインターナショナル | 52,122 | 0 | 0 | 52,122 |

（出所）国土交通省 観光庁 観光産業課 「旅行業者取扱高」

シンクタンクせとうち総合研究機構　発行

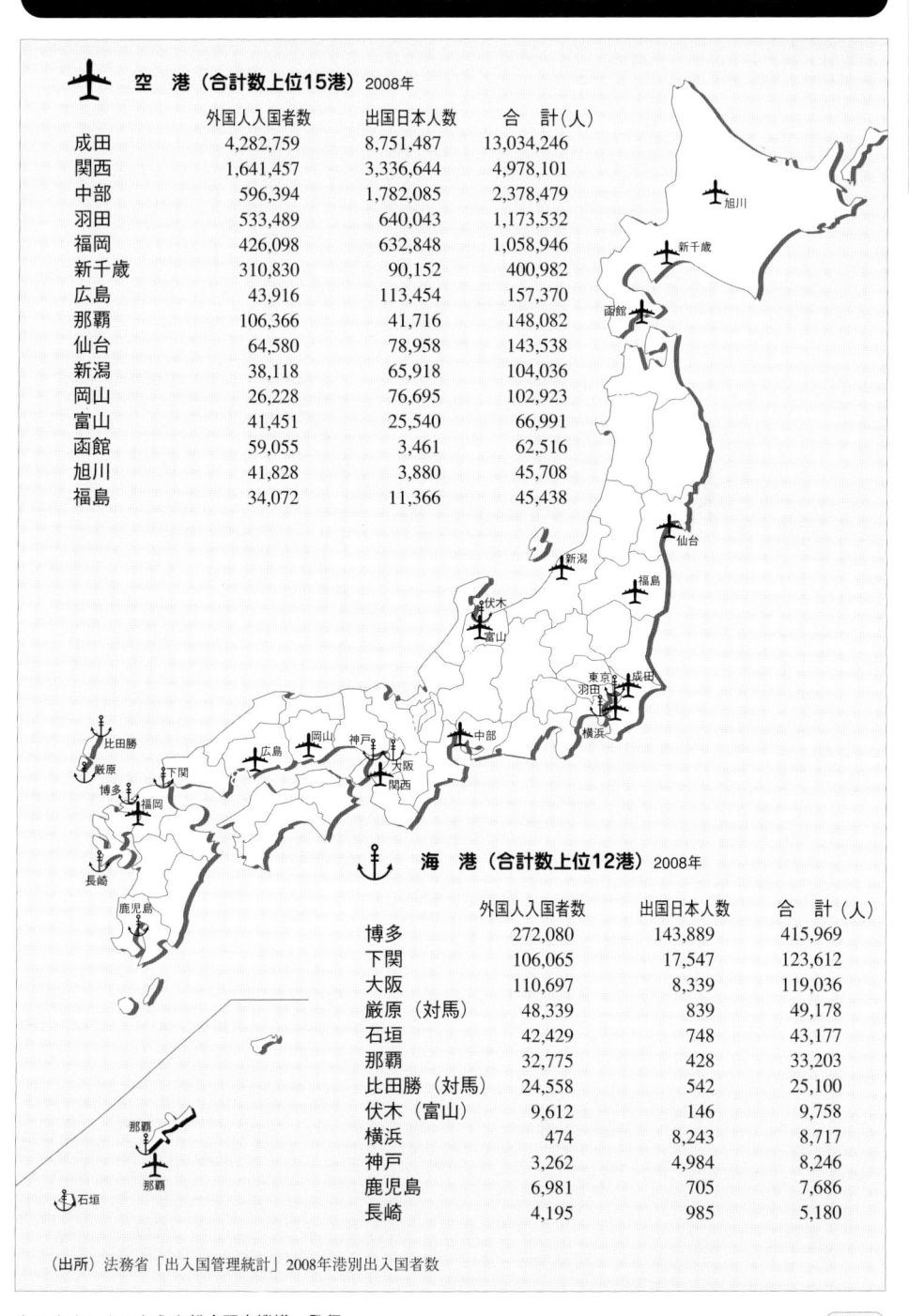

## 2008年　空港・海港別　外国人入国者数・出国日本人数

### 空　港（合計数上位15港）2008年

| | 外国人入国者数 | 出国日本人数 | 合　計（人） |
|---|---:|---:|---:|
| 成田 | 4,282,759 | 8,751,487 | 13,034,246 |
| 関西 | 1,641,457 | 3,336,644 | 4,978,101 |
| 中部 | 596,394 | 1,782,085 | 2,378,479 |
| 羽田 | 533,489 | 640,043 | 1,173,532 |
| 福岡 | 426,098 | 632,848 | 1,058,946 |
| 新千歳 | 310,830 | 90,152 | 400,982 |
| 広島 | 43,916 | 113,454 | 157,370 |
| 那覇 | 106,366 | 41,716 | 148,082 |
| 仙台 | 64,580 | 78,958 | 143,538 |
| 新潟 | 38,118 | 65,918 | 104,036 |
| 岡山 | 26,228 | 76,695 | 102,923 |
| 富山 | 41,451 | 25,540 | 66,991 |
| 函館 | 59,055 | 3,461 | 62,516 |
| 旭川 | 41,828 | 3,880 | 45,708 |
| 福島 | 34,072 | 11,366 | 45,438 |

### 海　港（合計数上位12港）2008年

| | 外国人入国者数 | 出国日本人数 | 合　計（人） |
|---|---:|---:|---:|
| 博多 | 272,080 | 143,889 | 415,969 |
| 下関 | 106,065 | 17,547 | 123,612 |
| 大阪 | 110,697 | 8,339 | 119,036 |
| 厳原（対馬） | 48,339 | 839 | 49,178 |
| 石垣 | 42,429 | 748 | 43,177 |
| 那覇 | 32,775 | 428 | 33,203 |
| 比田勝（対馬） | 24,558 | 542 | 25,100 |
| 伏木（富山） | 9,612 | 146 | 9,758 |
| 横浜 | 474 | 8,243 | 8,717 |
| 神戸 | 3,262 | 4,984 | 8,246 |
| 鹿児島 | 6,981 | 705 | 7,686 |
| 長崎 | 4,195 | 985 | 5,180 |

（出所）法務省「出入国管理統計」2008年港別出入国者数

# 観光関連情報源

## ■国際機関

- 経済協力開発機構（OECD） 2, rue Andre PascalF-75775 Paris Cedex 16 France ℡33 1.45.24.82.00
- 国連アジア・太平洋経済社会委員会 The United Nations Building Rajadamnern Nok Avenue Bangkok10200 Thailand
  （UNESCAP） ℡66-2- 288-1866
- 世界観光機関（World Tourism Organization） Capitan Haya 42 28020 Madrid,Spain ℡34 91 567 81 00
- 世界観光機関アジア太平洋センター 〒598-0048 大阪府泉佐野市りんくう往来北一番-24F ℡072-460-1200
- (財)アジア太平洋観光交流センター 〒598-0048 大阪府泉佐野市りんくう往来北一番-24F ℡072-460-1200
- 国際機関日本アセアンセンター観光部 〒105-0004 東京都港区新橋6-17-19 ℡03-5402-8001

## ■国内機関　中央官庁・地方自治体

- 観光庁 〒100-8918 東京都千代田区霞が関2-1-3 ℡03-5253-8111
- 内閣府 〒100-8914 東京都千代田区永田町1-6-1 ℡03-5253-2111
- 法務省 〒100-8977 東京都千代田区霞が関1-1-1 ℡03-3580-4111
- 外務省 〒100-8919 東京都千代田区霞が関2-2-1 ℡03-3580-3311
- 北海道経済部観光局 〒060-8588 札幌市中央区北3条西6丁目 ℡011-204-5302
- 青森県商工労働部観光局観光企画課 〒030-8570 青森市長島1丁目1-1 ℡017-722-1111
- 岩手県商工労働観光部観光課 〒020-8570 盛岡市内丸10-1 ℡019-629-5574
- 宮城県経済商工観光部観光課 〒980-8570 仙台市青葉区本町3丁目8-1 ℡022-211-2823
- 秋田県産業経済労働部観光課 〒010-8570 秋田市山王3丁目1-1県庁第2庁舎 ℡018-860-2265
- 山形県商工労働観光部観光振興課 〒990-8570 山形市松波2丁目8-1 ℡023-630-2211
- 福島県商工労働部観光交流課 〒960-8670 福島市杉妻町2-16 ℡024-521-7286
- 茨城県商工労働部観光物産課 〒310-8555 水戸市笠原町978-6 ℡029-301-1111
- 栃木県産業労働観光部観光交流課 〒320-8501 宇都宮市塙田1丁目1-20 ℡028-623-3210
- 群馬県産業経済部観光局観光物産課 〒371-8570 前橋市大手町1丁目1-1 ℡027-223-1111
- 埼玉県産業労働部観光課 〒330-9301 浦和市高砂3丁目15-1 ℡048-830-3950
- 千葉県商工労働部観光課 〒260-8667 千葉市中央区市場町1-1 ℡043-223-2417
- 東京都産業労働局観光部 〒163-8001 新宿区西新宿2丁目8-1 ℡03-5321-1111
- 神奈川県商工労働部商業観光流通課 〒231-8588 横浜市中区日本大通1 ℡045-210-1111
- 新潟県観光局交流企画課 〒950-8570 新潟市新光町4-1 ℡025-285-5511
- 富山県知事政策室観光・地域振興局観光課 〒930-8501 富山市新総曲輪1-7 ℡076-431-4111
- 石川県観光交流局交流政策課 〒920-8580 金沢市鞍月1-1 ℡076-225-1111
- 福井県観光営業部観光振興課 〒910-8580 福井市大手3-17-1 ℡0776-21-1111
- 山梨県観光部観光企画・ブランド推進課 〒400-8501 甲府市丸の内1-6-1 ℡055-237-1111
- 長野県観光部観光企画課 〒380-8570 長野市南長野字幅下692-2 ℡026-232-0111
- 岐阜県総合企画部観光交流推進局観光・ブランド振興課
  〒500-8570 岐阜市藪田南2-1-1 ℡058-272-1111
- 静岡県産業部観光局観光政策室 〒420-8601 静岡市葵区追手町9-6 ℡054-221-2455
- 愛知県産業労働部観光コンベンション課 〒460-8501 名古屋市中区三の丸3-1-2 ℡052-961-2111
- 三重県農水商工部観光・交流室 〒514-8570 津市広明町13 ℡059-224-3070
- 滋賀県商工観光労働部商業観光振興課 〒520-8577 大津市京町4-1-1 ℡077-524-1121
- 京都府商工労働観光部観光課 〒602-8570 京都市上京区下立売通新町西入薮内町 ℡075-451-8111
- 大阪府府民文化部都市魅力創造局観光課 〒540-8570 大阪市中央区大手前2-1-22 ℡06-6941-0351
- 兵庫県産業労働部観光局観光交流課 〒650-8567 神戸市中央区下山手通5-10-1 ℡078-341-7711
- 奈良県文化観光局観光振興課 〒630-8501 奈良市登大路町30 ℡0742-22-1101
- 和歌山県商工観光労働部観光局観光振興課 〒640-8585 和歌山市小松原通1-1 ℡073-432-4111
- 鳥取県文化観光局観光政策課 〒680-8570 鳥取市東町1-220 ℡0857-26-7111
- 島根県商工労働部観光振興課 〒690-8501 松江市殿町1 ℡0852-22-5111
- 岡山県産業労働部観光物産課 〒700-8570 岡山市北区内山下2-4-6 ℡086-224-2111

| | | | |
|---|---|---|---|
| ●広島県商工労働局産業振興部観光課 | 〒730-8511 | 広島市中区基町10-52 | ☎082-228-2111 |
| ●山口県地域振興部観光交流課 | 〒753-8501 | 山口市滝町1-1 | ☎083-922-3111 |
| ●徳島県商工労働部観光戦略局観光企画課 | 〒770-8570 | 徳島市万代町1-1 | ☎088-621-2500 |
| ●香川県観光交流局観光振興課 | 〒760-8570 | 高松市番町4丁目1-10 | ☎087-832-3361 |
| ●愛媛県経済労働部観光物産課 | 〒790-8570 | 松山市一番町4丁目4-2 | ☎089-941-2111 |
| ●高知県商工労働部観光政策課 | 〒780-8570 | 高知市丸ノ内1-2-20 | ☎088-823-1111 |
| ●福岡県商工部国際経済観光課 | 〒812-8577 | 福岡市博多区東公園7-7 | ☎092-651-1111 |
| ●佐賀県農林水産商工本部観光課 | 〒840-8570 | 佐賀市城内1-1-59 | ☎0952-24-2111 |
| ●長崎県観光振興推進本部 | 〒850-0075 | 長崎市元船町14-10-8F | ☎095-895-9690 |
| ●熊本県商工観光労働部観光交流国際課 | 〒862-8570 | 熊本市水前寺6-18-1 | ☎096-383-1111 |
| ●大分県企画振興部観光・地域振興局 | 〒870-8501 | 大分市大手町3-1-1 | ☎097-536-1111 |
| ●宮崎県商工観光労働部観光交流推進局観光推進課 | | | |
| | 〒880-8501 | 宮崎市橘通東2-10-1 | ☎0985-26-7111 |
| ●鹿児島県観光交流局観光課 | 〒890-8577 | 鹿児島市鴨池新町10-1 | ☎099-286-2111 |
| ●沖縄県観光商工部観光企画課 | 〒900-8570 | 那覇市泉崎1丁目2-2 | ☎098-866-2333 |

■各種団体・研究機関等

| | | | |
|---|---|---|---|
| ●日本政府観光局（JNTO） | 〒100-0006 | 東京都千代田区有楽町2-10-1-10F | ☎03-3216-1901 |
| 　ソウル事務所 | | ソウル市中区乙支路1街188-3　Hotel President 2F | ☎82-2-777-8601 |
| 　北京事務所 | | Chang Fu Gong Office Building,Rm.610,No.26, | ☎86-010-6513-9023 |
| | | Jianguomenwai,Dajie,Chaoyang-qu,Beijing 100022 | |
| 　上海事務所 | | 上海市茂名南路205号瑞金大廈1412室 | ☎86-21-5466-2808 |
| 　香港事務所 | | Suite 3704-05, 37/F., Dorset House, Taikoo Place, | ☎852-2968-5688 |
| | | Quarry Bay, Hong Kong | |
| 　バンコク事務所 | | 19th. Fl., Ramaland Bldg., No.952 Rama 4 Road, | ☎66-02-233-5108 |
| | | Bangrak District,Bangkok 10500, Thailand | |
| 　シンガポール事務所 | | 16 Raffles Quay, #15-09 Hong Leong Building, | ☎65-6223-8205 |
| | | Singapore 048581 | |
| 　シドニー事務所 | | Level 7, 36-38 Clarence Street,Sydney N.S.W. 2000, | ☎61-2-9279-2177 |
| | | Australia | |
| 　ロンドン事務所 | | 5th Floor, 12/13 Nicholas Lane, London, EC4N 7BN, U.K | ☎44-020-7398-5670 |
| 　パリ事務所 | | 4, rue de Ventadour,75001 Paris, France | ☎33-01-42-96-20-29 |
| 　フランクフルト事務所 | | Kaiserstrasse 11, 60311 Frankfurt am Main, Germany | ☎49-069-2 03 53 |
| 　ニューヨーク事務所 | | 11West 42nd St., 19th FloorNew York, NY 10036, USA | ☎1-212-757-5640 |
| 　ロサンゼルス事務所 | | 340 E. 2nd Street, Little Tokyo Plaza,Suite 302 | ☎1-213-623-1952 |
| | | Los Angeles, CA 90012, USA | |
| 　トロント事務所 | | 481 University Avenue, Suite 306,Toronto, Ontario | ☎1-416-366-7140 |
| | | M5G 2E9 Canada | |
| ●社団法人日本観光協会 | 〒104-0033 | 東京都中央区新川1-6-1-4F | ☎03-6222-2531 |
| 　北海道支部 | 〒060-0004 | 北海道札幌市中央区北4条西4-4-5F | ☎011-232-7373 |
| 　東北支部 | 〒983-0852 | 宮城県仙台市宮城野区榴岡4-5-24-5F | ☎022-792-3850 |
| 　関東支部 | 〒104-0033 | 東京都中央区新川1-6-1-4F | ☎03-6222-2538 |
| 　中部支部 | 〒450-0002 | 愛知県名古屋市中村区名駅3-16-22-6F | ☎052-541-1241 |
| 　関西支部 | 〒530-0047 | 大阪府大阪市北区西天満2-10-2-8F | ☎06-6311-1220 |
| 　中国支部 | 〒730-0013 | 広島県広島市中区八丁堀11-18-5F | ☎082-222-6625 |
| 　四国支部 | 〒760-8570 | 香川県高松市番町4-1-10 香川県庁内 | ☎087-833-0177 |
| 　九州支部 | 〒810-0001 | 福岡県福岡市中央区天神1-10-24-6F | ☎092-726-5001 |
| 　台湾事務所 | | 台北市104南京東路二段137号13F | ☎010-886-2-2506-4228 |
| ●財団法人日本交通公社 | 〒100-0005 | 東京都千代田区丸の内1-8-2-9F | ☎03-5208-4701 |
| ●旅の文化研究所 | 〒101-0032 | 東京都千代田区岩本町3-9-1花岡ビル5F | ☎03-3863-3181 |
| ●㈳日本旅行業協会（JATA） | 〒100-0013 | 東京都千代田区霞が関3-3-3 | ☎03-3592-1271 |

## 観光関連情報源

| 団体名 | 〒 | 住所 | TEL |
|---|---|---|---|
| (社)日本観光通訳協会（JGA） | 〒100-0005 | 東京都千代田区丸の内3-4-1新国際ビル | 03-3213-2706 |
| (社)北海道観光振興機構 | 〒060-0004 | 札幌市中央区北4条西4-1-5F | 011-231-0941 |
| (社)青森県観光連盟 | 〒030-0803 | 青森市安方1-1-40 | 017-722-5080 |
| (財)岩手県観光協会 | 〒020-0024 | 盛岡市盛岡駅西通2-9-1-3F | 019-651-0626 |
| (社)宮城県観光連盟 | 〒980-8570 | 仙台市青葉区本町3-8-1 | 022-221-1864 |
| (社)秋田県観光連盟 | 〒010-0951 | 秋田市山王3-1-1 | 018-860-2267 |
| (社)山形県観光物産協会 | 〒990-0827 | 山形県山形市城南町1-1-1霞城セントラル内 | 023-647-2333 |
| (社)茨城県観光物産協会 | 〒310-0011 | 水戸市三の丸1-5-38 | 029-226-3800 |
| (社)栃木県観光物産協会 | 〒320-0033 | 宇都宮市本町9-13 県庁南庁舎 | 028-623-3213 |
| (財)群馬県観光国際協会 | 〒371-0026 | 前橋市大手町2-1-2群馬会館3F | 027-243-7273 |
| (社)埼玉県物産観光協会 | 〒330-0854 | さいたま市大宮区桜木町1-7-5-9F | 048-647-0500 |
| (社)千葉県観光協会 | 〒260-0015 | 千葉市中央区富士見1-12-7-2F | 043-225-9170 |
| (社)神奈川県観光協会 | 〒231-0023 | 横浜市中区山下町1 | 045-681-0007 |
| (社)新潟県観光協会 | 〒950-8570 | 新潟市中央区新光町4-1 | 025-283-1188 |
| (社)富山県観光連盟 | 〒930-8501 | 富山市新総曲輪1-7県庁東別館 | 076-441-7722 |
| (社)石川県観光連盟 | 〒920-8580 | 金沢市鞍月1-1 | 076-201-8110 |
| (社)福井県観光連盟 | 〒910-0005 | 福井市大手2-9-10-2F | 0776-23-3677 |
| (社)やまなし観光推進機構 | 〒400-0031 | 甲府市丸の内1-8-17 | 055-231-2722 |
| (社)信州・長野県観光協会 | 〒380-8570 | 長野市大字南長野字幅下692-2県庁1F | 026-234-7165 |
| (社)岐阜観光連盟 | 〒502-0841 | 岐阜市学園町3-42-2F | 058-296-0870 |
| (社)静岡県観光協会 | 〒422-8067 | 静岡市駿河区南町14-1-2F | 054-202-5595 |
| (社)愛知県観光協会 | 〒450-0002 | 名古屋市中村区名駅4-4-38-1F | 052-581-5788 |
| (社)三重県観光連盟 | 〒514-0009 | 津市羽所町700-2F | 059-224-5904 |
| (社)びわこビジターズビューロー | 〒520-0806 | 大津市打出浜2-1-6F | 077-511-1530 |
| (社)京都府観光連盟 | 〒600-8216 | 京都市下京区烏丸通塩小路下る駅ビル9F | 075-371-2226 |
| (財)大阪観光コンベンション協会 | 〒542-0081 | 大阪市中央区南船場4-4-2-5F | 06-6282-5900 |
| (社)ひょうごツーリズム協会 | 〒650-8567 | 神戸市中央区下山手通5-10-1 | 078-361-7661 |
| (財)奈良県ビジターズビューロー | 〒630-8213 | 奈良市登大路町38-1-2F | 0742-23-8288 |
| (社)和歌山県観光連盟 | 〒640-8585 | 和歌山市小松原通1-1 県庁内 | 073-441-2775 |
| (社)鳥取県観光連盟 | 〒680-0831 | 鳥取市栄町606-5F | 0857-39-2111 |
| (社)島根県観光連盟 | 〒690-0887 | 松江市殿町1 県庁内 | 0852-21-3969 |
| (社)岡山県観光連盟 | 〒700-0825 | 岡山市北区田町1-3-1-4F | 086-233-1802 |
| (社)広島県観光連盟 | 〒730-0013 | 広島市中区八丁堀11-18-5F | 082-221-6516 |
| (社)山口県観光連盟 | 〒753-8501 | 山口市滝町1-1 県政資料館内 | 083-924-0462 |
| (財)徳島県観光協会 | 〒770-8055 | 徳島市山城町東浜傍示1 | 088-652-8777 |
| (社)香川県観光協会 | 〒760-8570 | 高松市番町4-1-10 | 087-832-3377 |
| (社)愛媛県観光協会 | 〒791-8057 | 松山市大可賀2-1-28 | 089-951-0711 |
| (財)高知県観光コンベンション協会 | 〒780-0053 | 高知市駅前町3-20-1F | 088-823-1434 |
| (社)福岡県観光連盟 | 〒812-0013 | 福岡市博多区博多駅東1-1-33 | 092-472-1910 |
| (社)佐賀県観光連盟 | 〒840-0041 | 佐賀市城内1-1-59 県庁内 | 0952-26-6754 |
| (社)長崎県観光連盟 | 〒850-0035 | 長崎市元船町14-10-8F | 095-826-9407 |
| (社)熊本県観光連盟 | 〒862-0950 | 熊本市水前寺6-5-19-3F | 096-382-2660 |
| (社)ツーリズムおおいた | 〒874-0828 | 別府市山の手町12-1 | 0977-26-6250 |
| (財)みやざき観光コンベンション協会 | 〒880-0804 | 宮崎市宮田町3-46 県庁9号館 | 0985-25-4676 |
| (社)鹿児島県観光連盟 | 〒892-0821 | 鹿児島市名山町9-1 県産業会館 | 099-223-5771 |
| (財)沖縄観光コンベンションビューロー | 〒901-0152 | 沖縄県那覇市字小禄1831-1-2F | 098-859-6123 |

■学会

| 団体名 | 〒 | 住所 | TEL |
|---|---|---|---|
| 日本観光学会事務局 | 〒105-0004 | 東京都港区新橋1-17-1 内田ビル | 03-3501-0600 |
| 日本観光研究学会事務局 | 〒352-8558 | 埼玉県新座市北野1-2-26立教大学内 | 048-471-7387 |
| 日本国際観光学会事務局 | 〒164-0001 | 東京都中野区東中野4-4-5-517 | 03-5389-7305 |

シンクタンクせとうち総合研究機構 発行

| | | | |
|---|---|---|---|
| ●総合観光学会事務局 | 〒157-0045 | 東京都世田谷区砧5-2-1日本大学商学部内 | ℡03-3749-6831 |
| ●観光情報学会事務局 | 〒060-0814 | 札幌市北区北14条西9<br>北海道大学大学院情報科学研究科内 | ℡080-3296-1873 |
| ●日本ホスピタリティ・マネジメント学会 | 〒101-0061 | 東京都千代田区三崎町2-7-10-2F<br>LEC東京リーガルマインド大学崎本武志研究室気付 | FAX 03-3222-5188 |
| ●日本観光ホスピタリティ教育学会 | 〒192-8508 | 東京都八王子市宮下町476<br>杏林大学外国語学部気付 | ℡042-691-0011 |
| ●日本交通学会事務局 | 〒160-0016 | 東京都新宿区信濃町34（財）運輸調査局内 | ℡03-5363-3101 |

■大学・短大・専門学校等

| | | | |
|---|---|---|---|
| ●北海道大学大学院<br>　国際広報メディア観光学院 | 〒060-0817 | 札幌市北区北17条西8丁目 | ℡011-706-5382 |
| ●和歌山大学観光学部 | 〒640-8510 | 和歌山県和歌山市栄谷930 | ℡073-457-8542 |
| ●琉球大学観光産業科学部 | 〒903-0213 | 沖縄県中頭郡西原町字千原1 | ℡098-895-8012 |
| ●札幌国際大学観光学部 | 〒004-8602 | 札幌市清田区清田4-1-4-1 | ℡011-881-8844 |
| ●立教大学観光学部 | 〒352-8558 | 埼玉県新座市北野1-2-26 | ℡048-471-6942 |
| ●大阪観光大学観光学部 | 〒590-0493 | 大阪府泉南郡熊取町大久保南5-3-1 | ℡072-453-8222 |
| ●城西国際大学観光学部 | 〒299-2862 | 千葉県鴨川市太海1717 | ℡04-7098-2800 |
| ●神戸夙川学院大学観光文化学部 | 〒650-0045 | 神戸市中央区港島1-3-11 | ℡078-940-1154 |
| ●平安女学院大学国際観光学部 | 〒602-8013 | 京都市上京区烏丸通下立売西入 | ℡075-414-8150 |
| ●東海大学観光学部 | 〒259-1292 | 神奈川県平塚市北金目1117 | ℡0463-58-1211 |
| ●阪南大学国際観光学部 | 〒580-0033 | 大阪府松原市天美南1-108-1 | ℡072-332-1224 |
| ●北海商科大学商学部観光産業学科 | 〒062-8607 | 札幌市豊平区豊平6条6-10 | ℡011-841-1161 |
| ●東洋大学国際地域学部国際観光学科 | 〒112-0001 | 東京都文京区白山2-36-5 | ℡03-5844-2400 |
| ●横浜商科大学商学部貿易観光学科 | 〒230-8577 | 横浜市鶴見区東寺尾4-11-1 | ℡045-571-3901 |
| ●川村学園女子大学人間文化学部<br>　観光文化学科 | 〒270-1138 | 千葉県我孫子市下ヶ戸1133 | ℡04-7183-0111 |
| ●流通経済大学社会学部国際観光学科 | 〒301-8555 | 茨城県龍ヶ崎市120 | ℡0297-64-0001 |
| ●桜美林大学経営政策学部<br>　ビジネス・マネージメント学科ツーリズム・ホテル・エンターテイメントコース | 〒194-0294 | 東京都町田市常盤町3758 | ℡042-797-2661 |
| ●岐阜女子大学文化創造学部観光文化コース | 〒501-2592 | 岐阜市太郎丸80 | ℡058-229-2211 |
| ●京都嵯峨芸術大学芸術学部<br>　観光デザイン学科 | 〒616-8362 | 京都市右京区嵯峨五島町1 | ℡075-864-7858 |
| ●同志社女子大学現代社会学部<br>　社会システム学科京都学・観光学コース | 〒610-0395 | 京都府京田辺市興戸 | ℡0774-65-8811 |
| ●奈良県立大学地域創造学部観光学科 | 〒630-8258 | 奈良県奈良市船橋町10 | ℡0742-22-4978 |
| ●流通科学大学サービス産業学部<br>　観光・生活文化事業学科 | 〒651-2188 | 神戸市西区学園西町3-1 | ℡078-794-3555 |
| ●神戸国際大学経済学部都市環境・観光学科 | 〒658-0032 | 神戸市東灘区向洋町中9-1-6 | ℡078-845-3111 |
| ●九州産業大学商学部観光産業学科 | 〒813-8503 | 福岡市東区松香台2-3-1 | ℡092-673-5050 |
| ●久留米大学経済学部<br>　文化経済学科環境・ツーリズムコース | 〒839-8502 | 福岡県久留米市御井町1635 | ℡0942-43-4411 |
| ●長崎国際大学人間社会学部<br>　国際観光学科 | 〒859-3298 | 長崎県佐世保市ハウステンボス町2825-7 | ℡0956-39-2020 |
| ●名桜大学国際学部観光産業学専攻 | 〒905-8585 | 沖縄県名護市字為又1220-1 | ℡0980-51-1100 |

■博物館・美術館等

| | | | |
|---|---|---|---|
| ●国立民族学博物館 | 〒565-8511 | 大阪府吹田市千里万博公園10-1 | ℡06-6876-2151 |
| ●国立歴史民俗博物館 | 〒285-8502 | 佐倉市城内町117 | ℡043-486-0123 |
| ●国立科学博物館 | 〒110-8718 | 東京都台東区上野公園7-20 | ℡03-3822-0111 |

誇れる郷土ガイドー全国47都道府県の観光データ編ー　観光関連情報源

観光関連情報源

| | | | |
|---|---|---|---|
| ● 東京国立博物館 | 〒110-0007 | 東京都台東区上野公園13-9 | ☎03-3822-1111 |
| ● 京都国立博物館 | 〒605-0931 | 京都市東山区茶屋町527 | ☎075-541-1151 |
| ● 奈良国立博物館 | 〒630-8213 | 奈良市登大路町50 | ☎0742-22-7771 |
| ● 東京国立近代美術館 | 〒102-8322 | 東京都千代田区北の丸公園3 | ☎03-3214-2561 |
| ● 東京国立近代美術館フィルムセンター | 〒104-0031 | 東京都中央区京橋3-7-6 | ☎03-3561-0823 |
| ● 京都国立近代美術館 | 〒606-8344 | 京都市左京区岡崎円勝寺町 | ☎075-761-4111 |
| ● 国立西洋美術館 | 〒110-0007 | 東京都台東区上野公園7-7 | ☎03-3828-5131 |
| ● 国立国際美術館 | 〒565-0826 | 大阪府吹田市千里万博公園10-4 | ☎06-6876-2481 |
| ● 国立劇場本館・演芸場 | 〒102-8656 | 東京都千代田区隼町4-1 | ☎03-3265-7411 |
| ● 国立能楽堂 | 〒151-0051 | 東京都渋谷区千駄ヶ谷4-18-1 | ☎03-3423-1331 |
| ● 国立文楽劇場 | 〒542-0073 | 大阪市中央区日本橋1-12-10 | ☎06-6212-2531 |
| ● 新国立劇場 | 〒151-0071 | 東京都渋谷区本町1-1-1 | ☎03-5351-3011 |
| ● ワッハ上方（府立上方演芸資料館） | 〒542-0073 | 大阪市中央区難波千日前12-7 | ☎06-6631-0884 |
| ● 歌舞伎座 | 〒104-0061 | 東京都中央区銀座4-12-15 | ☎03-3541-3131 |
| ● 京都四条南座 | 〒605-0075 | 京都市東山区四条大橋東詰 | ☎075-561-1155 |

■新聞社等

| | | | |
|---|---|---|---|
| ● 航空新聞社 | 〒107-0051 | 東京都港区元赤坂1-5-12 | ☎03-3796-6644 |
| ● 観光経済新聞社 | 〒110-0008 | 東京都台東区池之端2-1 | ☎03-3827-9800 |
| ● 交通新聞社 | 〒102-0083 | 東京都千代田区麹町6-6 | ☎03-5216-3211 |
| ● 旅行新聞新社 | 〒101-0021 | 東京都千代田区外神田6-7-2-4F | ☎03-3834-2718 |

■図書館・資料室等

| | | | |
|---|---|---|---|
| ● 日本交通公社旅の図書館 | 〒100-0005 | 東京都千代田区丸の内1-8-2-1F | ☎03-3214-6051 |

■資料・ニュースレター・リーフレット

| | |
|---|---|
| ● 観光白書 | 国土交通省観光庁 |
| ● 日本人の観光旅行の状況に関する調査・分析等報告書 | 国土交通省観光庁 |
| ● 「経営」によく効く『休暇』－企業の活力を引き出す30社の事例－ | 国土交通省観光庁 |
| ● 休暇取得の促進に関する有識者委員会 報告書 | 国土交通省観光庁 |
| ● 多様な食文化・食習慣を有する外国人客への対応マニュアル | 国土交通省観光庁 |
| ● 観光産業のイノベーション促進事業報告書 | 国土交通省観光庁 |
| ● ニューツーリズム創出流通促進事業報告書 | 国土交通省観光庁 |
| ● 博物館における外国人見学者の受入れ体制に関する現状把握調査報告書 | 国土交通省観光庁 |
| ● 持続可能な観光まちづくり事業体の創出支援調査報告書 | 国土交通省観光庁 |
| ● 観光地域づくり人材育成の取組みに関する調査報告書 | 国土交通省観光庁 |
| ● 児童・生徒によるボランティアガイド普及促進事業報告書 | 国土交通省観光庁 |
| ● 観光地域づくり人材育成の取組みに関する調査報告書 | 国土交通省観光庁 |
| ● 国際観光白書 | 国際観光振興機構（JNTO） |
| ● 日本の国際観光統計 | 国際観光振興機構（JNTO） |
| ● 訪日旅行誘致ハンドブック | 国際観光振興機構（JNTO） |
| ● 訪日外客実態調査(訪問地調査編) | 国際観光振興機構（JNTO） |
| ● 訪日外客実態調査(満足度調査編) | 国際観光振興機構（JNTO） |
| ● 訪日外客消費動向調査 | 国際観光振興機構（JNTO） |
| ● 訪日外国人旅行の経済波及効果調査報告書 | 国際観光振興機構（JNTO） |
| ● 季刊「観光」 | （社）日本観光協会 |
| ● 数字でみる観光 | （社）日本観光協会 |
| ● 観光実務ハンドブック | （社）日本観光協会 |
| ● 全国観光動向－観光客入込統計－ | （社）日本観光協会 |
| ● 地域紹介・観光ボランティアガイド組織一覧 | （社）日本観光協会 |

シンクタンクせとうち総合研究機構　発行

| 資料名 | 発行元 |
|---|---|
| ●観光の実態と志向 | （社）日本観光協会 |
| ●全国市町村・観光協会便覧 | （社）日本観光協会 |
| ●国際収支統計月報 | 日本銀行 |
| ●数字で見る航空 | （財）航空振興財団 |
| ●数字で見る港湾 | （社）日本港湾協会 |
| ●観光地における交通体系のあり方に関する調査報告書 | 運輸経済研究センター |
| ●観光地づくりに向けた魅力度評価手法に関する調査報告書 | 運輸政策研究機構 |
| ●観光産業の活性化戦略と人材育成の研究<br>　ホテル業界ヒアリングと観光の分析をもとに | 産業雇用開発推進機構 |
| ●農家レストランとグリーン・ツーリズム | 都市農山漁村交流活性化機構 |
| ●ドイツエコロジーガイド　環境プロジェクトガイドブック | 水と緑の惑星保全機構 |
| ●グリーンツーリズムと日本の農村：環境保全による村づくり | 農林統計協会 |
| ●グリーン・ツーリズムの胎動 | 農林統計協会 |
| ●オーストリアにおけるアルム農業と観光 | 農林統計協会 |
| ●ソフト化社会と地域経営 | 全国農業会議所 |
| ●日本型グリーン・ツーリズムの創造 | 全国農業会議所 |
| ●農家自立型グリーンツーリズムの展開に関する調査結果 | 全国農業会議所 |
| ●TOURISM21 | （財）アジア太平洋観光交流センター |
| ●世界観光統計資料集 | （財）アジア太平洋観光交流センター |
| ●観光に関する学術研究論文 | （財）アジア太平洋観光交流センター |
| ●「参加型開発」の人類学的再検討 | 国際協力事業団国際協力総合研修所 |
| ●日本の国際観光統計 | 国際観光サービスセンター |
| ●マーケティング・マニュアル　世界24カ国・地域訪日旅行マーケット | 国際観光サービスセンター |
| ●海洋型エコツーリズム港湾検討調査報告書 | 国際観光開発研究センター |
| ●海洋型エコツーリズム振興のための港湾整備・活用方策検討調査報告書 | 国際観光開発研究センター |
| ●最新国際観光用語集 | 日本国際観光学会 |
| ●観光文化 | （財）日本交通公社 |
| ●旅行者動向 | （財）日本交通公社 |
| ●旅行年報 | （財）日本交通公社 |
| ●Market Insight 日本人海外旅行市場の動向 | （財）日本交通公社 |
| ●海外旅行動向シンポジウム・旅行動向シンポジウム | （財）日本交通公社 |
| ●レジャー白書 | （財）自由時間デザイン協会 |
| ●日刊旅行通信 | 航空新聞社 |
| ●週刊ウィングトラベル | 航空新聞社 |
| ●「旅と温泉地」アンケート調査 | 日本温泉協会 |
| ●エコツーリズムの研究と展望 | 海外研究開発レポート |
| ●観光地域の交通需要マネジメント：文化遺産・自然資源の活用とまちづくり | 地域科学研究会 |
| ●エコツーリズムの世紀へ | エコツーリズム推進協議会 |
| ●エコツーリズムの総合的研究 | 国立民族学博物館 |
| ●JATA エコツーリズム ハンドブック：エコツーリズム実践のためのガイド | 日本旅行業協会 |
| ●主要観光地：国内旅行実務 | 日本旅行業協会 |
| ●観光地ワンポイントガイド | JTB情報開発 |
| ●NACS-Jエコツーリズム・ガイドライン | 日本自然保護協会 |
| ●海鳥のこえ：天売島エコツーリズム・ガイドブック | 自然環境研究センター |
| ●山に十日海に十日野に十日：屋久島エコツーリズム・ガイドブック：共生の島・くち六万 | 自然環境研究センター |
| ●ぼっちぼっち：大方町エコツーリズム・ガイドブック | 自然環境研究センター |
| ●観光・旅行にともなう輸送に関する需要・自動車保有関連および駐車政策問題研究 | 材料技術資料センター |
| ●グリーン・ツーリズム推進事業報告書 | 21世紀村づくり塾 |
| ●グリーン・ツーリズム推進地域事例集 | 21世紀村づくり塾 |
| ●グリーン・ツーリズムの計画と実践：地域経営の具体化に向けて | 21世紀村づくり塾 |
| ●観光と環境およびエコツーリズムの現状と諸問題 | テクノフォーラム |
| ●エコツーリズム計画と管理及び経済学的研究 | テクノフォーラム |

観光関連情報源

シンクタンクせとうち総合研究機構　発行

| | |
|---|---|
| ● エコツーリズムにおける実践と社会学的研究 | テクノフォーラム |
| ● 名所旧跡地における観光および文化財保護問題 | テクノフォーラム |
| ● 小さな島における観光と環境問題 | テクノフォーラム |
| ● 海外におけるエコツーリズムの開発とケーススタディ | テクノフォーラム |
| ● 観光政策および観光が国家経済におよぼす影響 | テクノフォーラム |
| ● 人と地域をいかすグリーン・ツーリズム | 21ふるさと京都塾 |

## ■書籍

| | |
|---|---|
| ● 全国市町村・観光協会便覧 | 日本観光協会 |
| ● ヘルスツーリズム事例集 | 日本観光協会 |
| ● 旅行便覧　TRAVEL DIRECTRY | 航空新聞社 |
| ● 訪日外国人旅行者の消費額データとお土産購入動向 | 国際観光サービスセンター |
| ● グリーンツーリズム論ノート | 国際観光サービスセンター |
| ● 観光振興論　観光協力等の実践を踏まえて | 国際観光サービスセンター |
| ● ホスピタリティマネジメント事典 | 産業調査会事典出版センター |
| ● 美しき日本 | （財）日本交通公社 |
| ● 旅行の見通し | （財）日本交通公社 |
| ● 自然ガイドのためのおもしろヒントブック | （財）日本交通公社 |
| ● エコツーリズム さあ、はじめよう | （財）日本交通公社 |
| ● 観光読本 | （財）日本交通公社 |
| ● ホテル観光用語事典 = Terminology for the hospitality and tourism industry | 日本ホテル教育センター |
| ● ユビキタス時代の人流　融合する観光と公共交通 | システムオリジン |
| ● リーダーが語る日本観光の行方 | 現代旅行研究所 |
| ● 温泉観光の実証的研究　布山裕一著 | 御茶の水書房 |
| ● 外国人が快適に観光できる環境の整備に関する政策評価書 | 総務省 |
| ● 観光の空間　視点とアプローチ | ナカニシヤ出版 |
| ● グローバル化とアジアの観光　他者理解の旅へ | ナカニシヤ出版 |
| ● 観光化する社会　観光社会学の理論と応用 | ナカニシヤ出版 |
| ● 観光の経営史　ツーリズム・ビジネスとホスピタリティ・ビジネス | 関西学院大学出版会 |
| ● 観光の国際化に関する地域間比較研究 | 沖縄国際大学産業総合研究所 |
| ● 観光カリスマ100選　地域再生の仕掛人 | 日本文芸社 |
| ● 観光キーワード事典　観光文化への道標 | 学陽書房 |
| ● 観光ビジネス未来白書　統計に見る実態・分析から見える未来戦略 | 同友館 |
| ● 現代観光事業論　地域経営的視点からの考察 | 同友館 |
| ● 観光概論 | ジェイティービー能力開発 |
| ● 観光学基礎　観光に関する14章 | ジェイティービー能力開発 |
| ● 海外観光資源 | ジェイティービー能力開発 |
| ● 国内観光資源 | ジェイティービー能力開発 |
| ● 海外観光地理 | ジェイティービー能力開発 |
| ● 地域振興と観光ビジネス　羽田耕治監修 | ジェイティービー能力開発 |
| ● 観光学入門 | 晃洋書房 |
| ● 観光活性化のマネジメント | 同文舘出版 |
| ● 現代観光のダイナミズム | 同文舘出版 |
| ● 観光経営入門 | 玉川大学出版部 |
| ● 観光後進国ニッポン、海外に学べ! | NCコミュニケーションズ |
| ● 観光実務必携 | ぎょうせい |
| ● 観光人類学の挑戦　「新しい地球」の生き方 | 講談社 |
| ● 観光立国に資する社会教育事例集 | 国立教育政策研究所社会教育実践研究センター |
| ● 観光・旅行用語辞典 | ミネルヴァ書房 |
| ● 現代の観光事業 | ミネルヴァ書房 |
| ● 新産業観光 | 交通新聞社 |

| | |
|---|---|
| ●人口減少社会と観光戦略 | I・L・Nコンサルテング |
| ●水ごころ旅ごころ　観光資源としての水辺を考える | リバーフロント整備センター |
| ●世界にほこる私の国・観光立国ニッポン | 角川学芸出版 |
| ●団塊ツアー | 東京図書出版会 |
| ●都市と観光　日本におけるアーバンツーリズムの可能性 | 日本都市学会 |
| ●5つ星の宿 | 観光経済新聞社 |
| ●日本旅館ホテル名鑑 | 観光経済新聞社 |
| ●島旅宣言　アイランドツーリズムの実態と展望 | 教育評論社 |
| ●観光　新しい地域づくり | 学芸出版社 |
| ●観光まちづくり　まち自慢からはじまる地域マネジメント | 学芸出版社 |
| ●特集観光立国時代の地域づくり | 学芸出版社 |
| ●温泉地再生　地域の知恵が魅力を紡ぐ | 学芸出版社 |
| ●これでわかる!着地型観光　地域が主役のツーリズム | 学芸出版社 |
| ●観光学への扉 | 学芸出版社 |
| ●体験交流型ツーリズムの手法　地域資源を活かす着地型観光 | 学芸出版社 |
| ●地域からのエコツーリズム　観光・交流による持続可能な地域づくり | 学芸出版社 |
| ●観光振興と魅力あるまちづくり　地域ツーリズムの展望 | 学芸出版社 |
| ●体験交流型ツーリズムの手法　地域資源を活かす着地型観光 | 学芸出版社 |
| ●これでわかる!着地型観光　地域が主役のツーリズム | 学芸出版社 |
| ●環境教育と地域観光資源 | 学文社 |
| ●近・現代日本の国民生活と企業　インセンティブと観光 | 学文社 |
| ●新しい視点の観光戦略　地域総合力としての観光 | 学文社 |
| ●日本のビジョン　新たな時代に向けた各分野からの提言 | 南窓社 |
| ●文化観光論　理論と事例研究 | 古今書院 |
| ●暮らしと観光　地域からの視座　稲垣勉 | 立教大学観光研究所 |
| ●余暇・レジャー&観光統計年報　使えるデータ満載!! | 三冬社 |
| ●海外パッケージ旅行発展史　観光学再入門 | 彩流社 |
| ●旅人の本音　「日本」の旅に関するアンケート集 | 彩流社 |
| ●グローバル化する医療　メディカルツーリズムとは何か | 岩波書店 |
| ●観光の経営史　ツーリズム・ビジネスとホスピタリティ・ビジネス | 関西学院大学出版会 |
| ●観光学へのアプローチ | 美巧社 |
| ●新しい観光の可能性 | 美巧社 |
| ●観光人類学の挑戦　「新しい地球」の生き方 | 講談社 |
| ●世界遺産をめざす旧産炭地・田川再生プロジェクト報告書 | 福岡県立大学 |
| ●島旅宣言　アイランドツーリズムの実態と展望 | 教育評論社 |
| ●ブランディング・ジャパン　文化観光が日本を救う | 成山堂書店 |
| ●異文化の出会い　歴史・文学・観光の視点から | 大阪教育図書 |
| ●海洋観光立国のすすめ 持続可能な社会つくり こころ美しい日本の再生 | 七つ森書館 |
| ●環境、景観をいかした地域主体の観光を考える | 日本交通公社観光文化事業部 |
| ●観光　交流新時代 | サンライズ出版 |
| ●観光・レジャー施設の集客戦略　利用者行動からみた!人を呼ぶ"魅力的な空間"づくり | |
| | 日本地域社会研究所 |
| ●観光を学ぶ　楽しむことからはじまる観光学 | 二宮書店 |
| ●観光マーケティング入門 | 同友館 |
| ●地域資源活用の売れる商品づくり　その戦略・先進事例・施策の紹介 | 同友館 |
| ●観光経済学の原理と応用 | 九州大学出版会 |
| ●観光実務ハンドブック | 丸善 |
| ●観光政策へのアプローチ | 鷹書房弓プレス |
| ●観光統計からみえてきた地域観光戦略 | 日刊工業新聞社 |
| ●観光立国ニッポン事始め | NCコミュニケーションズ |
| ●危機管理論と観光 | くんぷる |
| ●国際的な人の移動と文化変容 | ハーベスト社 |

誇れる郷土ガイドー全国47都道府県の観光データ編ー　観光関連情報源

観光関連情報源

- 事典日本の観光資源　○○選と呼ばれる名所15000　　日外アソシエーツ
- 自治体の観光政策と地域活性化　　イマジン出版
- 実学・観光産業論　　プラザ出版
- 人と地球にやさしい旅へ　観光インパクトと地球温暖化を考える　　インティリンクス
- 石見観光事典　　石見観光事典刊行会
- 地域の再生と観光文化　　ゆい出版
- 日本が支える観光大国アメリカ　　昭和堂
- 日本全国「お土産・名産品」おもしろ事典　　PHP研究所
- 北東アジア観光の潮流　大藪多可志　　海文堂出版
- 旅の風俗史　　青弓社
- グリーン・ツーリズムの新展開 農村再生戦略としての都市・農村交流の課題　　農山漁村文化協会
- ジオパーク 地質遺産の活用・オンサイトツーリズムによる地域づくり　　オーム社
- ツーリズムの新しい諸相　地域振興×観光デザイン　　虹有社

■インターネット

- UNWTO　　http://www.unwto.org/index.php
- 観光庁　　http://www.mlit.go.jp/kankocho/
- 日本政府観光局（JNTO）　　http://www.jnto.go.jp/jpn
- 国土交通省　　http://www.mlit.go.jp/index.html
- 総務省　　http://www.soumu.go.jp/
- 外務省　　http://www.mofa.go.jp/mofaj/
- 法務省　　http://www.moj.go.jp/
- 全国地域観光情報センター全国旅そうだん　　http://www.nihon-kankou.or.jp/
- PATA（太平洋アジア観光協会）　　http://www.patajapan.com/acrivities.html
- 日本貿易振興会（JETRO）　　http://www.jetro.go.jp/index.html
- ㈶自治体国際化協会　　http://www.clair.or.jp/index.html
- ㈶日本交通公社　　http://www.jtb.or.jp/
- ㈶日航財団　　http://www.jal-foundation.or.jp/
- ㈶アジア太平洋観光交流センター（APTEC）　　http://www.aptec.or.jpindex.html
- ㈶地域伝統芸能活用センター　　http://www.dentogeino.or.jp/
- ㈶空港環境整備協会　　http://www.aeif.jp/
- ㈳日本観光協会　　http://www.nihon-kankou.or.jp/
- ㈳日本ツーリズム産業団体連合会　　http://www.tij.or.jp/
- ㈳日本観光通訳協会　　http://www.jga21c.or.jp/
- ㈳日本オートキャンプ協会　　http://www.autocamp.or.jp/
- ㈶日本ユースホステル協会　　http://www.jyh.or.jp/index2fr.html
- ㈳日本海外ツアーオペレーター協会（OTOA）　　http://www.otoa.com/
- ㈳日本旅行業協会　　http://www.jata-net.or.jp/
- ㈳全国旅行業協会　　http://www.anta.or.jp/
- ㈳日本観光協会　　http://www.nihon-kankou.or.jp/
- 日本エコツーリズム協会　　http://www.ecotourism.gr.jp/
- 世界観光機関（UNWTO）アジア太平洋センター　　http://www.wto-osaka.org/
- ㈱観光経済新聞社　　http://www.kankokeizaicom/
- 国際協力機構（JICA）　　http://www.jica.go.jp/Index.html
- 日本財団　　http://www.nippon-foundation.or.jp/
- 国際機関日本アセアンセンター　　http://www.asean.or.jp/

シンクタンクせとうち総合研究機構　発行

観光関連情報源

| | |
|---|---|
| ●北海道ホーム・ページ | http://www.pref.hokkaido.lg.jp/ |
| ●青森県ホーム・ページ | http://www.pref.aomori.lg.jp/ |
| ●岩手県ホーム・ページ | http://www.pref.iwate.jp/ |
| ●宮城県ホーム・ページ | http://www.pref.miyagi.jp/ |
| ●秋田県ホーム・ページ | http://www.pref.akita.lg.jp/ |
| ●山形県ホーム・ページ | http://www.pref.yamagata.jp/ |
| ●福島県ホーム・ページ | http://www.pref.fukushima.jp/ |
| ●茨城県ホーム・ページ | http://www.pref.ibaraki.jp/ |
| ●栃木県ホーム・ページ | http://www.pref.tochigi.jp/ |
| ●群馬県ホーム・ページ | http://www.pref.gunma.jp/ |
| ●埼玉県ホーム・ページ | http://www.pref.saitama.lg.jp/ |
| ●千葉県ホーム・ページ | http://www.pref.chiba.lg.jp/ |
| ●東京都ホーム・ページ | http://www.metro.tokyojp/ |
| ●神奈川県ホーム・ページ | http://www.pref.kanagawa.jp/ |
| ●新潟県ホーム・ページ | http://www.pref.niigata.lg.jp/ |
| ●富山県ホーム・ページ | http://www.pref.toyama.jp/ |
| ●石川県ホーム・ページ | http://www.pref.ishikawa.jp/ |
| ●福井県ホーム・ページ | http://www.pref.fukui.jp/ |
| ●山梨県ホーム・ページ | http://www.pref.yamanashi.jp/ |
| ●長野県ホーム・ページ | http://www.pref.nagano.jp/ |
| ●岐阜県ホーム・ページ | http://www.pref.gifu.lg.jp/ |
| ●静岡県ホーム・ページ | http://www.pref.shizuoka.jp/ |
| ●愛知県ホーム・ページ | http://www.pref.aichi.jp/ |
| ●三重県ホーム・ページ | http://www.pref.mie.jp/ |
| ●滋賀県ホーム・ページ | http://www.pref.shiga.jp/ |
| ●京都府ホーム・ページ | http://www.pref.kyoto.jp/ |
| ●大阪府ホーム・ページ | http://www.pref.osaka.jp/ |
| ●兵庫県ホーム・ページ | http://web.pref.hyogo.jp/ |
| ●奈良県ホーム・ページ | http://www.pref.nara.jp/ |
| ●和歌山県ホーム・ページ | http://www.pref.wakayama.lg.jp/ |
| ●鳥取県ホーム・ページ | http://www1.pref.tottori.lg.jp/ |
| ●島根県ホーム・ページ | http://www.pref.shimane.lg.jp/ |
| ●岡山県ホーム・ページ | http://www.pref.okayama.jp/ |
| ●広島県ホーム・ページ | http://www.pref.hiroshima.lg.jp/ |
| ●山口県ホーム・ページ | http://www.pref.yamaguchi.lg.jp/ |
| ●徳島県ホーム・ページ | http://www.pref.tokushima.jp/ |
| ●香川県ホーム・ページ | http://www.pref.kagawa.jp/ |
| ●愛媛県ホーム・ページ | http://www.pref.ehime.jp/ |
| ●高知県ホーム・ページ | http://www.pref.kochi.jp/ |
| ●福岡県ホーム・ページ | http://www.pref.fukuoka.lg.jp/ |
| ●佐賀県ホーム・ページ | http://www.pref.saga.lg.jp/ |
| ●長崎県ホーム・ページ | http://www.pref.nagasaki.jp/ |
| ●熊本県ホーム・ページ | http://www.pref.kumamoto.jp/ |
| ●大分県ホーム・ページ | http://www.pref.oita.jp/ |
| ●宮崎県ホーム・ページ | http://www.pref.miyazaki.lg.jp/ |
| ●鹿児島県ホーム・ページ | http://www.pref.kagoshima.jp/ |
| ●沖縄県ホーム・ページ | http://www.pref.okinawa.jp/ |

シンクタンクせとうち総合研究機構　発行

# 世界遺産と観光キーワード

## アウトバウンド・ツーリズム（Outbound Tourism）
日本から海外に出ていく旅行、一般的には、海外旅行を指す。

## インタープリター（Interpreter）
訪問客や観光客に、自然の大切さやその意味を分かりやすく解説する活動が「インタープリテーション」、その活動に携わる人を「インタープリター」と呼ぶ。ガイドとは異なり、ビジターの知的、精神的な向上を促すことが要求される。

## インバウンド・ツーリズム（Inbound Tourism）
海外から日本に入って来る旅行、一般的には、訪日旅行を指す。

## エコ・ツアー（Eco Tour）
エコ・ツアーとは、エコ・ツーリズムの考え方に基づいて実践されるツアーの一形態。

## エコ・ツーリズム（Eco Tourism）
エコ・ツーリズムとは、地域資源の保護、観光業、地域振興の融合をめざす観光の考え方で、旅行者に魅力的な地域資源とのふれあいの機会が、持続的に提供され、地域の暮らしが安定し、地域資源が守られていくことを目的とする。従来型の観光とは異なり、保護地域、地域住民の伝統的な生活様式や地域生態系を、破壊せずに観察し体験する。

## NPO（Non Profit Organization）
NPOとは、民間非営利団体のことで、地域などにおいてさまざまな社会的な活動を行っている団体のこと。

## 観光（Sightseeing, Tourism）
観光とは、余暇時間の中で日常生活圏を離れて行う様々な活動であって、触れ合う、学ぶ、遊ぶということを目的とするものである。観光の語源は、中国の易経の「国の光を観る。用て王に賓たるに利し」との一節に由来する。大正年間に、「tourism」の訳語として用いられるようになった。

## 観光資源（Tourism Resources）
観光客が魅力に感じる自然環境、文化財、施設などすべてのものをいう。

## 観光入込客（Tourist Visitors）
観光入込客とは、その者の居住地が観光地の範囲の中か外か、あるいは外出の距離の大小にかかわらず、主に、慰安行楽、保健休養、見学研究、神仏参拝、祭りレクレーション等の目的で観光地に入り込んだ者をいう。

## 観光基本法（Tourism Law）
観光基本法は、昭和38年6月に制定された。観光基本法に基づいて、日本政府は、毎年、国会に対して、観光の状況及び観光に関して講じた施策に関する報告書及び観光に関して講じようとする政策を明らかにした「観光白書」を毎年発表している。

## 観光圏整備法
2008年に施行された法律。観光地が広域的に連携した「観光圏」の整備を行なうことで、国内外の観光客が2泊3日以上滞在できるエリアの形成を目指すもの。国際競争力の高い魅力ある観光地づくりを推進することで、地域の幅広い産業の活性化や交流人口の拡大による地域の発展を図る。

## 観光資源（Tourism Resources）
観光資源とは、自然、歴史、文化、それに、芸術などのうち普遍的な鑑賞価値を有するもので、広く観光として活用されるものをいう。

## 観光消費額（Tourism Spending）
観光消費額とは、観光客により旅行、滞在中に観光地点、宿泊施設においてなされる消費支出の総額をいう。

## 観光振興条例（Tourism Promotion Ordinance）
観光振興条例を制定している都道府県は、北海道、岩手県、千葉県、新潟県、富山県、岐阜県、愛知県、鳥取県、島根県、広島県、徳島県、高知県、長崎県、熊本県、鹿児島県、沖縄県である。

## 観光地（Sightseeing Area）
観光地とは、観光客が多数来訪し、観光活動の状況からみて一体をなしていると認められる区域をいう。

**観光庁**(Japan Tourism Agency)
2008年10月1日に国土交通省の外局として設置された、わが国の観光行政を担当する政府機関である。

**観光白書**(White Paper on Tourism)
観光庁は、毎年、観光の状況及び政府が観光に関して講じた施策を「観光白書」として取りまとめ、国会に報告、ホームページでも公開している。

**観光立国推進基本計画**
(Tourism Nation Promotion Basic Plan)
2007年1月より施行された観光立国推進基本法に基づいて、政府は、観光立国の実現に関する諸施策の総合的かつ計画的な推進を図るため、観光立国の実現に関するマスタープランとして観光立国推進基本計画を策定。観光立国推進基本計画には、観光立国の実現に関する施策についての基本的な方針や目標とともに、観光立国推進基本法で政府が総合的かつ計画的に講ずべきと示された施策等について定めている。政府はこの計画に基づいて、観光立国の実現に関する施策を推進している。

**観光立国推進基本法**
(Tourism Nation Promotion Basic Plan)
1963年に制定された旧「観光基本法」の全部を改正し、題名を「観光立国推進基本法」に改めることにより、観光を21世紀における日本の重要な政策の柱として明確に位置づけている。観光立国の実現に関する施策の基本理念として、地域における創意工夫を生かした主体的な取組みを尊重しつつ、地域の住民が誇りと愛着を持つことのできる活力に満ちた地域社会の持続可能な発展を通じて国内外からの観光旅行を促進することが、将来にわたる豊かな国民生活の実現のため特に重要であるという認識の下に施策を講ずべきこと等を定めている。政府は、観光立国の推進に関する施策の総合的かつ計画的な推進を図るため、「観光立国推進基本計画」を定めることとしている。基本的施策として、国際競争力の高い魅力ある観光地の形成、観光産業の国際競争力の強化及び観光の振興に寄与する人材の育成、国際観光の振興、観光旅行の促進のための環境の整備に必要な施策を講ずることとしている。2006年12月13日に議員立法により観光立国推進基本法が成立し、2007年1月1日より施行されている。

**協働**(Collaboration)
NPO、企業、行政など立場の異なる組織や人同士が対等な関係のもと、同じ目的、目標のために連携、協力して働き、相乗効果を上げようとする取組みのこと。

**グリーンツーリズム**(Green Tourism)
グリーンツーリズムとは、緑豊かな農山漁村地域で、その自然、文化、人々との交流を楽しむ滞在型の余暇活動のこと。

**景観条例**(Landscape Ordinance)
景観条例は、景観づくりに関し必要な事項を定めることにより、その施策を総合的かつ計画的に推進し、地域の特性を活かした魅力ある景観を守り、誇りと愛着の持てる魅力あるまちづくりに資することを目的としている。

**コンベンション**(Convention)
大会、会議、集会、研修会、シンポジウム、展示会、見本市など、非日常的な人の集まりで、物、知識、情報の交流をすることを意味する。

**サスティナブル・ツーリズム**
(Sustainable Tourism)
持続可能な観光。

**産業遺産**(Industrial Heritage)
産業遺産とは、産業界において活躍した遺物や遺産。産業遺産をヘリテージ・パークとして保存し、観光や教育を目的とした施設などに活用する動きが世界の各地で広がっている。

**産業観光**(Industry Tourism)
歴史的、文化的な価値のある工場等やその遺構、機械器具、最先端の技術を構えた工場等を対象とした観光で、学びや体験を伴うものを言う。

**ジオ・ツーリズム**(Geo Tourism)
ジオ・パークなどの地質や地形などの景観を鑑賞の対象として行なわれる観光。

**周遊型観光**
(Crusing Tourism)
周遊型観光とは、比較的広い範囲の中で、いくつかの観光地を訪ね歩く周遊型の旅行形態をいう。

## 世界遺産と観光キーワード

### 世界遺産 (World Heritage)
世界遺産とは、ユネスコの世界遺産条約に基づき、「世界遺産リスト」に登録されている世界的に「顕著な普遍的価値」を有する自然景観、地形・地質、生態系、生物多様性、遺跡、建造物群、モニュメント、など国家や民族を超えて未来世代に引き継いでいくべき人類共通のかけがえのない自然遺産と文化遺産のことをいう。

➡ 「世界遺産入門－ユネスコから世界を学ぶ－」
　「世界遺産入門－過去から未来へのメッセージ－」
　「世界遺産データ・ブック－2010年版－」
　「世界遺産事典－890全物件プロフィール－2010改訂版」

### 世界無形文化遺産
(World Intangible Cultural Heritage)
世界無形文化遺産とは、ユネスコの無形文化遺産保護条約に基づき、「人類の無形文化遺産の代表的なリスト」（略称 代表リスト）並びに「緊急に保護する必要がある無形文化遺産のリスト」（略称 緊急保護リスト）に登録されている、口承及び表現、芸能、社会的慣習、儀式及び祭礼行事、自然及び万物に関する知識及び慣習、伝統工芸技術などの無形文化遺産のことをいう。

➡ 「世界無形文化遺産データ・ブック－2010年版－」
　「誇れる郷土ガイド－口承・無形遺産編－」

### 地域資源 (Regional Resources)
特定の地域に存在する特色的なものをいう。

### 地域ブランド (Regional Brand)
その地域に存在する農林水産物、産地技術、観光資源などの地域資源を有効活用し、商品・サービスの開発や高付加価値化を進めることによって、地域外の消費者からの評価を高めて、地域全体のイメージ向上と地域活性化に結びつけるもの。

### ツーリズム (Tourism)
観光のこと。

### ツーリズム・プレッシャー
(Tourism Pressure)
観光圧力。狭義では、世界遺産を取り巻く脅威や危険の因子の一つで、世界遺産地での収容規模や処理能力を超える観光客の過剰な入込みによる使用や利用が圧力になって、ゴミやし尿などの問題が起こっている。

### デスティネーション・キャンペーン
(Destination Campaign)
デスティネーション・キャンペーンとは、目的地を特定した誘客活動のこと。

### WTO (World Tourism Organization)
観光分野の世界最大の国際機関である世界観光機関のこと。世界の154か国が加盟しており、本部は、スペインのマドリッドにあり、2003年12月に国際連合の専門機関となった。わが国は、1978年に加盟し、大阪にアジア太平洋センターを置いている。

### 日本政府観光局
(Japan National Tourism Organization)
日本政府観光局は、国際観光振興機構法に基づき、海外における観光宣伝、外国人観光旅客に対する観光案内その他外国人観光旅客の来訪の促進に必要な業務を効率的に行うことにより、国際観光の振興を図ることを目的にしている。インバウンド・ツーリズムの振興を通じて、「観光立国」の実現を目指すことをビジョンに掲げ、ビジット・ジャパン・キャンペーンに貢献し、2010年までに訪日外国人旅行者数1000万人を実現させることが使命である。正式名称は、独立行政法人国際観光振興機構で、日本政府観光局は、通称である。

### 日本の世界遺産 (World Heritage of Japan)
日本の世界遺産は、2009年12月現在、知床、白神山地、日光の社寺、白川郷・五箇山の合掌造り集落、古都京都の文化財（京都市、宇治市、大津市）、法隆寺地域の仏教建造物、古都奈良の文化財、紀伊山地の霊場と参詣道、姫路城、広島の平和記念碑（原爆ドーム）、厳島神社、石見銀山遺跡とその文化的景観、屋久島、琉球王国のグスク及び関連遺産群の14物件（自然遺産3件、文化遺産11件）がユネスコの世界遺産リストに登録されている。

➡ 「世界遺産ガイド－日本編－2009改訂版」、
　「世界遺産ガイド－日本編－2.保存と活用」

### ニュー・ツーリズム (New Tourism)
樹来の物見遊山的な観光旅行に対して、テーマ性が強く、体験型、交流型の要素を取り入れた新しいタイプの旅行を指す。テーマとしては、産業観光、エコツーリズム、グリーン・ツーリズム、ヘルス・ツーリズム、ロング・ステイなどが挙げられる。

## パーソナル・ツアー（Personal Tour）
パーソナルツアーとは、個人旅行のこと。団体旅行に対する小人数旅行のこと。

## パッケージ・ツアー（Package Tour）
パッケージ・ツアーとは、旅行業者が、あらかじめ旅行の目的地、日程、サービスの内容及び代金を定めた旅行に関する計画を作成し、参加する旅行者を広告その他の方法により募集して実施する旅行のこと。

## バリア・フリー（Barrier Free）
バリア・フリーとは、障害者や高齢者が生活、活動していく上での障害を取り除くこと。

## ビジター・センター（Visitor Centre）
ビジター・センターとは、自然公園を訪れる利用者に対し、その公園の自然及び人文に関する展示解説をすると共に、利用指導や案内を行い、自然保護思想の高揚を図る施設のこと。

## ビジット・ジャパン・キャンペーン（Visit Japan Campaign）
2010年に訪日外国人旅行者数を1,000万人とするとの目標に向け、日本の観光魅力を海外に発信すると共に、日本への魅力的な旅行商品の造成・支援等を行う「ビジット・ジャパン・キャンペーン」を官民一体で推進している。

## 文化観光（Cultural Tourism）
文化観光とは、日本の歴史や伝統など文化的要素に対する知的欲求を満たすことを目的とする観光である。

## 文化的景観（Cultural Landscape）
自然環境と人間の活動との共同作品。

## ヘリティッジ・ツーリズム（Heritage Tourism）
遺産観光。

## ヘリテージング（Heritaging）
明治維新から昭和の戦前までの間に建造された近代化遺産を観光の対象とする観光レジャーの一形態。毎日新聞社が、創刊135周年を記念して、「ヘリテージング100選」を選定している。

## ヘルス・ツーリズム（Helth Tourism）
自然豊かな地域などを訪れ、そこにある自然、温泉や身体に優しい料理を味わい、心身ともに「癒され」、「健康」を回復する新しい観光形態をいう。

## ホスピタリティ（Hospitality）
ホスピタリティとは、温かくもてなす心、もてなしの態度をあらわす。

## マス・ツーリズム（Mass Tourism）
大量の観光客が集団で行動する観光の形態。一地域に同時に多くの観光客が集中して混雑したり、ゴミや環境破壊など、様々な問題が生じている。

## 道の駅（Road Station）
駐車場、トイレ、電話の基本的な休憩施設と、地域の文化、名所、特産物などを活用して多様なサービスを提供する地域の自主的工夫がなされた施設で構成されている。2009年7月31日現在、全国で、917駅が登録されている。

## リピーター（Repeater）
リピーターとは、同一の観光地や地域を繰り返し訪れる人のこと。

## ルーラル・ツーリズム（Rural Tourism）
田や畑などの農地、農村、里山などの風景や景観、農村社会の生活文化などを見学したり体験したりする田舎の観光。

## ワールド・ヘリテージ・ツーリズム（Workd Heritage Tourism）
ユネスコの世界遺産リストに登録されている自然遺産や文化遺産を巡る世界遺産観光。鑑賞、見学の対象だけではなく、それが、なぜ、世界遺産になったのか、世界的な「顕著な普遍的価値」についても学ぶ。

〈監修者プロフィール〉

**FURUTA Haruhisa**
**古田 陽久**　世界遺産総合研究所 所長

1951年広島県呉市生まれ。1974年慶応義塾大学経済学部卒業。1990年にシンクタンクせとうち総合研究機構を設立。1998年9月に世界遺産総合研究所を設置、所長兼務。

【専門分野】 世界遺産制度論、世界遺産論、自然遺産論、文化遺産論、危機遺産論、地域遺産論、比較文化論、日本の世界遺産、世界無形文化遺産、世界遺産教育、世界遺産観光学、世界遺産とまちづくり

【講演】 道新オホーツク政経文化懇話会、岩手一戸町教育委員会、山形県庄内地方町村会、新潟県観光復興戦略会議、金沢経済同友会、岐阜市生涯学習センター、丹後地区広域市町村圏事務組合、関西日豪協会、島根大田青年会議所、高知商工会議所連合会女性会、福岡県宗像市教育委員会、行田商工会議所、串間市青年会議所、各務原市文化創造部など実績多数。

【講座・セミナー】 「世界遺産講座」(東京都練馬区立練馬公民館ほか)、「世界遺産セミナー」(財団法人とくしま地域政策研究所/徳島ユネスコ協会)、「世界遺産教室」(ユネスコ・アジア文化センター文化遺産保護協力事務所)、「地球市民講座」(栃木県足利市教育委員会織姫公民館)、「県民大学講座」(茨城県弘道館アカデミー、きのくに県民カレッジ)、「市民カレッジ(大学)」(調布市文化・コミュニティ財団、横須賀市生涯学習財団、豊橋市市民大学トラム)、「高齢者大学」(三田市立高齢者大学大学院、多田高齢者教室「ふるさと学園」)、毎日文化センター特別公開講座、JTB世界遺産学びの旅シリーズほか多数。

【研修会】 「出羽三山・世界遺産プロジェクトへの指針－出羽三山と周辺地域の文化的景観－」(山形県庄内地方町村長・議会議長合同懇談会)、「和歌山県世界遺産マスター研修会」(和歌山県地域振興課)、「沖ノ島及びその周辺における世界遺産登録への取り組みについて－沖ノ島・世界遺産プロジェクト推進に向けての指針－」(福岡県宗像市教育委員会)

【シンポジウム】 読売新聞社等主催「富士山シンポジウム2006」(基調講演とコーディネーター)、2008「長崎の教会群とキリスト教関連遺産」世界遺産シンポジウム(長崎県教育委員会、五島市教育委員会)、2008富士山憲章制定10周年記念フォーラム(山梨県)

【大学からの招聘】 国立西南師範大学(中国重慶市)2003年9月、国立芸術アカデミー(ウズベキスタン・タシケント市)2002年5月 国際会議、広島女学院大学(広島市)2004年11月 生活文化学会秋季講演会、神戸大学国際文化学部異文化コミュニケーション講座(神戸市)2008年5月 講演、延世大学(韓国・ソウル市)2009年7月 講演

【国際会議】 世界遺産委員会にオブザーバーとして参加(第27回パリ会議、第28回蘇州会議、第29回ダーバン会議、第30回ヴィリニュス会議、第31回クライストチャーチ会議、第32回ケベック・シティ会議、第33回セビリア会議)

【学会】 The Sustainable Development of World Natural Heritage －Importance of World Heritage Education－
(The third session of the International Conference on World Natural Heritage, Emeishan City, Sichuan, China, November 6-8 2007)

【テレビ出演】 NHKテレビ「ふるさと発 検証 石見銀山遺跡」(2007年7月13日放送)、読売テレビ「百舌鳥・古市古墳群～仁徳陵の謎～」(2008年9月25日放送)、テレビ岩手「ザ・ナビゲーター 岩手の文化を生かす」(2009年3月21日放送) など

【ラジオ出演】 NHKラジオ第1 NHKジャーナル(2007年6月29日放送)、ニッポン放送「森永卓郎と垣花正の朝はニッポン一番ノリ！」(2007年3月12日放送)、RKB毎日放送「中西一清スタミナラジオ」ドイツの世界遺産～産業遺産について (2009年4月30日放送) など

【論文】 「世界遺産の現状と課題－世界遺産教育の重要性－」、「日本における世界遺産教育の現状と課題」など論稿、連載多数。

【編著書】 「世界遺産入門－ユネスコから世界を学ぶ－」、「世界遺産概論＜上巻＞＜下巻＞」、「世界遺産学のすすめ－世界遺産が地域を拓く－」、「誇れる郷土ガイド」、「世界遺産データ・ブック」、「世界遺産ガイド」、「世界遺産事典」、「世界遺産キーワード事典」

【日文原著監修】 「世界遺産Q&A 世界遺産の基礎知識」中国語版(文化台湾発展協会・行政院文化建設委員会)

【調査研究】 「A Country Study on World Heritage Education in Japan」(UNESCO Office Beijing)、「緑川流域の石橋群認知度アップ事業調査・研究報告書」(熊本県上益城地域振興局)、「世界遺産登録の意義と地域振興」、「世界遺産化可能性調査」、「世界遺産プロジェクト推進に向けての指針」、「日本全国の世界遺産登録推進運動」の包括的実施調査「NHKエンタープライズ」ほか

【執筆】 「論点 脅威に対抗する知恵」(毎日新聞2006年8月5日)、現代用語の基礎知識2003年版話題学「ユネスコ危機遺産」、現代用語の基礎知識2008年版 世の中ペディア「世界遺産の"いま"」、同 2009年版 世の中ペディア「世界遺産」(自由国民社)

【エッセイ】 「世界遺産とは何か－歴史と日本の関わり－」((財)日本交通公社 観光文化 第164号 2003年11月発行)、ウズベキスタン「ボイスン地方の文化空間」を訪ねて(ユネスコ・アジア文化センター ユネスコ・アジア文化ニュース アジア太平洋文化への招待 2002.10.15/11.15合併号)、「世界遺産とまちづくり」(季刊雑誌「CEL」第76号)、コラム「大自然と世界遺産の魅了される国オーストラリア」(日本航空(JAL) JMBツアー・ニュース 2008年12月15日)

---

# 誇れる郷土ガイド －全国47都道府県の観光データ編－ 2010改訂版

2009年(平成21年)12月25日 初版 第1刷

| | |
|---|---|
| 監　　修 | 古田陽久　古田真美 |
| 企画・編集 | 世界遺産総合研究所 |
| 発　　行 | シンクタンクせとうち総合研究機構 ⓒ |
| | 〒731-5113 |
| | 広島市佐伯区美鈴が丘緑三丁目4番3号 |
| | ℡&FAX　082-926-2306 |
| | 郵便振替　01340-0-30375 |
| | 電子メール　sri@orange.ocn.ne.jp |
| | インターネット　http://www.wheritage.net |
| | 出版社コード　86200 |
| 印刷・製本 | 図書印刷株式会社 |

ⓒ本書の内容を複写、複製、引用、転載される場合には、必ず、事前にご連絡下さい。

Complied and Printed in Japan, 2009　ISBN978-4-86200-123-8　C1563　Y2381E

# 発行図書のご案内

## 世界遺産シリーズ

**世界遺産データ・ブック 2010年版**
978-4-86200-142-9 定価2500円 2009年8月発行
最新のユネスコ世界遺産890件の全物件名と登録基準、位置を掲載。ユネスコ世界遺産の概要も充実。世界遺産学習の上での必携の書。

**世界遺産事典－890全物件プロフィール－ 2010改訂版**
978-4-86200-143-6 定価2625円 2009年8月発行
世界遺産890物件の全物件プロフィールを収録。2010改訂版

**世界遺産キーワード事典 2009改訂版**
978-4-86200-133-7 定価2100円 2008年9月発行
世界遺産に関連する用語の紹介と解説

**世界遺産ガイド－情報所在源編－**
4-916208-84-6 定価2100円 2004年1月発行
世界遺産に関連する情報所在源を各国別、物件別に整理

**世界遺産概論＜上巻＞＜下巻＞** 2007年1月発行 定価各2100円
上巻 978-4-86200-116-0 世界遺産の基礎的事項
下巻 978-4-86200-117-7 をわかりやすく解説

**世界遺産ガイド－世界遺産の基礎知識編－ 2009改訂版**
978-4-86200-132-0 定価2100円 2008年10月発行
世界遺産の基礎知識をQ&Aで解説。「世界遺産Q&A」の改訂新版

**世界遺産学のすすめ－世界遺産が地域を拓く－**
4-86200-100-9 定価2100円 2005年4月発行
普遍的価値を顕す世界遺産が 閉塞した地域を拓く

**世界遺産学入門－もっと知りたい世界遺産－**
4-916208-52-8 定価2100円 2002年2月発行
新しい学問としての「世界遺産学」の入門書

**世界遺産入門－ユネスコから世界を学ぶ－**
978-4-86200-122-1 定価2100円 2007年4月発行
ユネスコの「世界遺産」等を通じて世界の多様性を学ぶ

**世界遺産ガイド－図表で見るユネスコの世界遺産編－**
4-916208-89-7 定価2100円 2004年12月発行
世界遺産をあらゆる角度からグラフ、図表、地図などで読む

**世界遺産マップス－地図で見るユネスコの世界遺産－ 2009改訂版**
978-4-86200-141-2 定価2500円 2009年5月発行
世界遺産最新の878物件の位置を地域別・国別に整理

**世界遺産フォトス－写真で見るユネスコの世界遺産－**
4-916208-22-6 定価2000円 1999年8月発行
世界遺産の多様性を写真資料で学ぶ

**世界遺産フォトス第2集－多様な世界遺産－**
4-916208-50-1 定価2100円 2002年1月発行
世界遺産の多様性を写真資料で学ぶ。第2集

**世界遺産フォトス第3集－海外と日本の至宝 100の記憶－** 新刊
978-4-86200-148-1 定価2500円 2010年1月発行
世界の自然と文化の多様性を写真資料で学ぶ。第3集

**世界遺産ガイド－世界遺産条約編－**
4-916208-34-X 定価2100円 2000年7月発行
世界遺産条約を特集し、条約の趣旨や目的などポイントを解説

**世界遺産ガイド－世界遺産条約とオペレーショナル・ガイドラインズ編－**
978-4-86200-128-3 定価2100円 2007年12月発行
世界遺産条約とその履行の為の作業指針について特集する

**世界遺産ガイド－特集 第29回世界遺産委員会ダーバン会議－**
4-86200-105-X 定価2100円 2005年9月発行
2005年新登録24物件と登録拡大、危機遺産など新情報を満載

**世界遺産ガイド－特集 第28回世界遺産委員会蘇州会議－**
4-916208-95-1 定価2100円 2004年8月発行
2004年新登録34物件と登録拡大、危機遺産など新情報を満載

**世界遺産ガイド－暫定リスト記載物件編－**
978-4-86200-138-2 定価2100円 2009年5月発行
世界遺産の暫定リストに記載されている物件を一覧する

**世界遺産ガイド－危機遺産編－ 2010改訂版**
978-4-86200-140-5 定価2500円 2009年9月発行
危機にさらされている世界遺産を特集。2010改訂版

**世界遺産ガイド－日本の世界遺産登録運動－**
4-86200-108-4 定価2100円 2005年12月発行
暫定リスト記載物件はじめ世界遺産登録運動の動きを特集

**世界遺産ガイド－名勝・景勝地編－**
4-916208-41-2 定価2100円 2001年3月発行
ユネスコ世界遺産のうち、代表的な名勝・景勝地を特集

|  |  |
|---|---|
| 世界遺産ガイド－国立公園編－ | 4-916208-58-7 定価2100円 2002年5月発行<br>ユネスコ世界遺産のうち、代表的な国立公園を特集 |
| 世界遺産ガイド－歴史都市編－ | 4-916208-64-1 定価2100円 2002年9月発行<br>ユネスコ世界遺産のうち、代表的な歴史都市を特集 |
| 世界遺産ガイド－都市・建築編－ | 4-916208-39-0 定価2100円 2001年2月発行<br>ユネスコ世界遺産のうち、代表的な都市・建築を特集 |
| 世界遺産ガイド－産業・技術編－ | 4-916208-40-4 定価2100円 2001年3月発行<br>ユネスコ世界遺産のうち、産業・技術関連遺産を特集 |
| 世界遺産ガイド－産業遺産編－保存と活用 | 4-86200-103-3 定価2100円 2005年4月発行<br>ユネスコ世界遺産のうち、各産業分野の遺産を特集 |
| 世界遺産ガイド－19世紀と20世紀の世界遺産編－ | 4-916208-56-0 定価2100円 2002年7月発行<br>激動の19世紀、20世紀を代表する世界遺産を特集 |
| 世界遺産ガイド－宗教建築物編－ | 4-916208-72-2 定価2100円 2003年6月発行<br>ユネスコ世界遺産のうち、代表的な宗教建築物を特集 |
| 世界遺産ガイド－イスラム諸国編－ | 4-916208-71-4 定価2100円 2003年7月発行<br>イスラム諸国の主要なユネスコ世界遺産を特集 |
| 世界遺産ガイド－歴史的人物ゆかりの世界遺産編－ | 4-916208-57-9 定価2100円 2002年9月発行<br>歴史的人物にゆかりの深いユネスコ世界遺産を特集 |
| 世界遺産ガイド－自然保護区編－ | 4-916208-73-0 定価2100円 2003年5月発行<br>自然遺産のうち、自然保護区のカテゴリーにあたる物件を特集 |
| 世界遺産ガイド－自然景観編－ | 4-916208-86-2 定価2100円 2004年3月発行<br>自然遺産のうち、美しい自然景観の代表的な物件を特集 |
| 世界遺産ガイド－生物多様性編 改訂版 | 4-916208-83-8 定価2100円 2004年1月発行<br>自然遺産のうち、生物多様性関連物件を特集 |
| 世界遺産ガイド－日本編－ | 978-4-86200-136-8 定価2625円 2008年11月発行<br>日本の世界遺産,暫定リスト、候補物件など掲載 |
| 日本の世界遺産－東日本編－ | 978-4-86200-130-6 定価2100円 2008年2月発行<br>東日本にある世界遺産、暫定リストなど掲載 |
| 日本の世界遺産－西日本編－ | 978-4-86200-131-3 定価2100円 2008年2月発行<br>西日本にある世界遺産、暫定リストなど掲載 |
| 世界遺産ガイド－日本編－2.保存と活用 | 4-916208-54-4 定価2100円 2002年2月発行<br>日本の世界遺産の各サイト別に保存の状態や活用の現状を考察 |
| 世界遺産ガイド－朝鮮半島にある世界遺産－ | 4-86200-102-5 定価2100円 2005年7月発行<br>朝鮮半島にある世界遺産、暫定リスト、無形文化遺産を特集 |
| 世界遺産ガイド－中国・韓国編－ | 4-916208-55-2 定価2100円 2002年3月発行<br>中国と韓国にある世界遺産を特集、国の概要も紹介 |
| 世界遺産ガイド－中国編－ 2010改訂版 【新刊】 | 978-4-86200-139-9 定価2500円 2009年10月発行<br>中国にある世界遺産、暫定リストを特集 |
| 世界遺産ガイド－北東アジア編－ | 4-916208-87-0 定価2100円 2004年3月発行<br>北東アジアにある世界遺産を特集、国の概要も紹介 |
| 世界遺産ガイド－オセアニア編－ | 4-916208-70-6 定価2100円 2003年5月発行<br>オセアニアにある世界遺産を特集、周辺の国々も紹介 |
| 世界遺産ガイド－オーストラリア編－ | 4-86200-115-7 定価2100円 2006年5月発行<br>オーストラリアにある世界遺産を特集、国の概要も紹介 |
| 世界遺産ガイド－中央アジアと周辺諸国編－ | 4-916208-63-3 定価2100円 2002年8月発行<br>中央アジアと周辺諸国にある世界遺産を特集 |
| 世界遺産ガイド－中東編－ | 4-916208-30-7 定価2100円 2000年7月発行<br>中東にある世界遺産を特集 |
| 世界遺産ガイド－西欧編－ | 4-916208-29-3 定価2100円 2000年4月発行<br>西欧にある世界遺産を特集 |

| 書名 | ISBN・定価・発行 | 内容 |
|---|---|---|
| 世界遺産ガイド－イタリア編－ | 4-86200-109-2 定価2100円 2006年1月発行 | イタリアにある世界遺産、暫定リストを特集 |
| 世界遺産ガイド－ドイツ編－ | 4-86200-101-7 定価2100円 2005年6月発行 | ドイツにある世界遺産、暫定リストを特集 |
| 世界遺産ガイド－北欧・東欧・CIS編－ | 4-916208-28-5 定価2100円 2000年4月発行 | 北欧・東欧・CISにある世界遺産を特集 |
| 世界遺産ガイド－アフリカ編－ | 4-916208-27-7 定価2100円 2000年3月発行 | アフリカにある世界遺産を特集 |
| 世界遺産ガイド－アメリカ編－ | 4-916208-21-8 定価2000円 1999年6月発行 | アメリカにある世界遺産を特集 |
| 世界遺産ガイド－北米編－ | 4-916208-80-3 定価2100円 2004年2月発行 | 北米にある主要な世界遺産を特集 |
| 世界遺産ガイド－中米編－ | 4-916208-81-1 定価2100円 2004年2月発行 | 中米にある主要な世界遺産を特集 |
| 世界遺産ガイド－南米編－ | 4-916208-76-5 定価2100円 2003年9月発行 | 南米にある主要な世界遺産を特集 |
| 世界遺産ガイド－自然遺産編－2010改訂版 【新刊】 | 978-4-86200-145-0 定価2500円 2009年11月発行 | 世界と日本の自然遺産の全体像を俯瞰。2010改訂版 |
| 世界遺産ガイド－文化遺産編－2010改訂版 【近刊】 | 978-4-86200-144-3 定価2500円 | 世界と日本の文化遺産の全体像を俯瞰。2010改訂版 |
| 世界遺産ガイド－文化遺産編－1.遺跡 | 4-916208-32-3 定価2100円 2000年8月発行 | 文化遺産のうち、主要な遺跡を特集 |
| 世界遺産ガイド－文化遺産編－2.建造物 | 4-916208-33-1 定価2100円 2000年9月発行 | 文化遺産のうち、主要な建造物を特集 |
| 世界遺産ガイド－文化遺産編－3.モニュメント | 4-916208-35-8 定価2100円 2000年10月発行 | 文化遺産のうち、主要なモニュメントを特集 |
| 世界遺産ガイド－文化遺産編－4.文化的景観 | 4-916208-53-6 定価2100円 2002年1月発行 | 文化遺産のうち、新しい概念である文化的景観を特集 |
| 世界遺産ガイド－複合遺産編－2010改訂版 【近刊】 | 978-4-86200-146-7 定価2500円 | 自然遺産と文化遺産の両方を併せ持つ複合遺産を特集 |

## 世界の文化シリーズ

世界遺産の無形版といえる「世界無形文化遺産」についての希少な書籍。

| 書名 | ISBN・定価・発行 | 内容 |
|---|---|---|
| 世界無形文化遺産データ・ブック 2010年版 【新刊】 | 978-4-86200-147-4 定価2500円 2009年11月発行 | 「人類の無形文化遺産の代表的なリスト」と「緊急に保護する必要がある無形文化遺産のリスト」などを紹介。 |
| 世界無形文化遺産ガイド －無形文化遺産保護条約編－ | 4-916208-91-9 定価2100円 2004年6月発行 | 世界無形文化遺産の概要と90物件プロフィールを紹介。 |
| 世界無形文化遺産ガイド －人類の口承及び無形遺産の傑作編－2004改訂版 | 4-916208-90-0 定価2100円 2004年5月発行 | 世界無形文化遺産47物件を紹介。2004改訂版 |

## ふるさとシリーズ

| 書名 | ISBN・定価・発行 | 内容 |
|---|---|---|
| 誇れる郷土データ・ブック －全国47都道府県の概要－ 2009改訂版 | 978-4-86200-137-5 定価2100円 2009年2月発行 | 全国47都道府県の概要をコンパクトに整理。誇れる郷土ガイドの総集版。 |
| 誇れる郷土ガイド －自然公園法と文化財保護法－ | 978-4-86200-129-0 定価2100円 2008年2月発行 | 自然公園法と文化財保護法について紹介する。 |

## ふるさとシリーズ

| 書名 | ISBN・定価・発行 | 内容 |
|---|---|---|
| 誇れる郷土ガイド－東日本編－ | 4-916208-24-2 定価2000円 1999年12月発行 | 東日本にある都道県の各々の特色、特性など項目別に整理 |
| 誇れる郷土ガイド－西日本編－ | 4-916208-25-0 定価2000円 2000年1月発行 | 西日本にある府県の各々の特色、特性など項目別に整理 |
| 誇れる郷土ガイド－北海道・東北編－ | 4-916208-42-0 定価2100円 2001年5月発行 | 北海道・東北地方の特色・魅力・データを道県別にコンパクトに整理 |
| 誇れる郷土ガイド－関東編－ | 4-916208-48-X 定価2100円 2001年11月発行 | 関東地方の特色・魅力・データを道県別にコンパクトに整理 |
| 誇れる郷土ガイド－中部編－ | 4-916208-61-7 定価2100円 2002年10月発行 | 中部地方の特色・魅力・データを道県別にコンパクトに整理 |
| 誇れる郷土ガイド－近畿編－ | 4-916208-46-3 定価2100円 2001年10月発行 | 近畿地方の特色・魅力・データを道県別にコンパクトに整理 |
| 誇れる郷土ガイド－中国・四国編－ | 4-916208-65-X 定価2100円 2002年12月発行 | 中国・四国地方の特色・魅力・データを道県別にコンパクトに整理 |
| 誇れる郷土ガイド－九州・沖縄編－ | 4-916208-62-5 定価2100円 2002年11月発行 | 九州・沖縄地方の特色・魅力・データを道県別にコンパクトに整理 |
| 誇れる郷土ガイド－口承・無形遺産編－ | 4-916208-44-7 定価2100円 2001年6月発行 | 各都道府県別に、口承・無形遺産の名称を整理収録 |
| 誇れる郷土ガイド－全国の世界遺産登録運動の動き－ | 4-916208-69-2 定価2100円 2003年1月発行 | 暫定リスト記載物件はじめ全国の世界遺産登録運動の動きを特集 |
| 誇れる郷土ガイド－全国47都道府県の観光データ編－ 2010改訂版 【新刊】 | 978-4-86200-123-8 定価2500円 2009年12月発行 | 各都道府県別に観光資源、観光地域などの観光データを整理 |
| 誇れる郷土ガイド－全国47都道府県の誇れる景観編－ | 4-916208-78-1 定価2100円 2003年10月発行 | わが国の美しい自然環境や文化的な景観を都道府県別に整理 |
| 誇れる郷土ガイド－全国47都道府県の国際交流・協力編－ | 4-916208-85-4 定価2100円 2004年4月発行 | わが国の国際交流・協力の状況を都道府県別に整理 |
| 誇れる郷土ガイド－日本の国立公園編－ | 4-916208-94-3 定価2100円 2005年2月発行 | 日本にある国立公園を取り上げ、概要を紹介 |
| 誇れる郷土ガイド－日本の伝統的建造物群保存地区編－ | 4-916208-99-4 定価2100円 2005年1月発行 | 日本の重要伝統的建造物群保存地区を特集 |
| 誇れる郷土ガイド－市町村合併編－ | 978-4-86200-118-4 定価2100円 2007年2月発行 | 平成の大合併により変化した市町村の姿を都道府県別に整理 |
| 日本ふるさと百科－データで見るわたしたちの郷土－ | 4-916208-11-0 定価1500円 1997年12月発行 | 事物・統計・地域戦略などのデータを各都道府県別に整理 |
| 環日本海エリア・ガイド | 4-916208-31-5 定価2100円 2000年6月発行 | 環日本海エリアに位置する国々や日本の地方自治体を取り上げる |

## シンクタンクせとうち総合研究機構

事務局　〒731-5113　広島市佐伯区美鈴が丘緑三丁目4番3号

書籍のご注文専用ファックス　082-926-2306　電子メール sri@orange.ocn.ne.jp